新潮文庫

女系家族

上巻

山崎豊子著

女系家族

上巻

第一章

鼠紬《ねずみつむぎ》に利休橘《りきゅうたちばな》の定紋をうった揃《そろ》いの衣裳《いしょう》が矢島家の葬儀衣裳であった。店員から番頭、別家《べつけ》の一門まで同じ衣裳を着揃えると、葬儀のしめやかさより、重々しい格式が目にたった。

黒白の鯨幕《くじらまく》を引き廻した光法寺の大門前に揃いの葬儀衣裳を着た家人が詰め、定紋入りの垂幕《たれまく》を掲げると、それだけで葬儀のりっぱさが人目に知れ、寺町の電車通りから光法寺に至る石畳の坂道に、寺内からはみ出した樒《しきみ》が列《なら》び、繊維筋の老舗《しにせ》が、ずらりと名前を連ねている。

大門から本堂までの参道も、両側にずらりと三百対《つい》の大樒《おおじきみ》が列び、真ん中の通路の上には、板敷の焼香路を別にしつらえ、その上に真っ白な布を長く引き敷き、本堂正面に設けられた焼香場はむろんのこと、焼香を終えて脇門《わきもん》へ出る階段と、ゆるやかな坂道にまで白布が敷き詰められている。

本堂も屋根だけを残して、純白の布で掩《おお》われ、清浄な荘厳さに包まれている。堂内正面の一段と高い須弥壇《しゅみだん》の前に、家紋入りの棺捲《かんまき》に掩われた故矢島嘉蔵《よしぞう》の柩《ひつぎ》が安置され、緋衣《ひい》に七条の袈裟《けさ》をかけた光法寺管主《かんじゅ》が大導師になり、色衣《しきい》に五条の袈裟をかけた末寺十五カ寺の住職が大導師の左右に居並び、番僧、納所《なっしょ》がそのうしろに控えて、告別式の読経《どきょう》が続けられている。大導師に和する読経の声が松籟《しょうらい》の音のように堂外にまで響きわたり、静かにたちのぼる香煙と、あかあかと大きくゆらめく燈明《とうみょう》の明りが、堂内を美しく彩《いろど》った。

白無垢《しろむく》縮緬《ちりめん》の喪服を着た矢島藤代《ふじよ》は、須弥壇の左側の遺族席に、二人の妹と並んで坐《すわ》り、重たげに顔を俯《うつむ》けながら、眼の端でさっきから行われている矢島家の盛大な葬儀の様子を確かめていた。

六年前に死んだ母の葬儀に比べると、やや見劣りするようであったが、矢島家の養《よう》子《し》婿《むこ》である父の立場を考えれば、やはり盛大過ぎるほど盛大な葬儀であった。

寺内一杯に三百対の樒と供花《くげ》を並べ、通路に真っ白な布を惜しげもなく敷き詰め、導師には光法寺管主以下、末寺十五カ寺の住職というのが、臨終の時に云《い》い遺《のこ》した父の遺言であった。それ以上の詳しいことは、口に出しては云わなかったが、暗に、六年前の昭和二十八年の秋に死んだ母の葬儀より盛大であるように、というのであった。

四代続いた船場《せんば》の木綿問屋、矢島家の主《あるじ》にしては、とりわけて云い遺す必要のない言葉であったが、それだけに三十四年間、養子旦那《だんな》の立場を忍んで来た父の最期《さいご》の思いが、せめて母よりも盛大な葬儀ということにあったのかと思うと、藤代は、父の執念の浅さが憐《あわ》れまれた。

矢島家は、宝暦《ほうれき》年間に北河内《きたかわち》から大阪へ出て、初代の時、南本町《みなみほんまち》に間口半間の小さな木綿糸屋を開き、その後四代を重ねて木綿問屋の老舗として繁昌《はんじよう》するに至っていたが、初代からあと三代は、ずっと跡継ぎ娘に養子婿を取る女系《にょけい》の家筋であった。したがって、藤代の母も、祖母も曾祖母《そうそぼ》も、揃って矢島家の家付き娘で、老舗のしきたり通り、番頭の中から婿を選んで、家名と家業を継いで来たのだった。藤代の父の矢島嘉蔵も、矢島家の番頭から二十四歳の春、跡継ぎ娘である二つ齢下《としした》の松子の養子婿になったのであった。

藤代のものごころついた時から、矢島家の奥内《おくうち》は絶えず女客で賑《にぎ》わい、雛祭《ひなまつ》りや菊見、雪見などの四季の遊びが華やかに行われていたが、父の嘉蔵は、機嫌を悪くするどころか、女たちの機嫌を損わぬように店の間の結界《けっかい》(木格子《きごうし》の帳場)の前に坐って、せっせと商いに身を入れていた。

お正月が来ても、矢島家では、男正月より、十五日の女正月の方を重んじた。この日は、朝から家紋入りの高脚台《たかあしだい》の御膳《おぜん》を並べ、明石鯛《あかしだい》と七草粥《ななくさがゆ》を祝儀《しゅうぎ》にしたが、この御膳の並べ方も、父の嘉蔵を正面に据えず、まだ幼《ちいさ》い藤代に紋付を着せて正面に据え、

「なにぶん、家《うち》の大事な跡継ぎ娘のことでっさかいな……」

母の松子が妙なことわりを云い、その頃、まだ生きていた祖母のかねも、

「藤代ちゃん、あんたのおかげで、結構な女正月だす、矢島家の女ばっかり、三人揃うて――こんなお目出度《めでた》いことはおまへんわ、曾祖母《おおばあ》ちゃんが、もうちょっと長生きしてくれはったら、四人揃うたところだすなぁ、女ばっかり――」

そう云い、祖母のかねは、父の嘉蔵の方を向き、

「どうぞ、あんたも、お食べ――」

まるで使用人に云うような権高《けんだか》なものの云い方をしたが、父は表情を変えず、紋付の膝《ひざ》を正して黙って箸《はし》を取った。

藤代に次いで、千寿《ちず》と雛子《ひなこ》の二人の妹が生まれた時も、世間なら、よりにもよって女の子ばかり三人もといわれるのを、矢島家では、

「うちは、女筋の方が栄える家やさかい、跡継ぎ娘が三人も出来たら、大繁昌というとこだすわ」

と、逆に親戚《しんせき》や別家まで招いて、内祝いの席を張り、お七夜《ななや》の祝いも、派手に振舞った。

そうした矢島家の家族関係に何の疑いも持たなかった藤代も、女学校へ行くようになってからは、学校で教わる修身や、友達の家へ招かれて、はじめて自分の家が、普通の家と違った習慣と雰囲気をもった家庭であることに気付いたのだった。

藤代の家では、影のような存在に過ぎない父親が、どの家でも女を叱《しか》りつけ、女のすることに一つ一つ文句をつけていた。最初のうちは、それが眼に灼《や》きつくほど新鮮な魅力で、父親が大声でどなりちらしている家ばかりを選って遊びに出かけていたが、度重なると、それがいいようのない不快さになって、ぷっつり遊びに行くのを止《や》めた。

藤代にとっては、やはり幼い時から馴染《なじ》んで来た、すべての面で女の我儘《わがまま》を押し通せる矢島家の習慣と雰囲気に生《なま》ぬくい快さを感じ取り、何時《いつ》の間にか、藤代も母の松子に似た振舞いをするようになっていた。

母が父を疎《おろそ》かにし、権高なものの云い方をすれば、藤代も表面では父をたてながら、心の中では、矢島家の総領娘として、養子婿である父を軽く見る癖がついていたのだった。

父の死んだ日も、そうであった。

肝臓で長く臥《ふせ》っている父が二、三日前から急に激しい弱り方をみせていたのに、せっかく取りにくい切符を取ったのだからと、父の看病を女中と付添婦に任せて、姉妹三人で京都の南座へ芝居見物に出かけ、二幕目の終りに、家から知らせて来た電話で、父の急変を知って、慌《あわ》てて車で馳《は》せ帰ったのだった。

千寿の夫の良吉が、店先にたって待ち構えていたが、藤代は良吉には目もくれず、まっすぐ通庭《とおりにわ》を通って、内玄関から奥まった父の部屋へ小走りした。中庭を挟んだ廻り廊下の角を渡りかけた時、中庭の植込みを縫い、内玄関へぬける人の気配がした。廊下を歩かず、庭伝いに用を足すのは、店の者か、女中か、父の看病を勤める付添婦にきまっていたが、洋髪に結った首筋のきれいさは、日頃、見馴れぬ女のうしろ姿であった。一瞬、はっと足を止めかけたが、背後《うしろ》から来る千寿と雛子の足音に追われ、そのまま、まっすぐ父の部屋へ急いだ。

病室の前まで来ると、藤代は急に足音を忍ばせた。病室に続く襖《ふすま》は、さっきの女が閉め忘れたのか、開いたままになっていた。藤代はそこで声をかけず、そっと敷居を跨《また》いだ。消毒薬の臭《にお》いがし、父の嗄《しわが》れた低い声が聞えた。

「宇市つぁん、ほんなら、そのようにあれのこと頼むでえ、それから……」

不意に父の声が跡絶《とだ》え、苦しげな息遣いがした。思わず、襖の陰に体を隠して、苦、次

の言葉を聞きかけると、

「お待ちですよって、早う内へ入っておくれやす」

外の気配を読みとるように大番頭の宇市の声がした。はっと狼狽《ろうばい》しかけたが、藤代は病室に入るなり、一番近い枕元《まくらもと》に坐り、

「お父さん、どないしはったのだす、いま帰って参じました」

と声をかけ、千寿と雛子も父の顔を覗《のぞ》き込み、

「お父さん、しっかりしておくれやす」

大きな声をかけたが、父は弱々しい苦しげな表情をし、三人の中の誰を見るともない焦点の定まらぬ視線で、

「葬式は派手に……お寺一杯に三百対の樒と花……それに白い新《さら》の布《きれ》敷くのを忘れんといてや、白い布を……お経は、光法寺のお寺はん全部に読んでもろうて、百人供養にしてや……」

区切るように云い、息切れが激しくなった。藤代の向い側に坐っている医者と看護婦が、藤代たちを眼で制し、リンゲル注射と酸素吸入にかかった。何度目かの注射らしく、医者は痩《や》せ細った病人の腕をさするようにし、看護婦と付添婦が、酸素吸入器を枕元に引き寄せた。

千寿と雛子は表情を硬くし、二人のうしろに坐っている千寿の夫の良吉も、顳顬《こめかみ》のあたりを震わせ、重苦しい沈黙が部屋を埋めていたが、藤代は葬式の仕儀などより、今、聞いておかねばならぬことを考えていた。酸素吸入の吸口が、かすかに揺れ、酸素の泡がつぶつぶと吹き上げていたが、

「お父さん、ほかに何か云い遺しはることは、おまへんのですか」

聞えているのか、聞えないのか、吸口を弱々しく口に当てたまま、身動きもしない。

藤代は、父の体の上に掩いかぶさるように云った。不意に吸口が父の口もとからはずれ、大きく眼を見開いたかと思うと、

「お父さん、私らは、どないしたらよろしいのだす？」

医者が激しく手で制したが、

「あんたらのこと……宇市つぁんに云うてある」

「云うてある？　肝腎《かんじん》の家のことはどうなるのだす」

「家のこと……」

呟《つぶや》くような細い声がした。思わず、父の口もとに耳を寄せると、

「宇市つぁんに、ちゃんと云うてある……宇市が……」

そう云い、宇市の方を空《うつ》ろな眼で指すようにしたが、藤代は宇市の方を振り向かず、

「云うてあるて、どんな――私らに云うておくれやす」

重ねて藤代が問いかけると、父はそれ以上の答えを拒むように眼を閉じ、二、三度、せき込むような咳《せき》をしたかと思うと、そのまま眼を閉じてしまった。

千寿と雛子は、両手で顔を掩い、肩を震わせるようにして泣いたが、藤代は、臨終に間に合った三人の姉妹を前にしながら、直接、家の始末や遺産のことを自分たちに云い遺さず、わざわざ大番頭の宇市に云い遺した父の真意を測り兼ねた。母に倣《なら》って、父を軽んじた娘たちに対する父の冷たい臨終の拒絶か、それとももっと、含みのある仕打なのか、通夜の日から、藤代の胸の中で、父に対する複雑な疑いが次第に膨れ上っていた。

急に木魚の音が小止みになり、番僧が遺族席に向って恭《うやうや》しく礼をした。

「ご遺族のご焼香でございます、喪主の方からどうぞ――」

藤代は静かに席をたった。居並ぶ導師たちに一礼をし、祭壇の前に歩み寄ると、格式の高い家の女喪主にのみ許される白無垢縮緬の裾《すそ》を床に引きずるような姿勢で、重々しく霊前にぬかずいた。

矢島家の総領娘で、今日の葬儀の筆頭喪主であることを印象付けるために、わざと定められた立礼の焼香をせず、焼香台の前に膝を折り、白珊瑚《しろさんご》の数珠《じゆず》で長い合掌をした後、念じるような恭しい焼香を行なった。その間、居並ぶ僧侶《そうりよ》、親類、別家《べつけ》一族の堂内参列者が、一斉にまぶしげな視線を藤代に向けていることを、十分、意識して振舞った。藤代が席に帰ると、千寿が焼香に起《た》った。

姉の藤代に比べると、小柄で顔だちも姉の派手やかさに劣っていたが、白無垢縮緬の喪服に合っていた。千寿はその顔だちのように控え目な動作で祭壇の前に起ち、うなだれるように頭を垂れて香を焚《た》くと、顔を深く俯けたまま、自分の席へ引き退り、妹の雛子と入れ代った。

雛子も、二人の姉と同じ白い喪服を着て、霊前に歩んで行ったが、まるい下膨れの顔が白い喪服のもつ古めかしい格式と飛び離れ、焼香台の前にたつと、場馴れしないぎこちなさが目にたった。

矢島家の三人の女喪主の焼香が終ると、千寿の夫で、矢島姓を名乗っている矢島良吉が、黒羽二重《くろはぶたえ》の紋付袴《もんつきはかま》で焼香にたった。居列ぶ僧侶や参列者に気圧《けお》されているらしく、眼を上げず、青白むような表情で焼香台の前に起ち、慇懃《いんぎん》な辞儀をして香を焚いた。

藤代は、その生真面目《きまじめ》でなんとなく陰気な良吉の姿に侮蔑《ぶべつ》するような視線を向けていたが、良吉が生真面目なばかりで策のない千寿の養子婿であればこそ、一旦《いったん》、自分の我儘で他家へ嫁《か》し、出戻りして来た自分が、大きな顔をして、今日の葬儀の筆頭喪主を勤められるのであった。

良吉に代って、死んだ母の松子の妹で、分家をたてている叔母の芳子《よしこ》が焼香にたった。色の白いたっぷりした横顔を見せ、何時も洋髪にしている髪を、今日に限って古めかしい黒元結《くろもとゆ》いの忌髷《きまげ》(葬儀及び忌中に結う髪型)に結い上げ、矢島家の女系の一人であることを印象付けていた。藤代は、この何かにつけて、今もって分家をたてさせられたことを不満にいう叔母のことを考えると、二人の妹たちだけでなく、この叔母も油断のならない女の一人に思えた。叔母に続いて、矢島家の親類縁者、別家代表の焼香が続き出すと、藤代は、導師に一礼して、席をたった。千寿と雛子も、藤代のあとに従った。引き続いて始まる一般焼香の参列者に、矢島家の喪主三人が揃って、会葬御礼の挨拶《あいさつ》をするためであった。

本堂横の鐘が鳴り、午後二時の一般焼香の時間を告げると、堂内の読経の声が高くなり、木魚を敲《たた》く音もさらに高くなった。樒を並べた大門前に、俄《にわ》かに人が往《ゆ》き交《か》い、大門から正面の本堂に至る通路の上に、黒い喪服を着た弔問客が静かに切れ目なく続き、通路の両側に鼠色の葬儀衣裳を着た矢島家の一族が、樒のようにずらりと居列んで弔問客を迎えた。白布を敷き詰めた通路に黒い人影と、鼠色の衣裳が渋い配色になって動き、早春の薄ら陽の下で、一幅の絵のような美しさであった。

弔問客は、正面の通路から本堂前にしつらえられた焼香場の階段を上り、焼香をすませると、向って左側の階段を下り、そこから緩やかな勾配《こうばい》になっている坂道を降りた。この通路の両側にも、矢島家の葬儀関係者が列んで、弔問客に敬意を表し、脇門へ出る順路を示した。

矢島家の三姉妹は、脇門の前にしつらえられた礼場にたって、焼香を終えて脇門へ出る弔問客を迎えていた。青竹と白木で囲まれた礼場に、藤代を真ん中にして、左右に千寿と雛子が並び、数珠を持った手を膝の上に重ね、一人一人の会葬者に立礼をした。

黒い喪服を着た会葬者たちは、姉妹三人並んだ白無垢の喪服姿に異様な美しさを覚えるのか、目を凝らすように三人の姿を見詰めてから、鄭重《ていちょう》な礼をして門を出た。

藤代は二人の妹と並んで、会葬の御礼を繰り返しながら、さっきからある一人の弔問客を待ち構えていた。

妹たちに気取られぬように伏目がちに俯いて礼をしながら、切れ長の眼の端で、鋭い目配りをしていた。モーニングや紋付の喪服姿に混って、一目で華街《はなまち》の女と解《わか》る抜き衣紋《えもん》風の喪服姿が見えると、ちらっと探り当てるような視線をあてた。

「どなたを、お探しでっか？」

藤代の耳もとで、千寿の声がした。目を向けると、左側にたっている千寿が、白い細面《ほそおもて》をかしげるようにして、藤代を見詰めていた。

「ううん、別にちょっと……」

曖昧《あいまい》に言葉を濁しかけると、

「姉さんも、あの人を、探してはりますのん……」

会葬者の切れ目を見計らいながら、控え目な表情の中で、眼だけが人の心を覗き込んでいた。

「別に探すというわけやあらへんけど……」

相手が日頃、何かにつけて気走りが足らず、おとなしいばかりが能であるような千寿の問いかけであっただけに、藤代は返事に迷った。

「隠さんかて、ええやないの」

不意に雛子が口を挟んだ。藤代の右側にたち、会葬者に向って神妙に頭を下げながら、

「あの人のことやったら、きょろきょろして探すより、宇市つぁんに聞いた方が早い

やないの」

下膨れの小さな顎《あご》を突き出すようにし、藤代から五、六歩斜めうしろの脇門の際《きわ》にたって、会葬者を送り出している大番頭の宇市を指した。

宇市は、ほかの店員や番頭と同じように、鼠紬《ねずみつむぎ》に矢島家の家紋をうった葬儀衣裳《いしょう》を着ていたが、腰につけた袴だけは、大番頭らしく地の厚い仙台平《せんだいひら》をつけていた。何時ものように白髪《しらが》まじりの太い眉《まゆ》の下に、見開いているのか、いないのか解らぬような曖昧な眼の開き方をし、藤代たちから五、六歩斜めうしろに退った位置にたって、三人の介添役を勤めていた。

長い列になって続く弔問客の中には、日頃、顔見知りのない三人の姉妹へは無言の礼をし、宇市の前まで行くと、たち止まってねぎらいの言葉をかけて行く老舗《しにせ》の店主たちが多かった。

その度に、宇市は白髪頭を低く下げ、先々代から仕えている大番頭らしく、矢島家に対する店主たちの長年の愛顧と、今日の弔問の礼を鄭重に述べていた。見ようによっては、矢島家は誰が死に、誰が代替りしようと、大番頭の宇市さえいれば、何の変りもないという世間の眼が、そこにあるようだった。

藤代は、そうした世間の眼に勝気な反撥《はんぱつ》を感じたが、事実、矢島家は、先々代から勤めている大番頭の宇市が、矢島家の財産管理を受け持っているのだった。三代も女の跡継ぎばかりが続き、若い番頭の中から選んだ養子《ようし》婿《むこ》が商いを継ぐことになれば、いきおい長年商いを勤めている大番頭が、新しく矢島家の店主になった養子婿より商いに通じ、特に表向きには隠されている代々の財産勘定にも通じているのが、当然であった。

　宇市も、三代目の先々代からの大番頭であったから、藤代たちの父であった矢島嘉蔵より内方《うちかた》に通じ、こと財産管理に関しては店主である嘉蔵が、宇市にものを尋ねたり、相談をかけていた。そんな矢島家における宇市の立場が、宇市の呼び名にも現われ、養子婿であった嘉蔵はもとより、家付き娘であった母の松子までも、宇市を呼び捨てにせず、〝宇市つぁん〟という、いささかの遠慮を籠《こ》めた呼び方をしていた。

　藤代は、弔問の列が跡切《とぎ》れ、宇市がほっと肩の張りを緩ませるのを見計らい、

「宇市つぁん――」

あたりを憚《はばか》るように呼んだ。五、六歩の近さであるのに聞えないのか、宇市は陽溜《ひだま》りになった脇門《わきもん》の際に背をまるめるようにして起ったまま、身動きもしない。

「宇市つぁん――」

　やや高目の声で呼ぶと、宇市は始めて気付いたようにまるめていた背を伸ばし、藤

代の方へ振り向き、頷《うなず》くように頭を下げると、人目にたたぬようにつうっと、藤代の方へ寄って来た。

「お呼びでおましたか、なんぞ、ご用で――」

慇懃に応《こた》えながら、眉の下の眼だけは、用心深く藤代の表情を探っていた。

「あの人は、お焼香に来てはりますか」

「えっ？　どなたはんのことで、おまっしゃろか」

呑《の》み込めぬ表情をした。

「私らより先に、臨終の席へ行きはった人があるはずだす、その人のこと――」

いきなり、ぶっつけるようにいうと、

「ええ？　何でおますて？　ご臨終の時に、どなたはんが――」

宇市は、右手を耳にあて、体をかしげるようにした。

「それを、あんたに聞いてるのだす、あの時、宇市つぁんは家に居て、何でも知ってはるやおまへんか」

「ええ？　手前が知っていること――お家に居て、何でも、ええ？　何でおますて――」

宇市は、耳に手をあてがったまま、さらに体を傾け、声高に聞き返した。藤代は慌

てて眼で制し、

「そないせんと聞えまへんか」

怒りを抑えた声で云《い》うと、

「へえ、このところまた一段と耳が遠うなりましたようで、耳のそばで云うておくれやしたら――」

と云い、藤代の方へ耳を擦り寄せるようにしたが、弔問客が続いて来ている時に、宇市の耳の傍《そば》へ顔を近付けて話など出来るはずがなかった。

「そないせんと聞えへんのやったら、もうよろしおます」

不機嫌に顔を背けると、宇市は、一瞬、ちらりと藤代の方を見たが、

「ご無礼でおました」

と云い、慇懃に頭を下げ、傍《かたわら》にたっている千寿と雛子の方にも断わりの礼をして、三人の傍を離れた。

告別式が終るまで、後四十分ほどの時間であったが、弔問の列は切れることなく続き、藤代は、喪服を着た女の弔問客の中に、父の死んだ日、中庭の植込みの陰に見た女の姿を探していた。三十二、三歳の首筋のきれいな女――、それだけが藤代の目じるしであったが、黒い喪服を着た女の姿は、いずれもいい合わせたように首筋がくっ

きりぬけるように美しい。もしやと思いかけると、誰もがそう見え出し、そんな頼りなさでは到底、探し出せそうもない。

宇市の方を見ると、脇門の際にたって、せっせと弔問客を見送り、重だった老舗の店主の姿を見かけると、擦り寄るように鄭重なお辞儀をし、門の外まで送り出した。その眼端《めはし》のきく行き届き方を見ていると、さっきの見当はずれな応答は、やはり藤代の質問をはぐらかすための呆《とぼ》け方であったらしい。

宇市なら、それくらいのことはし兼ねない。養子婿である店主の嘉蔵からは、何かにつけて相談相手にされ、一方、家付き娘であった藤代たちの母からは、宇市が夫のいいなりにならぬように牽制《けんせい》され、絶えず、双方の間にたって揉《も》まれ、ことをうまく治める纏《まと》め役が宇市の勤めであった。長年のそんな立場が、慣《なら》い習性《しょう》になったのか、宇市は何時も無表情に黙り込み、何を聞いても即答を避け、白髪まじりの太い眉の下から、用心深く相手を見、思案したあげくでないと返事をしない。それも都合の悪い立場になると、ほんとうに急に耳が遠くなるのか、それとも聞えない振《ふり》をするのか、見当はずれの呆けた返事をする癖があった。さっきの空っ呆けた応答も、この勝手聾の類《たぐい》に違いなかった。

藤代は、むうっとした表情で宇市から眼を離し、ふと焼香場から脇門へ降りて来る通路へ眼を向けた途端、妙な人影に気付いた。

流れるように続いている列の中で、喪服を着た一人の女だけが、何度も通路の端にたち止まり、通路の上に敷き詰めている白布を草履で撫《な》でるように踏みならし、両側に列《なら》んでいる樒《しきみ》の数を一本、一本、眼で数えるように読んでいた。前からでは首筋のきれいさは確かめられなかったが、通路に敷き詰めた白布を撫でるように踏みならし樒の数を数えるのは、明らかに樒三百対《つい》を並べてほしいと云い遺《のこ》した父の言葉を知っている者の仕種《しぐさ》であった。あの日、藤代たちより先に駈《か》けつけていた女にそう云い遺したのか、それとも日頃から、女にそうしたことを話していたのか、何《いず》れにしても、外《ほか》の女にまで葬式の仕儀を云い遺した父の心が憐《あわ》れであった。

女は、藤代が見詰めているとも知らず、藤代たちのたっている礼場の傍まで、緩い勾配になっている坂道を樒の数を数えながら降りて来た。美しい眼もとが樒を読みながら、潤《うる》むように輝き、時々、読み違えをするらしく、足を止めて、行き過ごしたうしろの樒を振り返っていた。

最後の一対を数え終ると、女はほっとしたように眼を憩《やす》めた。そしてさり気ない様子で本堂の方へ振り向いて目礼し、眼を上げて礼場の方へ向き直った途端、藤代と眼が合った。女は、一瞬、はっと息を呑むように身ゆるぎしたが、つと視線を俯けると、硬い表情で藤代の前まで歩いて来、足を止めて静かに深い一礼をした。藤代は、見据えるように女の首筋を見た。細いしなやかな首筋が、黒い喪服の衿《えり》もとから脱け落ちそうに白かった。女は、千寿と雛子にも顔を俯けたまま深い一礼をしたが、二人は女に気が付かないらしく、誰にでもするような神妙な頭の下げ方をした。

藤代は、すぐ宇市の方へ眼を遣《や》った。宇市は女の先にたっている弔問客に向って鄭重な礼を繰り返していたが、女の姿に気付くと、白い眉の下から、小さな眼を光らせて女を見た。女は硬い姿勢でたち止まり、何かものを云いたげな表情をしたが、宇市は表情を変えず、改まった様子で慇懃な礼をした。

四時間半にわたる大葬儀が終り、光法寺から南本町の矢島家へ帰る車の中で、藤代はさっき見た女のことを考えていた。

三十を二つ三つ出た眼もとのきれいな色の白い女であった。そのきれいさは、藤代のように人の目にたつ華やかさでもなく、千寿のように細面の冷たい顔でもなく、といって、雛子のように下膨れの愛嬌《あいきょう》のある顔でもなかった。人の眼の邪魔にならぬような平凡な顔だちの中に、眼だけを涼しく見張っていたが、その眼もひっそりとした温かさを持っていた。

母の死ぬ前から結ばれていたのか、それとも母の死後結ばれたのか、何れにしてもそこに藤代よりさらに豪奢《ごうしゃ》な感じであった母とは全く異《ちが》った女の姿があった。それだけに、女に対する父の心の傾きの深さが推し測られ、自分たちより先に臨終の席へ駈けつけ、自分たちに見付からぬように逃げ帰った女の行動が、矢島家の今後の始末と深い繋《つな》がりを持っているような不安を覚えた。

「姉さん、何を考え込んではるの」

耳もとで、雛子の声がし、藤代の顔を覗《のぞ》き込んだ。

「疲れはったのと違いますか、私らと違うて姉さんは、筆頭喪主をしはったのでっさかい——」

千寿も、あの女のことに気付いていないらしく、雛子と同じように気遣わしげに藤代の顔を見た。

「やっぱり疲れるもんやわ、喪主などをすると……」

そう応え、藤代は二人の妹には、自分たちが探していた女が来ていたことを隠した。

車が大戸を降ろした矢島商店の前に止まると、留守番をしていた女中たちが、浄《きよ》め塩《じお》を持って表にたっていた。

胸から足もとにかけて、何度も塩をかけて忌払《いみばら》いをした後、内らへ入り、廻り廊下を渡って、奥へ入った。数時間前まで、父の嘉蔵の柩《ひつぎ》を置いていた十二畳と八畳続きの奥座敷が、急に広々とした広さになり、正面の床の間の前に取り残された経机《きょうづくえ》と供《く》花《げ》が、妙に白々しいものに見えた。藤代たちは、そのまま座敷に入らず、中前栽《なかせんざい》を廻って衣裳部屋へ入り、白無垢《しろむく》縮緬《ちりめん》の喪服を脱いで、黒の喪服に着替えた。あとから来る矢島家の近親者を黒い喪服で迎え、葬儀のあとの精進揚《しょうじんあげ》の供養膳《くようぜん》を勧めねばならなかった。

喪服の着替えを終り、玄関口の方へ出かかった時、表に車の止まる音がして、人の騒《ざわ》めく気配がした。急いで内玄関へ出迎えると、真っ先に、分家をたてている叔母の姿が見えた。

「ああ、結構やった、結構やった、嘉蔵はんの精進がよかったのか、ほんまにええお天気でおました、大阪でこない空のきれいな晴れた日はおまへんわ」

叔母の芳子は、賑《にぎ》やかな声でいいながら、藤代たちの案内も待たず、さっさと先にたって奥座敷へ入って行った。

叔母に続いて矢島家の近親者が、座敷に揃《そろ》うと、女中たちの手で精進揚が運ばれた。

家紋の入った黒膳が、十二畳と八畳続きの座敷にコの字型に並べられ、その末席に藤代、千寿、雛子の三人が並び、千寿の夫の良吉は、千寿の左隣に坐《すわ》り、大番頭の宇市は、使用人の立場で、そのうしろに坐った。

「本日は、ご多用の中にもかかわりませず、亡父、四代目矢島嘉蔵の葬儀に、御親戚《しんせき》ご一同さまのご列席を戴《いただ》き、おかげで盛儀にさせて戴きました、仏に代りまして厚く御礼を申し上げ、供養のお膳をしたためましたので、お揃いで精進揚の供養をお願い致します」

藤代の口上で、喪主の挨拶《あいさつ》をすると、叔母の芳子が、

「ごりっぱな御葬儀に詣《まい》らせて戴き、その上、ご鄭重《ていちょう》な葬礼《そうれん》のご挨拶でおます、お念の入った御精進揚はお供養に戴かせてもらいます」

改まった口調で、精進揚の供養膳に列《つら》なった近親者たちに代って挨拶した。

固苦しい挨拶が終ると、急に座が賑やかになり、正面の床の間に向って左側の席に坐った矢島家の縁者は、無礼講に精進酒を飲みはじめたが、右側の嘉蔵の実家方《さとかた》の縁者の方は、気詰りな遠慮した様子で、膳の上に箸《はし》を運んでいた。養子婿であった嘉蔵が健在で、矢島家の商いをしていればこそその矢島家との縁続きで、嘉蔵が死んでしまったあとは、有名無実の縁者に過ぎないという思いが、嘉蔵の縁者の側にあるようで

あった。

藤代たちには、そんな陰《いん》に籠《こも》った父の実家方の気持が感じ取られたが、叔母の芳子は一向に気付く気配もなく、正面の上座に坐って、独り賑やかに喋《しゃべ》っていた。

「ほんまにりっぱな葬礼でおましたなあ、あれぐらいの大葬儀にしてもらいはったら、死んだ人も満足なことでっしゃろ、第一、あれやったら、先に死んだ姉さんと変れしまへんな」

そういい、自分の向いに坐っている嘉蔵の実家方の兄である山田佐平の顔を見た。和歌山の御坊《ごぼう》で百姓をしている佐平は、僅《わず》かの酒に顔を赤く火照《ほて》らせ、

「ほんまにのし、あないなりっぱな葬礼は、わしらの身分では、もったいのうて――、死んだ弟も結構に成仏《じょうぶつ》でき、ほんまに有難いことやのし」

おどおどと、卑屈に応えた。

「そら、そうでっしゃろ、同じ矢島家でも、分家をたてたわてや、うちの人が死んでも、とてもあれだけの葬礼はしてもらえまへんわ」

おっ被《かぶ》せるようにそういい、自分の隣に坐っている夫の方を見、

「やっぱり、何でも本家やないとあきまへんなあ」

妙にねっちりしたいい方をした。小肥《こぶと》りした叔母の芳子と反対に、瘦《や》せぎすで気の

弱そうな叔父の米治郎は、眼の遣り場に困ったような表情で、

「いや、本家のおかげで、何時《いつ》も結構にさしてもろうてるやおまへんか」

叔母の言葉を弁解するようないい方をしたが、叔母はそれには応えず、藤代たちの方を向き、

「あんたらの今日の白無垢の喪服姿は、ほんまにきれいやったわ、三人揃うて白縮緬の着物の背中に墨色の家紋を抜き、白繻子《しろじゅす》の帯を締めて、矢島家の跡取り娘らしい品と華やかさがおましたわ、藤代さんと千寿さんまで、雛子ちゃんと同じ若い娘さんに見えましたわ」

そういい、眼を細めるようにして三人の顔を見詰め、不意に思いついたような表情で、

「それはそうと、このあと始末がいろいろと大へんだすけど、その方はどないなってますねん？」

いきなり、そう問いかけた。藤代は、とっさに返事に戸惑った。

「それがおかしなことだすけど——私たちには詳しいことを何もいいはらず、ただ宇市つぁんに任せてあると、それだけいいはったので——」

「へえぇ、宇市つぁんに——、あんたらには何にも云い遺しはれしまへんの？」

叔母は、藤代の言葉を疑うように訝《いぶか》しげな視線を、千寿と雛子に当てた。二人が眼で頷くと、

「ふうん、けったいな話だすなあ、なんぼ宇市つぁんが頼りになるというたかて、あんたら三人をさしおいて、ちょっとおかしおますな、なんぞ、思いあたるようなことでもおまへんのか」

叔母のよく光る眼が輝いた。

「別にこれというしっかりした心当りはおまへんけど、ただ……」

藤代は、次の言葉に云い詰った。不意に末席にいた宇市の体が、前へ出た。袴《はかま》の上に両手を置き、上半身を乗り出すようにして、叔母の芳子と藤代の前に頭を下げると、

「お言葉をおはさみしてご無礼でおますけど、今日は、ご葬儀がすみましたばかりの精進揚の日でございますさかい、そのお話は、後日、ご親戚代表さま方にお寄り戴いた上で、ご相談して戴きたいと、こう存じております」

「なんぞ、親族会でも開かんならんようなことがおますか」

「へえ、やっぱりお寄り戴く方がおよろしいと存じますので、さようお願い致しとうおます」

言葉丁寧ではあったが、ぴしりと話を締め括《くく》るような云い方であった。藤代はちら

りと宇市の方へ眼を向け、

「へえぇ、宇市つぁん、あんたの耳は、よう聞えますねんなあ、お昼は、あんな大きな声でいうても聞えへんかったのに――」

皮肉ないい方をすると、

「へえ、さいでございましたかなぁ」

宇市は、大袈裟《おおげさ》に首をかしげ、白髪《しらが》まじりの眉《まゆ》の下で、小さな眼を曖昧《あいまい》に見開き、皺《しわ》だらけの口もとをつぼめて呆《とぼ》け笑いをすると、ついと膝《ひざ》を退《すさ》らせ、もとの席へ引き退《さが》った。

*

二七日《ふたなのか》を過ぎると、葬儀の始末も一段落がつき、家内《いえうち》にも仏事くささがなくなり、普段の落着きを取り戻した。

藤代は、中前栽に面した自分の部屋に坐り、ゆっくり家の中の気配を見渡した。中の間《ま》をはさんで向うの店の間からは、商いの賑やかな騒《ざわ》めきが聞えていたが、奥内《おくうち》はひっそりと静まりかえっている。植込みの葉末に三月半ばのほの白い陽が降り落ち、庭の中ほどにある棗形《なつめがた》の池にも明るい陽が溜《たま》り、緋鯉《ひごい》が勢いよく水を撥《は》ねる度に白い飛沫《しぶき》が庭石を濡《ぬ》らし、大阪の街中《まちなか》であることが嘘《うそ》のように静謐《せいひつ》であった。しかし、一歩、縁側に出て深い庇《ひさし》の外を見上げると、眼の上に高いビルディングの壁面が見え、本瓦葺《ほんかわらぶき》の屋根と分厚な土壁に囲まれた矢島商店は、ビルの谷間に一軒取り残された古風な建物であった。

厚い防火壁の力で、戦災にも免れた矢島商店は、大阪格子《ごうし》をはめ込んだ十間間口の表構えで、表口から裏まで奥行二十四間の通庭《とおりにわ》が一本通り、家内の者はこの通庭をぬけて内玄関へ上り、ここから廊下伝いに奥内へ入った。長い廊下や窓のない薄暗い部屋を通って奥内へ入る昔の商家の間取りは、使い勝手が悪く、何かと不便で、前から何度も建直しを云いながら、そのままになっているのだった。

藤代の部屋も、廊下の曲り角になり、軒の尾垂《おだ》れが長いために陽の射《さ》し込みが悪く陰気であったが、中前栽に面して縁側が出、ガラス戸がはまっていたから、眼の行きどころは明るかった。中前栽をはさんで斜め向いの八畳と四畳半続きの座敷が千寿の部屋、真向いの八畳一間の部屋が、末の雛子の部屋であった。これは、母の松子が生きていた頃に定められた三人の部屋の割り振りであった。

幼《ちい》さい頃から、中前栽をはさんで別々の部屋で育てられ、互いの部屋へ行く時には濡《ぬ》れ縁《えん》伝いに行くか、庭石を渡って行くかであったから、他人の家へ遊びに行くようなよそよそしさがあった。雨の日など自分の部屋の障子を開けると、植込みを隔てて向うの千寿の部屋や、雛子の部屋の縁側にも、女中が色紙を広げて、てるてる坊主《ぼうず》をつるしたり、お人形遊びをしているのが見えた。そして、互いに遊び相手を欲しがっているくせに、相手の方から云い出すまで、強情を張って独り遊びをした。そんな強情さと、他人行儀なよそよそしさが、大人になった現在も、三人の心の隅のどこかに残っていた。

死んだ藤代たちの母にしてみれば、女系《にょけい》家族らしい格式と、家内の秩序を保つために、三人娘の一人一人を幼い時から部屋を分けて育て、乳母も女中も重ならぬように付き添わせたのであったが、結果は、三人の姉妹に、肉親同士とは思えぬほど孤立した自尊心と競争心とを植えつけてしまった。

藤代は、座敷を起《た》って、縁側の戸を細目に開き、千寿と雛子の部屋を見た。雛子は、何時ものようにお料理を習いに出かけているらしく、拭《ふ》き掃除にかかっている女中の姿がガラス戸越しに見えたが、千寿の部屋は、ガラス戸の内側の障子が閉まり、ひっそりとしていた。

三人姉妹の中で、千寿が一番無口でもの静かで、養子《ようし》婿《むこ》の良吉を迎えても、夫婦の部屋から賑やかな笑い声が聞えて来ることがなく、何時もひっそりとしていたが、父の死後、その静かさが妙に藤代の気にかかった。店へ出ている良吉が千寿の部屋へ帰り、障子を閉めてひそひそと話しあうような気配がすると、親族会を控えて、出戻りの姉と、次女である自分たち夫婦の微妙な関係を話しあっているのではないかという懸念《けねん》に駈《か》られるのだった。

明後日に迫った親族会のことを考えると、藤代も平静を装《よそお》いながら、息苦しい心の昂《たかぶ》りを覚えた。

七年前に八幡筋《はちまんすじ》の骨董商《こっとう》の三田村《みたむら》家の一人息子に嫁ぎ、姑《しゅうとめ》の難しさにたった三年で、自分の方からさっさと家へ帰って来たのであったが、その間に、千寿が養子婿を迎えていたのだった。もともと藤代が養子婿を取ることになっていたのを、お茶の会で知りあった三田村晋輔《しんすけ》のもとへ嫁ぎたいと云《い》い張り、養子取りを妹に押しつけて、家を出たのであったから、文句のつけようがなかった。しかし、出戻りの弱味など曖《おくび》にも見せず、藤代が嫁いだあと、十畳と六畳続きの藤代の部屋へ入っていた千寿と良吉に部屋を出てもらい、もとの自分の部屋へおさまって、出戻りしても、矢島家の総領娘に違いない点を明らかにしたのだった。

その時、千寿は、藤代と並んで父の前に坐り、黙って姉の云い分を聞いていたが、

父の嘉蔵が、

「どないする？　あんたも新婚で部屋変りするのは嫌やろけど、もともと姉さんの部屋やったし――」

どちらつかずの云い方をすると、

「それが家のしきたりで、お父さんもその方がええとお思いやすのやったら、私は仕様おまへんわ」

従順ではあったが、もって廻った云い方をした。暗に父の嘉蔵が、藤代に遠慮し、勝手に他家へ嫁ぐといえば、そうかと頷《うなず》き、三年そこそこで帰って来るといえば、またそうかと、頷いて迎える父の態度を詰《なじ》っているのだった。

事実、父の嘉蔵は、三人の娘に遠慮がちで、娘の名前を呼びつけにすることもしなかったが、その中でも死んだ母に似た藤代に対しては、他人のような遠慮深さがあった。千寿や雛子と違って、藤代は祖母のかねが生きている頃に生まれ、祖母と母の前で気兼ねばかりして過ごしていた父の姿を知っていたから、そうした娘に対する父の卑屈な思いがあったのかもしれない。

それだけに父の藤代に対する気持は、陰に籠った微妙なものであるに違いなかった。臨終の床であとの始末を聞いた藤代に対して、直接、何の云い遺しもせず、宇市に一切を任せてあると答えたのも、藤代に対する父の陰湿な憎しみであるのかもしれない。

そう思い出すと、藤代は、いいようのない不安に襲われた。

一体、父の嘉蔵は何を宇市に云い遺したのだろうか――。三カ月も前から寝込み、度々、重くなりながら、三人の姉妹に、はっきりとした仕分けもせずに死んだのは、そこに何か思いもかけない事情が隠されているようであった。

三人の姉妹の中で、一番難しい不利な立場は、長女とはいえ、出戻りである藤代であり、一番有利なのは、既に養子婿を迎えている千寿で、その夫が矢島家の商いに従っていることが強味であった。しかし、千寿の夫の良吉が、矢島嘉蔵の名前を襲名し、矢島商店の商いを継ぐとは定められていなかった。したがって、出戻りしても、長女である藤代が家に居《お》り、末の雛子も他家へ嫁がず、養子婿を迎えることになれば、矢島商店の後継者は、ますます難しくなる。化繊の進出で木綿商いが年々、押され気味になり、先代の時より商いが細くなったとはいえ、四代も続いて来た矢島家の財産は、大阪市内にある不動産も入れると厖大《ぼうだい》なものに違いなかったし、何より㊅印《じるし》の暖簾《のれん》が大きかった。これだけの財産の分配を、何一つせずに死んだ父の仕打は、考えれば、考えるほど腑《ふ》に落ちない。

藤代の胸に、父の葬儀の日、通路に列《なら》んだ樒《しきみ》の数を眼で数えていた女の姿が泛《うか》んだ。

葬儀の仕儀を女に云い遺《のこ》した父と、その仕儀を確かめに来た女との結びつきを考えると、父と娘の結びつきなどより、遥《はる》かに深い情あいと絆《きずな》があり、父が宇市に託した言葉の中には、三人の娘より女のことを重く云い遺しているかもしれなかった。そうなれば、千寿や雛子よりも、外にいる父の女の方が、藤代にとって強敵であるかもしれない。

そうした一切のことを知っているはずの宇市は、葬儀の日以来、固く口を噤《つぐ》み、店にも殆《ほとん》ど顔を出さなかった。葬儀のあと片付けや、葬儀の手伝いを出した別家衆《べっけしゅう》への挨拶廻りが忙しいというのであったが、二七日を過ぎても、定まった時間に、店へ顔を出さないのは、藤代たちと顔を合わせるのを避けている様子であった。それがまた、藤代の不安の種になった。

縁側のガラス戸を閉めると、藤代は思いついたようにつと起ち上り、襖《ふすま》を開けて廊下へ出た。長い廊下を伝って中の間へ出、中の間と店の間を仕切っているくぐり暖簾の間から、店を見た。

表通りに面した三十畳ほどの板敷に、八番手から四〇番手までの綿布がずらりと並び、帆前掛、久留米絣《くるめがすり》、伊予絣、遠州木綿、播州木綿《ばんしゅう》、天竺《てんじく》、キャラコなどの広幅木《ひろはば》綿が店一杯に積み上げられている。店員たちは堆《うずたか》い綿布の間を縫うように歩き、地方や市内から買付けに来ている小売商の注文を受けて荷分けし、注文受けが終ると、伝票を書いて勘定場へ通した。

結界《けっかい》（木格子で囲んだ帳場）になった勘定場は、一時《いっとき》になる卸し計算を間違わぬように店主が要《かなめ》になって一番奥に坐り、その前が番頭の列、その前が算盤《そろばん》達者な若い店員の列と、扇型に広がって坐る形になっている。

藤代は、店先の賑わいを確かめてから、勘定場へ眼を遣《や》った。要になった一番奥の座に、千寿の夫の良吉が坐り、仕込みの金庫を背にして、番頭や店員たちの算盤の動きに厳しい眼を向けていた。それは、ついこの間まで、死んだ父の嘉蔵がしていたのと同じ表情で、姿勢までそっくりであった。千寿より三つ齢上《としうえ》で、背が高いのだけが取得《とりえ》のような平凡な顔だちの良吉であるのに、そこにそうして坐《すわ》ると、急に矢島商店の若旦那《わかだんな》のような貫禄《かんろく》を備えていた。藤代は険しくなりかけた表情を抑え、勘定場がやや手すきになるのを見計らい、暖簾をくぐって、勘定場のうしろへ廻った。

「良吉さん、お忙しおますか」

声をかけると、良吉は驚いたように顔を上げ、

「呼んでくれはりましたら、内らへ入りましたのに――なんぞ、お急ぎのご用でっしゃろか」

何時になく、店へなど出て来た藤代に訝しげな表情をした。

「そないして要の座に坐ってはったら、まるで、五代目、矢島嘉蔵を継ぎはったみたいだすわ」

そう云い、はっと狼狽《ろうばい》の色が良吉の顔にうかぶのを確かめてから、

「ところで、宇市つぁんは、今日も見えしまへんの？」

「へえ、なんや知りまへんけど、あと二日は、まだこの間のとり込みのあとじまいで忙しいさかい、店へは出られまへんと云うてますねん」

「へえぇ、あと二日――」

ちょうど親族会の開かれる日であった。

「なんぼ大きなお葬式やいうたかて、そないあとじまいに、手間のかかるものでっしゃろか」

良吉の表情を探るように云うと、

「さあ、そのへんのことは、手前どもには一向に――」

利口に言葉を濁し、帳簿の方へ眼を逸《そら》しかけた。

「なかぁんさんは？」

藤代は、千寿のことを聞いた。矢島家では昔から、一番上の姉が大嬢《おおいと》さん、中が中《なか》

嬢《いと》さん、一番末が小嬢《こいさん》さんと呼び慣わす習慣があったから、藤代は大人になってからも、幼い頃の呼び名で千寿を中嬢さん、雛子を小嬢さんと呼び、特に千寿を呼ぶときは、なかいとさんと正しく呼ばず、なかぁんさんと詰めて呼ぶ癖があった。

「多分、部屋にいることやと思います、さっきまで居りましたさかい——、なんやったら手前がちょっと見て参りまひょか」

良吉は、気軽に腰を上げかけた。

「いえ、結構だす、私が寄せてもらいまっさかい——」

藤代はくるりと踵《きびす》を返し、中の間の暖簾をくぐり、客間を通って、千寿の部屋の前まで来ると、

「なかぁんさん——」

襖越しに声をかけた。中から規則正しい時計の音が聞えるだけで、静まりかえっている。

「なかぁんさん——」

もう一度、声をかけてみたが、やはり返事がなく、人の動く気配もない。そっと襖を引き開けて中を覗《のぞ》いてみると、千寿の部屋らしく、座布団《ざぶとん》一枚まできちんと隅に片付けられていたが、つい今まで部屋の中にいたらしく、茶卓の上の湯呑茶碗《ゆのみぢゃわん》が飲みさ

しになって、ぬるんだ色をしていた。

藤代は、もと通りに襖を閉めると、台所へ引っ返した。昔風に太い梁《はり》が天井に通り、広い三和土《たたき》に黒光りした庭押入と庭竈《にわかまど》が据《すわ》り、竈の焚口《たきぐち》をガス式に改造した和洋折衷の台所に、六人の女中が忙しそうにたち働いていた。

「なかぁんさん、どこへ行きはったか知りまへんか……」

声をかけると、驚いたように手を止め、

「おかしおますな、ついさっきまで、お部屋にいてはりまして、私がお茶《ぶう》を持って参じましたんでっけど――」

上女中のお清が、怪訝《けげん》そうに云った。

「ほんなら、やっぱり家にいてはるのかしら――」

藤代は、また奥へ引っ返した。念のためにもう一度、千寿の部屋を覗いてみたが、やはり、姿が見えない。別に千寿にとりたてた用事などなかったが、静かな家の中で独り、腑に落ちぬ宇市の様子や、二日先の親族会のことを考えていると、息詰るような気の重さであった。それに千寿が何を考えているかも、それとなく知りたかったのだった。しかし、千寿がいないとなれば、鬱陶《うっとう》しい気の持って行きようがなく、藤代は男のように懐手《ふところで》をすると、廻り縁を伝って父と母の部屋であった奥座敷へ行った。

十二畳と八畳続きの座敷は、商家らしく長押《なげし》無しの簡素なつくりであったが、仏壇を仕込んだ本床の床廻りだけ普請《ふしん》を凝らし、床柱は杉のみがき丸太、床板は高麗縁《こうらいべり》の敷込み、袋棚は金砂子《きんすなご》の小襖を使い、欄間《らんま》は豪華な透彫《すかしぼり》に仕上げていた。この座敷の両側にさらに御寮人《ごりょうん》部屋、旦那部屋と呼ばれる母と父の個室があったが、六年前に母が死んだ時から、昔風な小格子の入った御寮人部屋は固く閉ざされ、旦那部屋も同じように使われず、父は陽あたりのよい広々とした十二畳と八畳続きの座敷を独りで占有していたのだった。その住まう人が亡《な》くなり、掃除だけが行き届き、丹念に拭き込まれている部屋の中は、妙に寒々とした冷たさがあった。藤代はその冷たさを払いのけるようにつと座敷を出ると、衣裳《いしょう》部屋へ足を向けた。二日先の親族会に出る着物の衣裳選びをしておきたかったのだった。

衣裳部屋は、御寮人部屋の続きになり、母屋《おもや》の棟《むね》の一番端の薄暗い納戸《なんど》のような部屋であったが、この部屋の中に入ると、矢島家の三代の女の衣裳簞笥《だんす》が並び、衣裳に執着した女の執念が生きているようであった。藤代が三田村家へ持って行った荷物も、そのままの形でこの衣裳部屋へ戻って来ているのだった。

衣裳部屋の近くまできて、藤代は不意に足を止めた。何時も閉めきりになっている衣裳部屋の戸襖がかすかに開き、内側から淡い光が洩《も》れている。足音を忍ばせて戸襖の前にたち、隙間《すきま》に眼をあてた。

薄暗い部屋の中に、定紋入りの油単《ゆたん》（簞笥長持の湿気を防ぐための掩《おお》い布《ぬの》）をかけた衣裳簞笥がぎっしり並び、中にいる人影は見えなかったが、音をたてぬように引出しを開ける人の気配が感じ取れた。藤代の胸に激しい動悸《どうき》が搏《う》ち、異様な疑惑が頭に広がった。

藤代は、かすかに開いた戸襖の隙間に手をかけ、上へ持ち上げるようにして音をたてずに戸を開けた。部屋の中は、湿っぽい匂《にお》いが籠り、北向きの明り窓から淡い光が入っているだけで、簞笥が並んでいる奥の方は、容易に見通しがきかない。息を殺すようにして中に入り、簞笥の陰からそっと奥を覗いた途端、藤代は思わず、自分の声を抑えた。

明り窓から落ちる淡い光の中に、千寿の白い顔がうかび上り、入って来た人の気配にも気付かず、藤代の衣裳簞笥の引出しを開け、畳紙《たとうがみ》に包まれた着物を一枚一枚取り出していた。藤代が婚礼の日に着た緞子《どんす》に総縫取りの裲襠《うちかけ》、白無垢《しろむく》の上着、紋綸子《もんりんず》の下着、黒縮緬《くろちりめん》の振袖《ふりそで》、疋田絞《ひったしぼり》の色直し――千寿は何かに憑《つ》かれたように藤代の衣裳を取り出しては、膝《ひざ》の上に広げて丹念に見詰めている。表地を撫《な》でさするように見廻し、裏を返して胴裏、八掛《はっかけ》の布工合まで手に取って眺め、見終ると、一枚一枚、もと通りに丁寧に畳んで畳紙にしまい込み、また次の衣裳を広げた。

「なかぁんさん――」

不意に声をかけると、千寿の顔がはっと振り向き、一瞬、怯《おび》えたように藤代の顔を見上げたが、

「まあ、姉さんでおましたの、びっくりしますやないの、急に入って来はったりして――、あんまり、姉さんのお衣裳がきれいでっさかい、私の衣裳簞笥の整理に来たついでに見せてもろうてましてん」

青白んだ表情で云い、膝の上に広げた藤代の衣裳を両手で翳《かざ》すようにした。

「あんたの衣裳簞笥かて一杯やないの、それにまた何を思いついて、私の婚礼衣裳なんか出して見てはるの?」

藤代は、突き刺すような冷やかさで云った。

「別に何の意味もおまへんけど、今度姉さんが嫁《い》きはる時、またどんなええお衣裳にしはるかと、そんなことを考えていただけだすわ」

「ええ? 私がまた嫁《い》く――なんでだすねん、私はもう嫁《い》かんと、この家で養子取りをするかもわかりまへんわ」

そう云い、千寿の手からむしり取るように自分の衣裳を取り上げ、畳紙に包んで、

衣裳箪笥の中へしまい込み、くるりと向き直ると、
「人の衣裳箪笥を断わりもなしに、黙って見たり、さしでがましく、人の嫁入りのことまで考えんといておくれやす」

藤代は、ぴしりと鳴るような強さで云い、荒々しく戸を開けて、衣裳部屋を出て行った。

千寿は、姉の足音が消えるまで顔を俯《うつむ》け、箪笥の前に踞《うずくま》るような姿勢をしていたが、足音がなくなると、つと顔を上げ、何事もなかったように起ち上って、静かに衣裳部屋を出た。

薄暗い廊下を伝って、姉の部屋の前まで来ると、内から外の気配を読み取るような人の動きを感じたが、足を止めず、そのまま、すうっと素通りして、自分の部屋へ入った。

縁側に面した八畳と四畳半続きの部屋は、障子越しに射《さ》し込む光で明るく温められ、部屋を出る時、飲みさしにして行った湯呑茶碗のお茶までぬるんでいるようであった。

千寿は座敷机の前に坐らず、四畳半の壁際《かべぎわ》に置いた京塗の鏡台の前に坐った。掛布《かけぬの》を

とって、覗き込むように自分の顔を映すと、よく拭《ふ》き込まれた鏡の中で、白い顔が静かに息づき、なだらかに彎曲《わんきょく》した眉《まゆ》の下に、切れ長の一重瞼《ひとえまぶた》が潤《うる》むような光を湛《たた》えている。

千寿はさっきの衣裳部屋であったことが影にならず、自分の顔に何時《いつ》ものような落着きと、女らしいたおやかさが失われていないことを確かめると、鏡の中の自分の顔に、姉の華やかな顔を重ね合わせた。肌の色は藤代の方が、千寿よりやや浅黒かったが、豹《ひょう》のように大きく見開いた黒い瞳《ひとみ》と、美しくくびれた厚い唇がぱっと鮮やかに人眼を射た。高い鼻筋にも柔らかい肉付きがあり、顔全体があでやかな艶《なま》めかしさに包まれていたが、どこか心の許せない冷たい権高《けんだか》さがあった。

しかし、勝気で豪奢《ごうしゃ》であった母は、自分に似た華やかな容貌《ようぼう》と気性をもつ姉の藤代をたて、四つ齢下の千寿は、幼《ちいさ》い時から何時も姉の我儘《わがまま》を我慢させられて来たのだった。姉のお古を着せられたり、使い古しの玩具《おもちゃ》を持たされたりすることはなかったが、一つしかないものを欲しがった時は、きまって姉の方に与えられ、千寿は母の妙に優しく執拗《しつよう》な宥《なだ》めすかしに黙り込むのが常であった。

姉が、三田村晋輔に嫁ぐ時もそうであった。母は三田村家へ嫁ぐ姉のために、呉服屋の番頭が注文間違いをするほど夥《おびただ》しい衣裳の数を注文し、婚礼衣裳から訪問着、散歩着、日常着に至るまで、すべて京都の千総《ちそう》の別染めに出し、結城《ゆうき》や大島も、別注の柄付けを産地元で織らせ、間に合わないものは、あとで荷運びするほど衣裳ごしらえに凝った。調度品も塗物は京都のため吉《よし》、箪笥、長持は桐惣《きりそう》の柾桐《まさきり》でしつらえ、二十一歳の千寿にも思わず、長い嘆息を洩らさせるほどの贅《ぜい》の尽し方であった。

「惜しいわ、こんなお衣裳を他家《よそ》へ持って行ってしまいはるのなんか――」

衣裳を広げている母のそばで、千寿は呟《つぶや》くように云うと、

「あんたが養子取りをする婚礼の時も、これぐらいのことはしたげまっさ」

母は何気なく云ったが、千寿は下を向いて血のにじむほど唇を嚙《か》みしめた。幼い頃の玩具や持物のことだけでなく、姉が養子取りをせず、勝手に他家へ嫁ぎたいと云い出せばしぶしぶながらも許し、千寿は、何の意向も確かめられず、姉の代りに養子を取るものと、定《き》められていることが口惜しかった。

その母の言葉通り、姉が三田村家へ嫁いだ翌年、千寿は畑中良吉を養子《ようし》婿《むこ》に迎えた。母は、矢島商店の若い番頭の中から婿選びをすることを望んだが、千寿は頑《かたくな》に拒み、矢島商店の下請けをしている北河内《きたかわち》の機織《はたおり》屋の四男で、大阪高商を出ている良吉を養子婿にすることを承諾したのだった。それが千寿なりの、驕慢《きようまん》な母と姉に対する反撥《はんぱつ》であった。

母は養子縁組がきまると、早速、千寿の婚礼衣裳を整えにかかったが、「あんたの婚礼のときも、姉さんぐらいのことはしたげまっさ」と云った言葉など忘れ果てたように、姉と比べると見劣りのする衣裳ごしらえであった。白無垢に総縫取りの裲襠、色直し、長襦袢《ながじゅばん》、訪問着など、一通りは姉の衣裳と同じ整え方であったが、糸の撚《より》や刺繍《ししゅう》の細かさなど仔細《しさい》に見ると、どこか重味が乏しく、凝りの足りなさを感じた。

「姉さんのずっしり凝ったお衣裳に比べると、私のはなにか、手軽で、影が薄いみたいな気がするのだすけど――」

不満を籠《こ》めた表情で云うと、

「あんたの顔には控え目で地味なものの方がよう似合いますねん、姉さんみたいに派手な顔をしていると、華やかな衣裳を着ても、衣裳負けせんと、ぱっと人目にたって引きたちますけどな」

母は、姉の藤代が着物を着飾った時のあでやかさを、思い描くような熱っぽい眼つきをした。

「それに、ひょっとして家へ帰って来るようなことでもあったら、妹のあんたが、総領娘の姉さんより、ええものを着てるというのもおかしなことでっさかいな」

「えっ？　姉さんが、家へ出戻りして来はる――」

思わず、聞き返すと、母は、不用意な自分の言葉にはっと狼狽し、

「いえ、まあ、長い女の一生には、そんなこともあるかもわからへんという、譬《たと》え話でいうただけだすがな」

慌《あわ》てて打ち消したが、千寿には姉が出戻りして帰ってくることを、ひそかに心待ちしている母の心が読みとられた。

千寿の養子縁組の婚礼の後《あと》、すぐに矢島商店の後継者を千寿と良吉に定めなかったのも、他家へ嫁いだ姉に執着する母のさしがねであるに違いなかった。姉の代りに養子取りをさせられ、しかもそれに何の保証も与えられないことを考えると、千寿の胸に母に対する憤懣《ふんまん》と恨みが激しく渦巻いたが、それを顔に出さず、胸の奥でじっと憤懣と恨みの量を計っていることの方が、千寿の気持を慰めた。

母の松子は、そんな千寿の心のうちを気付かず、無口で控え目な千寿の様子に安心し、まめまめしく舅《しゅうと》の手助けをする良吉の商いぶりにも満足して、以前にもました贅沢さで派手に着飾って芝居に出かけたり、女友達を招いて美食したりしていたが、千寿が結婚した年の秋、南市《なんいち》へ鰻《うなぎ》を食べに行った席上で、突然、脳溢血《のういっけつ》で倒れた。美食家の母は、血圧が高く、医者から何度も警告されていながら、好物の鰻を止《や》められな

かったのだった。

外から白布に掩われて帰って来た母を迎えると、婚家から駈《か》けつけて来た姉の藤代は、人前も憚《はばか》らず、美しい顔を引き吊《つ》らせて母の胸にうつ伏し、妹の雛子も両手で顔を掩って泣いた。千寿は取り乱した姉の姿を見詰めながら、姉の出戻りを心待ちにしていた母が死んでしまったからには、姉も、もうこの家へ帰って来ることはないだろうという姉に対する微妙な安心感と、今まで千寿の胸を埋めていた母に対する憤懣が緩く解けて行くのを感じとっていた。

しかし、母の三回忌をすませて間もなく、姉は何の前触れもなく、突然、出戻りして帰って来た。理由は、婚家の姑《しゅうとめ》と性格が折れ合わないというのであったが、千寿には、姉が嫁いでから急に家産を傾け出し、贅沢が出来なくなった三田村家に対する体《てい》のいい口実であるように思えた。

父の嘉蔵は、最初のうちは世間体と、千寿と良吉に遠慮して、姉に翻意を促していたが、強引に姉が居据《いすわ》りをきめかけると、急に態度をかえ、仲人を伴って姉の嫁入荷物を引取りに行った。運び返されて来た姉の荷物は、衣裳部屋の前に待ち構えていた姉自身の手で、着物、長襦袢から肌襦袢、腰紐《こしひも》一本に至るまで細かく数えられた上、死んだ母の衣裳簞笥の隣へ、重々しく並べられたのであった。

何時の間に陽がかげりはじめたのか、障子越しに座敷を明るく温めていた陽ざしが薄くなり、鏡の中の千寿の顔も暗い影になっていた。鏡台の掛布を降ろして起ち上り、室内の明りを点《つ》けると、不意に襖《ふすま》が開いた。

「どこへ行ってはりましてん?」

良吉が、和服の働き着の前をはたきながら、入って来た。とっさに答えられず、返事に迷うと、

「さっき、姉さんが何時になく店まであんたを探しに来はったさかい、気になって部屋へ見に来たら、出かけた様子もないのに姿が見えへん、一体、どこへ行ってはったんだす?」

良吉は、婿入りしてから六年経《た》っても、夜のこと以外は、他人行儀な丁寧さが、ぬけなかった。

「ちょっと、衣裳部屋へ行ってましてん」

「へぇぇ、衣裳部屋へ、虫干しの時節でもあらへんのに——」

怪訝《けげん》な顔をした。千寿は、一瞬、云い詰ったが、

「姉さんの簞笥の中のお衣裳を調べてましてん」

「えっ? 姉さんの衣裳調べを——あんたのやなしに」

驚いたように聞き返した。

「そうだす、私の婚礼の時の衣裳と、姉さんの簞笥におさまっているお衣裳と、一枚一枚、手に取って引き合わせしてみましてん、ほんなら、姉さんの方が、数も、物も比べものになれへんほど上等だす、亡くなったお母さんは、姉さんのお衣裳代三百万円云うてはったけど嘘《うそ》やわ、ざっと見積っても五百万円、それに化粧料と称して、持参金五百万円を持っていきはったさかい、合わせて一千万円のお支度料だすわ」

「へえぇ一千万円——」

きらりと、良吉の眼が光った。

「その上、お父さんの亡くなりはったこの際に、まだ欲しいというのが姉さんの腹のうちだす、あの人は、ちいさい時から、何でもあり余った上にまだ欲しがる人で、どんなに私やこいさんが厭《いや》な思いをしたか、こいさんは、姉さんと十歳《とお》も齢《とし》が離れてるし、あの通りの無頓着《むとんちゃく》な性格だすけど、私は四つの違いで、いつも姉さんの下目《したため》にばかりたたされ、まるで、私は姉さんを引きたたせるために生まれてきたようなものだす、結婚にしても、姉さんの我儘で、人に養子取りを押しつけて家を出はったかと思うたら、たった三年で出戻りして来て、大きな顔をして総領娘におさまってはる、それも私らが店を継いでしもうたならともかく、よりにもよってお父さんの亡くなりはる前から帰って来ていて、総領娘の立場を主張しはるし、どこまで勝手で、運の強い人かしら、それに比べて私は、何時も、姉さんのために損をして、下目にばっかりたたされて――」

千寿の眼に涙がにじみ、声が震えを帯びた。

「それは、あんたの思い過ごしというものでっしゃろ、そない昂奮《こうふん》しはらんかて、肉親の姉妹同士のことやおまへんか」

良吉は、千寿の昂奮をなだめるために、あやすような甘いものの云い方をした。

「私の思い過ごし――何を云うてはります、姉さんはもう再婚せんと、この家で養子取りをしはるかもわかりまへんわ」

「えっ？ 姉さんも養子婿を迎えはる、この家へ――」

良吉の顔に、激しい動揺の色がうかんだ。

「そうだす、さっき衣裳部屋で姉さんの口から、はっきりそう云いはったわ、そうなったら、こいさんかて何を云い出すかわかれしまへん」

「えっ？ こいさんも――」

そう云ったまま、良吉は暫《しばら》く押し黙っていたが、眼を上げると、皮肉な視線を千寿の顔にあて、

「そうすると、一軒の家内《いえうち》に家付き娘三人と養子婿三人が住むようになるかもわからんということだすな、これはまた、世間にない面白《おもろ》さやおまへんか、三人の家付き娘に、それぞれ男が随《つ》いて、銘々、自分たちの取り分と利得を勘定し合うというわけだすな、しかも女同士は血の繋《つな》がった姉妹、男同士は義兄弟ということになると、そのかけひきも陰《いん》に籠ったえげつないものになりまっしゃろ、養子の口もいろいろおますけど、まさかこんな、またとない面白い家へ婿入りさしてもらうとは、思うてもいまへんでしたわ」

揶揄《やゆ》するような湿った笑い方をし、

「ところで、亡くなったお舅《とう》さんは、ほんまにあんたら三人の姉妹に、はっきりした云い遺《のこ》しをしはれしまへんでしたの」

「そうだす、なんにも――」

「臨終の時でなしに、生存中に何か云い置きしはったことでも――」

良吉は千寿に忘れていることを思い出させるような強い念の押し方をした。千寿は頭を振り、

「それが、ほんまにおかしなぐらい何にも云いはれへんかったわ、お父さんにしてみたら、六年前までお母さんが生きてはって、何でもお母さんのものやったさかい、お

母さんが死にはってから急に自分の財産になったかて、自分のものやという実感が無《の》うて、死にはるまで人の預かりものみたいな気がしてはったのやないかしら？」

「それにしても、養子婿のわてがちゃんとおるのに、宇市つぁんに云いおきしはったのは解《げ》せんことやおまへんか」

そう云われれば、千寿は一言もなかった。千寿の立場からみれば、自分たち姉妹に云い遺さず、宇市に云い遺したことばかりにこだわっていたが、良吉の立場から考えると、父が養子婿をさしおき、大番頭の宇市にだけ云い遺したことが、急に千寿の気懸りになった。

「宇市つぁんの姿が見えまへんけど、どないしてはりますの？」

不機嫌に押し黙っている良吉に聞いた。

「姉さんも、さっき同じことを聞きに店にまで来はりましたわ、ところが、宇市つぁんは、葬儀の日以来、殆《ほとん》ど店へ顔を出してまへん」

「一体、どこへ出歩いてますねんやろ」

「家の不動産の下調べをしてるようだすな、四、五日前に、登記所から店へ電話がかかって来ましたわ、宇市つぁんがおれへんので、わてが出たわけやけど、奈良の鷲《わし》——、鷲家《わしか》とかいうところの登記所からやった」

「奈良から？　それで、どない云うてはりますねん」

「そこにある山林《やま》の登記価格と伐出《きりだ》し材木の評価の件についてやったけど、わてには何のことやらさっぱりわかりまへん、矢島家の不動産は、大阪市内の土地と貸家だけやと聞いてたけど、山までおますのか」

急に探るような視線で、千寿を見た。

「山林は、私も聞きはじめだすし、姉さんも知りはれしまへんでっしゃろ、おそらく、宇市つぁんだけが、昔からある矢島家の総財産を知ってるのやないかしら」

「そうなると宇市つぁんが大事な相手というわけやけど、あの呆《とぼ》け面《づら》をした勝手聾を相手にして、どうたち廻ったらええのか、そのへんが――」

良吉が思案するように云いかけた時、襖の外で藤代の声がした。

「なかぁんさん」

はっと顔を見合わせ、座敷机の上の湯呑茶碗《ゆのみぢゃわん》を片付け、千寿は落ち着いたもの腰で襖を開けた。

「お邪魔やったかしらん」

姉の藤代が、さっきの衣裳《いしょう》部屋のことを気にしていないような表情で、襖の外にたっていた。

「いいえ、別に――なんぞ、ご用ですのん」

「ええ、ちょっと――」

小さな縮緬《ちりめん》の包みを抱えて、すうっと奥へ通り、良吉の前へ坐《すわ》ると、

「ちょうど、よろしおましたわ、良吉さんも居はって」

と云い、縮緬の包みを広げ、白い奉書紙を取り出して、机の上へ置いた。

「これへ、一札入れてほしおますねん」

「一札？　何のことでっしゃろ」

千寿は、訝《いぶか》しげに眼を向けた。

「さっきのことだすわ、今後、一切、衣裳部屋の私の簞笥《たんす》の中や、蔵の中にもある私の持物に手を触れんといてほしおますねん、それで、今後、私の持物に手を触れへんという一札を、あんたに書いて貰《もら》いたいのだす」

藤代は、顔色を変えず、平然として、千寿の方へ奉書紙を押しやった。みるみる千寿の顔色が変り、

「まあ、何を云いはりますのん、同じ家の中で、しかも、ちょっと姉さんのお衣裳を見せて戴《いただ》いただけやおまへんか、それを一札やなんて何というおそろしいものの云い方をしはるのだす」

千寿の唇が震えた。

「おそろしいのは、あんたの方やおまへんか、私の衣裳を見たいぐらいで、人に黙って衣裳部屋へ入りはるはずがおまへん、何かほかの魂胆がおましたのでっしゃろ、昔からおとなしいきれいな顔をしてはる人ほど、心の中は冷たいと云いまっさかい、一札書いておいて貰うた方が間違いおまへんやろ」

藤代は、嘲《あざけ》るように云った。

「姉さんこそ、心の芯《しん》の冷たい、我儘で思いやりが無うて、何を企《たくら》んではるか腹の黒い……」

いきなり、千寿の手が机の上の奉書紙をひきたくりかけると、良吉の手が、千寿を遮り、

「わてが、千寿に代って一札書かせて戴きまっさ」

と云い、机の上の奉書紙を取った。

「なんで、そんなもの書かんなりまへん、あんたは、なんで姉さんの云うことなんか、――あんたは黙ってて」

千寿の眼が怒りに燃え、良吉の手から紙を取り返そうとすると、

「親族会の前に、こんなことぐらいで、もめん方がよろしおます、わてに任しはるこ

とだす」

良吉は、なだめるように千寿の手を取り、冷然と眺めている藤代の方へ向き直って、

「只今《ただいま》、おっしゃる通りにお書き致しますよって、ちょっと待っておくれやす」

と云うなり、床脇《とこわき》の上の硯《すずり》を取って、筆に墨を含ませた。

証

一、衣裳部屋及び蔵内《くらうち》の長姉、藤代どのの衣裳箪笥、長持、手文庫、その他の御道具類など一切の持物に今後手を触れませぬことを固くお約束申し上げます

三月十三日　千寿

藤代どの

上

達筆にしたためると、

「これで、およろしおますやろか」

妙に慇懃《いんぎん》なものの云い方で、藤代の方へ一札を示した。

「おおきに、これでよろしおますわ、あとは明後日《あさって》の親族会になってみんとわからんことばかりだすわ」

そう云い、一札を受け取ると、藤代は急に華やかな笑いを撒《ま》き散らして席をたった。

雛子は、水滴を含んでたちこめる白い湯気の中で、下膨れのふくよかな顔を紅《あか》くほてらせて額の汗を拭《ぬぐ》った。テーブルごとにずらりと並んだガス・レンジの上の煮物鍋《にものなべ》から噴き出す湯気と、三十坪の料理教室に四十人以上の生徒が入っている人いきれで、蒸せかえるように暑かった。

本町《ほんまち》二丁目の角にある淑徳《しゆくとく》料理学校は、北船場《きたせんば》の真ん中にあったから、本町筋の商家の娘たちが多く、教室は、何時《いつ》も華やかな彩《いろど》りに溢《あふ》れ、午前、午後とも空席がみつからないほど満員であった。

正面に講師の調理台と大きな黒板があり、黒板の上の壁面に、調理を教える講師の手もとを映し出す大鏡がはめこまれていて、うしろの方からも、調理法がよく見取られた。

雛子は、一番うしろの調理台の前に席を取り、さっき講師が指導した順序で調理にかかっていた。今日の献立は、前菜の盛合せ、コンソメ・スープ、鮭《さけ》の包み焼、若鶏《わかどり》のクリーム煮の四品であったが、家で西洋料理に親しむ機会のない雛子は、手のこんだ西洋料理になると、何時も人より手間取った。若鶏を煮るクリーム・スープの和《あ》え方が難しく、牛乳に小麦粉と粉チーズを和え、鶏肉から出た汁気がとろりとするまで煮、しかもどろりと固まらぬように仕上げるのがコツであったが、それがうまい工合に仕上らない。火加減と調味料の合わせ工合が呑み込めず、何度も鍋の蓋《ふた》を開けては、大きなスプーンで味加減を見た。

「雛子さん、あんたのはまだなかなかやのん? 私のはもうすぐ出来るわ」

雛子の横で、鮭の包み焼をしている西岡みつ子が、まどろこしそうに聞いた。

「ちょっと待ってほしいわ、もうじきやさかい――」

そう応《こた》えながら、雛子は、自分と西岡みつ子の向い側で、前菜の盛合せとスープを作っている二人のメンバーの方を見ると、その二人の調理も出来上りかけていた。四人が一テーブルのグループになり、四品を銘々、一品ずつ受け持つことになっていたから、三人の料理が出来上っても、雛子の受け持っている料理が出来上らないことには、テーブルについて試食がはじめられないのだった。雛子は、もう一度、クリーム・スープの味加減をみ、火を小さくしかけると、

「あんたとこのお家は、今も船場汁や船場式のおばんざい(お惣菜《そうざい》)ばっかりしてはるのと違うの、あんたの手もとを見てたら、フライ・パンやオーブンとは、ちょっと縁が遠そうやわ」

みつ子は、雛子の家の様子を知っていて、からかうように云《い》い、

「この間のあんたとこのお父さんのお葬式はものすごかったらしいやないの、光法寺を借り切って、十五カ寺の住職と三百対《つい》の樒《しきみ》を集めはったというので、えらい噂《うわさ》やわ、一体、なんぼほど、かかりはったの」

好奇心に満ちた視線を向けた。

「わからへんわ、そんなこと――」

雛子は無愛想に応えて、鍋の蓋を開けた。

「世間では、あんたところのお葬式は五百万円近いお葬式やというてはるわ、この節、家を建てたり、結婚費用に使いはるのならともかく、お葬式にぽんと五百万円も出しはる矢島家は、よっぽどの財産家やいうてはるわ」

「お父さんの遺言やったから、しようがあれへんわ、樒の数からお経を読む坊さんの人数まで云い遺《のこ》しはったのやから――」

「ええ? お寺の坊さんの人数まで――」

みつ子は、頓狂な声を上げた。雛子は、はっとして周りを見廻したが、どのテーブルも料理の仕上げと配膳方《はいぜんかた》に忙しく、みつ子の頓狂な声には気付かなかった。講師も、前列のテーブルの指導にかかりきっていた。

「いややわ、そんな大きな声でお葬式のことなんか聞いて――」

雛子が睨《にら》むように云うと、

「そいでも、ほんまに変った遺言やこと、そんなん聞きはじめやわ、大商家の主人の遺言いうたら、昔から商いのことと、遺産分けのことに定《き》まってるものやのに――、それで、肝腎《かんじん》の遺産分けの方はどないしはるの、あんたとこは三人姉妹やけど、ちょっとややこしゅうになりそうやね、出戻りのお姉さんと養子取りの中《なか》姉さんがいはって、あんたは、一体、どないなるのん」

雛子と同じように本町の木綿問屋の娘で、学校も、同じ高校を卒業したみつ子は、無遠慮に露骨な好奇心を見せた。

「そんなこと解《わか》れへんやないの、明後日の親族会になってみんと――」

怒ったように云うと、

「へえぇ、親族会を開いた上できめはるの、ますます、あんたとこらしいわ、もし、あんたがものすごい遺産相続しはったら、美貌《びぼう》で名門で、お金持ということで、縁談の断わりに苦しまんならんわ」

羨《うらやま》しそうに大袈裟《おおげさ》な溜息《ためいき》をつき、

「そやけど、雛子さんとこみたいに格式やしきたりばっかり喧《やかま》しゅうに云いはる家は、息が詰りそうで、しんどいでっしゃろ、私やったら、家を飛び出して、独りアパート住いをするかもわかれへんわ」

そう云いながら、みつ子はアルミ箔《はく》で包み焼をした鮭を天火《てんぴ》からおろし、調理台の向う側を見て、

「まあ、そっちはちゃんと出来てましたの、お待たせしてすんまへん」

みつ子と雛子は、慌《あわ》てて自分たちの受け持った料理を食器に移し、付け合わせを盛ってテーブルの上に並べた。向い側の二人は、芦屋《あしや》から通っている洋服の着こなしのきれいな二人連れであったが、商家育ちの雛子とみつ子には、そのとりすました山の手風の感じが馴染《なじ》めず、一つのテーブルに向い合って試食しながら、簡単な挨拶《あいさつ》しか交わさなかった。

試食をすますと、先に実地指導も、講義もすんでいたから、あとは、食器を片付けて帰るだけであった。雛子とみつ子は、自分たちの食器を流しに運び、手早く洗いすまして、帰り支度をはじめた。

「今日の帰りは、何処《どこ》へ行こうかしらん」

みつ子は、藤色《ふじいろ》のスーツの衿《えり》もとを直しながら、悪戯《いたずら》っぽい笑いをうかべた。週に二度出かけて来るお料理の稽古《けいこ》の帰りに、羽根を広げて遊び廻るのが、二人の密《ひそ》かな楽しみであった。

「ところが、今日はあかんわ、今から今橋《いまばし》の叔母さんとこへ寄らんならんさかい――」

「今日やないといかんのん?」

みつ子は、不満そうに云った。

「堪忍《かんにん》ね、どうしても今日やないといかんらしいのやわ」

すまなさそうに断わりを云い、学校を出て、安土町《あづちまち》の角まで一緒に行き、

「ほんなら、ここで失礼するわ、ほんまに堪忍ね」

もう一度、不機嫌になっているみつ子に謝ってから、雛子は独りで、今橋の方に向って歩いた。

三休橋筋《さんきゅうばしすじ》に沿って、問屋街を北へ向って歩いて行くと、綿布問屋、毛織問屋、繊維

商社筋がずらりと軒を並べ、どの店先も気忙《きぜわ》しい活気に溢れていた。表構えだけ昔の商家の形を残して、中は近代的な商品ケースを列《なら》べている店、前だけをビルにして、うしろは昔のままの建物になっている店、ガラス張りの瀟洒《しょうしゃ》なビルなど、雑多に軒を並べていたが、雛子の家の店構えのように昔風な大阪格子《ごうし》をはめ、通櫃《かよいびつ》を置いた板の間に商品を積んでいる店は見当らなかった。

雛子は歩きながら、さっき、西岡みつ子が云った言葉を思い返した。「あんな家に住んでて、よう息が詰れしまへんなあ、私やったら家を出てアパートに住むかもわかれへんわ」、みつ子は何時ものあけすけな、気さくさで云ったつもりかもしれなかったが、雛子には、胸をつかれる言葉であった。

幼い時から、家の中ばかりで育ち、二人の姉との生活が世間の常識と思い込んでいた雛子は、高校を卒業してお稽古ごとに通うようになって始めて、自分の家の異常さに気付き、都会の真ん中で、ただ一軒、現代から取り残されている家——というのが自分の家に持つイメージであった。

それを、みつ子の口から指摘されたことが胸にこたえた。学校やお稽古ごとで家を出て、外の環境から自分の家を観《み》ると、矢島家の中にある異常なほど大袈裟で、重々しい格式としきたりが気になるのに、家の中へ一歩入れば、不思議とまたあの異様な雰囲気の中に閉じ込められてしまうのだった。家の雰囲気だけでなく、二人の姉の古風で事大主義な生活ぶりにも反撥《はんぱつ》を感じていながら、二人の姉の間にはさまると、雛子もいつしかその肌合いの中に巻き込まれてしまうのだった。それだけに雛子にとっては、週に二度、料理学校へ通うことが楽しみであったし、いまだに娘の独り歩きを嫌がる出にくい家を、大っぴらに出かけられる口実になった。しかし、そのお料理の稽古も、母が生きていたら、料理はその家の受け継ぎで、お大根の切り方一つにもその家のしきたりがあると、習いに行かせてもらえなかったかもしれない。

今橋の角まで来て、雛子は北浜の方へ折れた。今朝、家を出る前に、何時になく分家をたてている叔母から電話があり、お料理の稽古の帰りに叔母の家へ寄るようにと云って来たのだった。何の用事か聞き返そうとすると、例の気忙しさで早口に用件だけを喋《しゃべ》り、こちらの返事も聞かずに電話を切ってしまったが、何か急な用事であるらしかった。

雛子の家と同じ㊋印の暖簾《のれん》がかかった矢島中《やじまちゅう》商店は、祖母と祖父が生きている時に、母の妹である叔母の芳子のために分家がたてられ、同じ船場《せんば》内に新しい矢島中商店が出来たのだった。矢島中というのは、矢島商店の一族中という意味であった。

暖簾のかかった店先を入ると、木綿の原反が山積みになり、叔父の矢島米治郎が勘

定場の中から雛子を見、

「ようおいでやす、さっきから待ってますわ」

老眼鏡の下に愛想のいい笑いをうかべて迎えた。植込みのある通庭《とおりにわ》をぬけて内玄関へ入ると、女中が迎えに出ていて、すぐ奥の叔母の部屋へ案内した。

叔母は、十畳の座敷の茶簞笥の前に坐り、京塗の手あぶりを横において、雛子の顔を見るなり、母に似た華やかな顔を綻《ほころ》ばせた。

「雛子ちゃん、よう来てくれはった、お昼ごはんは――」

「お料理教室の試食をして来ましたさかい、もう結構やわ」

「ほんなら、お茶《ぶう》でも――」

茶簞笥を開けて、急須《きゅうす》と湯《ゆ》呑茶碗《のみぢゃわん》を取り出し、

「どうだす、二七日《ふたなのか》が過ぎると、本家の奥内《おくうち》もやっと落ち着きましたやろ、藤代さんと千寿さんはどないしてはりますねん？」

急須に湯を通しながら、奥内の様子を聞いた。

「藤代姉さんも、なかぁんさんも、疲れはったのか、お葬式のあと、何処へも出かけんと、家の中ばっかりにいてはりますわ」

「へぇぇ、二人とも家の中にじいっといてはるのん、そいで宇市つぁんは――」

慌《あわただ》しく呼び出しておきながら、叔母は、一向に急ぐ気配がなかった。

「朝のお電話の用事は、何ですのん、何か急ぎはることでも——」

雛子の方から切り出すと、

「そうや、そうや、肝腎の用事を云わんといけまへんな」

わざと慌てるように云い、茶箪笥の横の手文庫を開いて、白い大型の封筒を出した。

「これ、あんたの縁談の写真だす、二七日がすんだばかりで、どないかしらと思うけど、実は大分前からうちへは云うて来てはったお話で、向うさんが急いではるさかい、写真だけでも見ておいてもらおうと思うて」

封筒の中から分厚な台紙に張った写真を出し、雛子の前へ広げた。

「安堂寺《あんどうじ》町《まち》の金正《かねまさ》鋳物《いもの》問屋のぼんぼんやけど、男兄弟ばっかり六人の一番末やさかい、養子にやってもええという話だす、齢《とし》は、あんたより四つ上の二十六、学校は大阪市大を出て、家の商売を手伝うてはりますねん、上五人の兄さんのお嫁さんの出性《でしょう》も、揃《そろ》うて良家《ええし》やし、親戚筋《しんせきすじ》も手広い商いの問屋さんが多うおます、顔もなかなかええ顔してはりまっしゃろ」

叔母の云う通り、役者のように眼鼻だちの整ったきれいな顔であったが、二十六歳にしては、妙に分別くさい表情をしていた。

「どう、ちょうどよろしおますやろ、良吉さんなどと違うて、大阪の街中《まちなか》のちゃんとした商家のぼんぼんで、養子に行ってもええいうような話は、なかなかおまへんよってな」

今まで雛子に縁談など持ち出さなかった叔母が、何を思いついたのか、性急な熱心さで縁談を勧めた。雛子は写真から眼を離すと、

「私は、養子取りをするにきまってへんわ、お嫁に嫁《い》くかもわかれしまへんわ」

「えっ、あんたがお嫁に嫁く——、誰がそんなことを定《き》めはったんだす」

開き直るように聞いた。

「誰も定めへんわ、私が、そう思うてるだけだす」

「そう、それやったらよろしおますけど、わてはまたてっきり、藤代さんか、千寿さんが、あんたの意向も聞かんと勝手に云い出したことかと思うて——」

「へえ、なんで姉さんたちが、そんなことを云い出さんならんのかしら」

雛子が訝《いぶか》しげな表情をすると、叔母は急に声を細め、膝《ひざ》を乗り出すようにし、

「両親が亡《な》くなってしもうたら、姉妹やいうたかて、女同士は油断なりまへん、第一、一番上の藤代さんは、出戻りやけど総領娘におさまって、お葬式の時でさえ、養子婿《ようしむこ》を取ってる千寿さんをさしおいて筆頭喪主を勧めるぐらいの人やさかい、何を考えて

るか解りまへん、中の千寿さんは、あの通りの無口でおとなしい人やけど、うしろについてる良吉さんが実直一本そうに見えて、なかなかずる賢い人やさかい、養子夫婦の損にならんように先々のことを、ちゃんと考えてはりまっしゃろ、そうなったら、一番損するのは、あんたやおまへんか、そやから、お嫁に嫁くいうような気のええことを云わんと、あの家に居据《いすわ》って、養子取りをするようなつもりで、取るものを取らんとあきまへん」

気色《けしき》ばむような熱っぽさで云った。

「そんなこと云いはったかて、私はそんないやらしいことようせんわ」

雛子は、まぶし気に眼を瞬《しばたた》かせ、叔母の顔を見詰めた。

「あんたが、そない云うやろ思うて、今日呼んでみたのだす、心配せんかてよろしおます、叔母さんが随《つ》いてるさかい、困ったら何でもわてに云いなはれや、叔母さんもあんたと一緒で、妹の冷飯《ひやめしぐ》食いの損は、さんざんにして来ましたさかいな」

叔母は雛子に同情しながら、姉と年子《としご》の妹であったために矢島家の本家から、別家させられたことを愚痴った。

「ところで、明後日《あさって》の親族会は、誰々が集まりそうだす？　誰か欠席しそうな人がおますか」

「さあ、知りまへんわ」

「姉さんたち、明後日のこと何かいうてはりましたか」

「ううん、どっちもお部屋の障子を閉めきって、何か考えてはるみたいやけど、話をせえへんから、わかれへんわ」

「宇市つぁんは、どないしてる?」

「お葬式以来、さっぱり、店へ顔を出せへんということだす、それだけしか知らんわ」

「良吉さんが、何か変ったこと云うてはれしまへんでしたか」

雛子は頭《かぶり》を振った。自分の周囲の様子に無関心であったから、畳み込んで聞く叔母に、満足な答えが出来なかった。

「雛子ちゃん、あんたは二十二にもなっていてまだ、ほんとに無欲だすなあ、ほっといたら、どないされるかわかれしまへん、わてには子供もあれへんし、あんたがわての娘や思うて、何でも心配したげまっさ」

妙に優しい声で云い、暫《しばら》く思案する様子であったが、

「ともかく、さっきの金正《かねまき》はんの縁談を進めながら、遺産分けのあんたの取り分を考えることにしまひょ」

不意に何かを思いついたように云った。

「そんなこと云いはったかて、さっきの縁談は、まだどうするとも定めてへんわ」

驚いて、雛子が云い返すと、

「わかってまっさ、そやけど、あの縁談と遺産分けの話を並行させて運んだ方が、あんたのために得やと思いますねん」

雛子は、叔母の云う言葉の意味が摑《つか》めなかった。

「明後日の親族会で顔を合わしても、わてと、こんな話をしたことなど、気振《けぶ》りにも出さんと、あんたはこいさんらしいにじっと黙って坐《すわ》ってなはれや、姉さんたちが何を云い出しても、ちーんと可愛らしいにしてることだす、よろしおますなあ」

と念を押し、それで今日の話のきりをつけるような、云い方をした。そのくせ、雛子が席をたちかけると、

「もう帰りはるのん、もっとゆっくりして晩ごはんでも食べて帰ってくれはったらええのに――」

見えすいた愛想を云った。

「おおきに、ほかにちょっと寄りたいとこがあるさかい、また今度にさしてもらいますわ」

そう挨拶して、雛子は席をたった。

叔母の家を出て、今橋から道修町《どしようまち》に出ると、昼下りの問屋筋は商いの盛りで、道幅一杯に往来する車と、車の間をすり抜けて歩く人の往来で、騒音と人声が渦巻いていた。雛子は騒々しい雑沓《ざつとう》の中をすり抜けながら、今日、自分を呼び出した叔母の真意を考えた。表向きは金正鋳物問屋からの縁談の話であったが、考えようによっては、縁談の話にこと寄せて、藤代や千寿たちの様子を聞き出し、雛子を自分の手もとに引き寄せるのが、叔母のほんとうの目的であったかもしれない。

明後日の親族会を前にして、急に何かを思案しているような二人の姉たちといい、その様子を異様なほど探り出したがっている叔母といい、雛子には腑《ふ》に落ちぬことばかりであった。しかし、雛子に予想も出来ない何かが、矢島家の中に起りはじめている気配だけは感じ取られた。

第二章

二時から始まる親族会の定刻に、まだ三十分程あったが、矢島家の親族会に出席する顔ぶれは殆《ほとん》ど揃《そろ》っていた。

前栽《せんざい》に面した奥座敷の仏間に香が焼《く》べられ、一間床《いっけんどこ》に仕込まれた蠟《ろ》色塗《いろぬり》の仏壇の前には、経机《きょうづくえ》が置かれ、二七日《ふたなのか》を過ぎたばかりの新仏《しんぼとけ》の位牌《いはい》を正面に据えて、仏の意志を伝える重々しい気配と、改まった緊張感が座敷を埋めている。

出席者は、矢島商店の初代である矢島嘉兵衛《よしべえ》の生家を代表する矢島為之助夫婦、嘉兵衛の妻であった卯女《うめ》の実家方《さとかた》の橋本家から一人、養子婿《ようしむこ》であった曾祖父《そうそふ》、祖父、父の実家から各々《おのおの》一人ずつ、それに養子婿をとって分家をたてている叔母夫婦と、その叔父の実家、千寿の夫の実家からも一人ずつ出席し、十人の親族に、三人の姉妹と千寿の夫の良吉、大番頭の宇市を加えた十五人が、今日の出席者であった。

祖父の実家方である淡路島の森川家の出席者だけが遅れていたが、あとは全部の顔が揃い、仏壇を正面にして両側に、矢島為之助から縁続きの順に坐《すわ》っている。藤代は青磁色の一つ紋の着物を着て、遠来の客と挨拶《あいさつ》を交わしながら、母方の血縁は四代も前の大曾祖母と、叔母の芳子《よしこ》だけで、あとは外から入って来た養子婿の縁続きであることがもの足りなく覚えたが、女系《にょけい》の家筋の家であってみれば、それも仕方のないことであった。

千寿と雛子の方を見ると、千寿は薄紫の山繭《やままゆ》の一つ紋に純白の綴《つづれ》帯を締め、紫紺の帯締めを一本すうっとあしらった地味な装《よそお》いをし、衣裳《いしょう》部屋で人の箪笥《たんす》の引出しを盗み見したとは思えぬ控え目な清楚《せいそ》さで、藤代の斜め向いの席に坐っている。雛子も、同じように鴇色《ときいろ》の無地の紋服を着て、千寿の隣に坐っていたが、二十二歳の雛子は、これから始まる親族会の内容に無関心でいるのか、まるい下膨れの顔を庭先に向けて、所在なさげに池の中の鯉《こい》を見詰めている。

上座の方で賑《にぎ》やかに喋《しゃべ》っているのは、叔母の芳子であった。銀鼠《ぎんねず》のぼかしの無地に黒紋付を羽織り、結い上げたばかりの抱き合せ髪に翡翠《ひすい》の中挿《なかざ》しを挿し、まるで祝儀《しゅうぎ》の席へ出るような気の張った華やかさで、さっきから如才なく話している。時々、宇市の様子が気になるらしく、入口の襖際《ふすまぎわ》にきちんと坐り、出席者が揃うまで姿勢を崩さず、頑《かたく》なほど沈黙を守っている宇市の方へ探るような視線を配っているのが、藤代の方から見てとられた。

宇市は、叔母の視線はもちろんのこと、藤代やほかの出席者の視線にも気付かないのか、袴《はかま》の膝《ひざ》の上に両手を置き、何かを思案するようにやや首を傾け、白髪《しらが》まじりの眉《まゆ》の下に細いよく光る眼を隠すようにして見開き、皺《しわ》だらけの口もとを気難しげに引き結んでいる。父の葬儀後、二七日が過ぎるまで、殆ど店に顔を出さず、出先も明らかにせずにおいて、今朝、藤代たちと顔を合わせた時、「ちょっとほかが忙しおまして」と云《い》ったきり、充分な断わりを云わなかった。そんな宇市に藤代は、むうっと腹だたしい不満を覚えたが、千寿は、「いろいろとお手数でおました」と、労《ねぎら》いの言葉をかけ、良吉は奥座敷の接待を宇市に任せて、自分は店へ出た。親族会の始まるまで、店の商いをしているのであったが、決算前の多忙さを口実に勘定場に坐って商いをひっ構えようとする良吉に、矢島家の親族に対するてらいがあり、藤代には養子婿のいやらしさが目にたった。

廊下に慌《あわただ》しい足音がし、良吉の声が聞えた。

「ご遠路を御苦労さんでございました、皆さんお揃いでおますよって、どうぞ奥へお入りやす」

祖父の実家方である森川家からの出席者であった。既に祖父の甥《おい》の代になっていたが、淡路島で農業を営む四十過ぎの律義《りちぎ》な人柄であった。

「えろう遅うなって、堪忍《かんにん》してつかわされ、船の工合が悪うて、思うたより遅うなって、ほんにすまんことよ、なあ」

申しわけなげに、何度も頭を下げて挨拶し、曾祖父の実家方の隣の席へ坐ると、宇市は、待ち構えていたように姿勢を正し、

「これで、当家のご親族様方がお揃いでおますので、四代目当主、故矢島嘉蔵の遺言によりまして、商い方の差配、始末、並びに動産、不動産の遺産分配と相続について、ご親族様お立合いの上でご披露させて戴《いただ》きます、なお出過ぎた振舞いでおますが、たまたま手前が、ご臨終の席で、御遺言を承りましたので、今席《こんせき》の進め役は手前が勤めさせて戴きます」

末席から両手をついて、鄭重《ていちょう》に頭を下げ、

「ご承知のように当家は、初代の矢島嘉兵衛からあと、三代続いてご養子婿を迎える女系の家筋でござりまして、四代目に続いて五代目も藤代様、千寿様、雛子様、三人揃って嬢《いと》はんでおますので、亡《な》くなりました主人は、この三人の仕分け方に一番心を砕かれましたようでござります、その結果、ご臨終の時に、手前にお手渡しになりました書置状によって、一切を始末してくれとの御遺言でござりました」

そう云い、宇市は末席からずいと膝を前に進め、着物の懐《ふところ》へ手を入れると、白い封書を取り出して、座敷机の上に置いた。和紙に墨筆の太いかすれ字で、書置状と、行書体でしたためられていた。

「お父さんが、書きはった遺言状だすか」

書置状を見詰めながら、藤代は、訝《いぶか》しげに聞いた。急に容態が悪くなり、藤代たちが駈《か》けつけた時には、もう話すことも出来ぬほど弱っていた父が、遺言状などしたためられるはずがなかった。

「さようでおます、嬢《とう》はんたちが京都の南座からお帰りやす間に、旦那《だん》はんが手前をお呼びになり、旦那部屋の小簞笥の上から二番目の引出しに入っているわいの書置状を出してくれ、と云いはりましたので、お部屋へ入って小簞笥の引出しを開けましたら、婿入りの時に持って来はった袱紗《ふくさ》や紋入りの小風呂敷《こぶろしき》の下に、旦那はんのお書きになったこの書置状が入っておりました」

「ほんなら、なんで、今日まで私らに遺言状があることを、隠してはりましてん？」

藤代の眼が、険しい光を帯びた。

「それも、旦那はんの御遺言でおまして、ご葬儀、その他一切の仏事をすまし、二七日を過ぎてから親族会を開いて、その席で書置状を開くように、それまで手前が黙って預かっているようにと、お申し付けになったのでおます」

　と云い、宇市は封書の裏を返して、朱印の封印が損われていない点を、出席者の方へ示してから、

「只今《ただいま》から、書置状の封を切らせて戴き、故人のご意志を伝えさせて戴きます」

　改まった語調で云った。一瞬、息を呑《の》むような重い沈黙が流れ、封印を開く宇市の手もとに視線が集まった。七十を過ぎ、皺がれた宇市の手が、かすかな震えを帯びながら封をはずし、白い封書の中から四つに畳んだ和紙の巻紙をぬき出して、静かに広げた。

「書置状――」

　低い籠《こも》るような声で読み上げた。

「私儀、病い重くなるに及び、万一のことを慮《おもんぱか》り、矢島家の代々所持する家屋敷並びに商い方、有金《ありがね》、家財諸式、その他、残らず勘定して、遺産の仕分けを致したく、次の如《ごと》く相したため候」

　一気に読み、宇市はちょっと息をつくように声を跡切《とぎ》らせたが、細いよく光る眼が巻紙の上に吸いつくように次を読んだ。

「一、遺産のうち、矢島商店として使用中の土地建物及び、商品並びに暖簾《のれん》営業権は

分割することなく次女千寿が相続し、養子婿良吉は二代目から商い名としている矢島嘉蔵を襲名し、商いに従うこと。但《ただ》し、月々の純益の五割分は、長女藤代、次女千寿、三女雛子の間で三等分にして所有し、中の間を境にして奥内《おくうち》の土地建物は、同上三人の共同相続財産にして、三人合議の上で適宜に処分されたし。

二、大阪市西区北堀江六丁目所在の貸家二十軒及び、都島《みやこじま》区東野田町所在の貸家三十軒の建物と土地は長女藤代が相続すること。したがって貸家の売却もしくは賃貸など一切藤代の自由なるべし。

三、株券六万五千株及び、道具蔵に所蔵する当家の骨董《こっとう》類は、三女雛子が相続すること。したがって、株券及び骨董の現金化は当人の勝手たるべし。

四、御親族御一同様の長年にわたる私儀へのご厚情にいささかの謝意を表したく、親族会にご出席の各位様へ寸志、金拾万円ずつおさし上げ致すこと。なお私儀、実家方へは、私儀の働きの中から月々小遣を貯金致し、私儀旧姓の山田道平名義で住友銀行船場《せんば》支店に預金致しております預金帳をさしつかわして下されたし。

五、右以外の遺産は、共同相続財産とし相続人全員で協議の上、分割すること。

六、遺言状の保管並びに執行は、大番頭の大野宇市を指名致します故《ゆえ》、遺言の執行は宇市と相談の上、ことを運ばれたし。

上記の如くしたため候《そうろう》上は、姉妹互いに相譲り、仲睦《なかむつま》じく相続を成し、御先祖の余光を守り、商売繁昌《はんじょう》と家風の厳しさを乱さぬように願い上げ候。そのほか何事も、万遍《まんべん》なく、あんばい、あんじょうに、くれぐれも願い候。

昭和卅四年一月末日　　四代矢島嘉蔵

相続人ご一同へ　」

と読み上げ、巻紙から眼を離して、正面に向うと、

「以上でござりました、どうぞ、ご検分のほどを――」

上座に坐っている矢島為之助から、書置状を廻した。大曾祖母の実家方、曾祖父、祖父、父の実家方と順番に書置状が廻されると、正面の矢島為之助は、一座を見渡すように顔を上げ、

「先々月の末に書きはったものでおますな、それから一カ月せんうちに亡くなりはる人とは思えんほど、ほんまによう行き届いたりっぱな遺言状だす、三代目あたりから、奥内の女衆《おなごし》の贅沢《ぜいたく》で身代が傾きかけていると聞いてましたのに、嘉蔵はんが婿入りしはってからは、屋台骨を持ち直し、この書置状を見ても、財産に目《め》減《べ》りがしてまへん、それに、そんなひけらかしもせず、控え目なもの腰で遺言をしたため、その上、何のお手助けも致しとりまへん手前たちにまで、ご鄭重なご挨拶を戴いて重ね重ね恐縮で

おます、こう隅々まで行き届いた仕儀になさっては、初代矢島嘉兵衛も仏壇の中で、えろう喜んでおることでごわっしゃろ」

と云い、嘉蔵の実家の兄である山田佐平に向って、丁寧に頭を下げた。佐平は、畑仕事で陽灼《ひや》けした顔を赫《あか》く光らせて首を振り、

「とんでもないことやのし、死んだ弟は、せっかく受け継いだ矢島家の身代を大きいによう殖やしもせず、能無しに守っていただけのことでっさかい、そない云われたら、かえって辛《つら》いことやのし」

朴訥《ぼくとつ》な和歌山弁で応《こた》えた。祖父の実家方の甥が、その言葉を引き取り、

「そんなことあらしません、養子婿というのは難しいもんで、やり過ぎると商いも身代もつぶしてしまう心配があるし、そうかいうて、じっと身代のお守りばっかりしてるわけにもいかんと、その点、四代目の嘉蔵さんはちゃんと身代を守りながら、二十日鼠《はつかねずみ》の蔵造りみたいに細こう、手固うに身代を殖やしていきはって、ほんまに甲斐性《かいしょう》者《もの》よ、なあ」

と褒めあげ、藤代たちの方を見て、

「こない行き届いた書置状であったさかい、お三人さん方も、何のご不満もないことやと思いますがな」

と云い、円満な笑いをうかべると、藤代は、それには応えず、宇市の方へ顔を向け、

「死んだ人の遺言状というものは、法律みたいに絶対守らんならんものでっか」

張り詰めた表情で聞いた。宇市は、細いよく光る眼で、

「さようでおます、法律で定められた相続の割合でも、遺言によって或《あ》る程度、左右されますほど、遺産相続に関しては、遺言の効力の方が強いようだす」

「ほんなら、法律で姉妹三等分の分け方を定めてあっても、遺言状が三人に不平等な割合になっていたら、遺言状通りに不公平な分け方をせんなりまへんのか」

「平等とか、不平等とかいいますことは、その人、その人の立場によって違うて来るものでございまして、大へん難しいことでおますけど、昔から遺言は、『鳥の将《まさ》に死なんとする、其《そ》の鳴くや哀《かな》し、人の将に死なんとする、其の言や善し』と申しまして、死に臨んだ人の心情は正しく善であると解釈されて、遺言は、法律より重うに取られているそうでございます」

「そんな大事な遺言状を、ようあんたに託しはりましたなあ、お父さんが遺言を書きはる時、あんたは、傍《そば》にいてはったのですか」

藤代の声が気色《けしき》ばみ、開き直るように宇市の顔を見た。宇市は、不意に耳に手をあて、

「へえ？　あっ、何でおますか」

聞き取りにくそうに、聞き返した。

「聞えまへんか、お父さんが、遺言状を、書きはる時、あんたも、傍にいたのでっしゃろうと、聞いてますねん」

言葉を区切るようにはっきり云うと、

「えっ、手前がお傍に――、めっそうもおまへん、さっきも申し上げましたように手前はご臨終の時に呼ばれ、旦那はんからお話を聞いて始めて、遺言状をおしたためになっていたことを、知ったぐらいでおます」

宇市は怒ったように答え、不機嫌に黙り込みかけると、先程から藤代と宇市の様子を見詰めていた叔母の芳子が、上座から体を乗り出すようにして口をはさんだ。

「ところで宇市つぁん、さっきの義兄《にい》さんの遺言状に書いてある相続財産の目録は、誰が作りはりまんねん？」

「ええ？　財産の何だす――」

宇市は、また聞きとりにくそうに耳に手をあてて、聞き返した。

「共同相続財産の目録作りは、誰がしはりますねんと、聞いているわけだす」

声高《こわだか》に重ねて云うと、宇市は、やっと聞き取れた風に首を頷《うなず》かせ、

「ああ、目録作りのことでっか、そのことでしたら、やっぱり遺言状でご指定になってます遺言執行者、つまり手前がお作り申し上げることになっております」

「へえぇ、あんたが……」

叔母は暫《しばら》く、穴のあくほど宇市の顔を見詰めていたが、賑やかな声で、

「そうでっか、何から何まで、大番頭の宇市つぁんが、取りしきってやりはるというわけだすなぁ、ほんなら分家をたてている妹のわてや、うちの主人は、何もせんかて、気楽にしてたらよろしおますと、いうわけだすなあ」

そう云い、妙に湿った笑いを見せ、

「死にはった義兄さんにしてみたら、わてらが分家をたてる時、相当な財産と商い分の仕分けしてしもうたさかい、本家と分家の間には、もう財産勘定のつながりはないと見てはるわけでっしゃろ、そらそうだすけど、もともとわてが、この家に居据《いすわ》って養子取りをしてもよかったものを、姉さんと年子《としご》であったことが差し障《さわ》りになって、分家をたてさせられたのでっさかい、もうちょっと優しい気を持ってくれはったかてよろしおますやないか、第一、三人の姉妹と血を分けている叔母と、その婿がいながら、それをさしおいて遺言の仕分け一切を、大番頭にだけ任すやり方は、誰が聞いてもおかしなことやと思いますねんけど、どうでっしゃろ」

皮肉を籠めた云い方をし、嘉蔵の実家の山田佐平を見た。佐平は眼の遣《や》り場を失い、うろたえるような表情で、

「ご本家の養子婿の立場で、ご分家へのご挨拶を粗略に致しまして、えらい至りまへんことやのし、ほんまに弟としたことが――」

おどおどと断わりを云った。

「いいえ、ご挨拶など粗略で結構だすけど、本家、分家の筋だけは、間違い無《の》うに、ちゃんとたててほしおます」

はたき返すような叔母の語調に、さっと座が白けかえり、佐平がまた断わりを云いかけると、千寿の横に坐っている良吉が、

「ご分家のお腹だちも、ごもっとものことでおますが、何分にも、今日はお舅《とう》さんの遺言をお伺いするための集まりでっさかい、そのことについては、また日を改めて、宇市つぁんと相談した上で、分家の方へお伺いさしてもらいまっさ」

中を取るように云った。傍にいる千寿も、

「叔母さんの気分がすみはるように、私ら姉妹もあとで、よう考えさせてもらいまっさかい、気を悪うせんといておくれやす」

白い細面《ほそおもて》を伏せ、詫《わ》びるように頭を下げた。叔母は千寿のしおらしいとりなしに惹《ひ》

かれたのか、ふと声を細め、

「何もわては遺言状の仕分け方に文句をつけているのやおまへん、後見人みたいな役まで宇市つぁんに任してはるので、ちょっと気を悪うしただけだすわ」

と云い、気分をとり直すような笑いをつくり、

「ほんなら、遺言状の披露もすんだのでっさかい、そろそろお膳《ぜん》を招《よ》ばれまひょか」

と云い、廊下の方を向き、自分の家内《いえうち》のように手を叩《たた》いて女中を呼びかけると、宇市が遮るようにその手を止めた。

「まだ手前が、ご親族様方にお申し伝え致さねばなりまへんことが、残っておます」

「へえぇ、まだ、なんぞ云わんならんことがおますのか」

叔母が怪訝《けげん》な表情をすると、

「へえ、実は、もう一通、お預かり致しとります遺言状がおます」

「えっ、もう一通――」

叔母より、藤代と千寿が声を出した。

「へえ、さっきの遺言状と一緒に、やはりご臨終の時に、旦那はんからお預かりした遺言状でおます」

改まった語調で云い、宇市が懐からもう一通の遺言状を出して、膝《ひざ》の前に置くと、

訝しげな気配が座敷を埋めた。

宇市は、懐から取り出した遺言状を、先程と同じように裏を返して封印のあることを示してから、静かに封を切った。中身も先程と同じ和紙の巻紙にしたためられた書置状であった。宇市は重苦しい表情でそれを広げ、ちらっと用心深い視線を一座に向け、低い声で読み始めた。

「重ねて遺言申し候。私儀年来、矢島商店の四代目、養子《ようし》婿《むこ》として商い一筋に励み、御先祖の余光を守り、いささかの商い分と繁昌を残し居《お》り候が、煩悩《ぼんのう》と不徳の至すところから、七年前より私儀が……」

不意に言葉が跡切れ、読みしぶるような様子をしたが、言葉を継いだ。

「七年前より私儀が面倒をみ、世話をして今日に至りおります陰の女が御座《ござ》候……」

一瞬、はっと息を呑む気配がし、一斉に宇市の顔を見た。宇市は、遺言状に眼を当てたまま、軽い咳払《せきばら》いをして、次を読んだ。

「まことに憚《はばか》りながら、私儀の歿後《ぼつご》は、この女にも何分のものを相つかわされ度《た》く、幾重にも願い上げ候。上記の女の住所姓名は……」

宇市は、また軽い咳をした。

「住所姓名は、大阪市住吉区住吉町一四五番地に住まいする浜田文乃《ふみの》、三十二歳なる者に御座候故《ゆえ》、何卒《なにとぞ》、よしなにお取り計らい下され度く願い候」

読み終ると、藤代、千寿、雛子の顔に激しい動揺がうかび、親族たちの顔にも驚愕《きようがく》の色がうかび、重苦しい思いと、吐く息さえ音になりそうな異様な沈黙が座敷を埋めた。

「人て、解《わか》らんものだすな」

昂《たかぶ》った叔母の声が、沈黙を破った。

「姉さんの生きてはる時から、女気《おんなけ》の気振《けぶり》も見せず、もの固い養子旦那はんで通し、姉さんが死にはってからも男鰥夫《おとこやもめ》でもの固い、よう出来た人で通して来た人がまさか隠し女を囲うてはったとは——、ほんまに空恐しい人、まだその上、分家への挨拶《あいさつ》もさしおき、隠し女に何分のことをしてやってくれとは、これでもご親族はん方は、嘉蔵はんをよう出来た養子旦那はんやと云《い》いはりまんのんか」

分家を疎《うと》まれた意趣がえしのように気色ばみ、さっき嘉蔵を褒め上げた矢島為之助の方に開き直った。為之助は、思わず、困惑したように言葉を詰らせたが、傍に坐《すわ》っている為之助の妻が、

「まあまあ、あんたの姉さんのことを思うて怒りはる気持は、よう解りまっけど、考えてみたら、船場《せんば》の老舗《しにせ》の奥内では、ようある話でっさかい、そこのところは世間並

に考えてあげはったらどうだすか、それに嘉蔵はんは遠慮して、女になんぼやってくれとも、云うてはれへんのでっさかい——」

とりなすように云うと、顔を蒼《あお》ざめさせていた嘉蔵の兄の山田佐平が、突然、両手をついた。

「ほんまにすまんことやのし、十四の齢《とし》から、こっちへお世話になって、丁稚《でっち》から手代、番頭になり、番頭から養子婿にまで迎えて戴《いただ》いてもらいながら、こともあろうに隠し女なんぞ——、それも御寮《ごりょう》さんがお達者の時からなんぞ、ほんまに詫びのしようもないことや——」

吃《ども》るように云い、遺言状を見ている為之助の方へ、

「そんな遺言、恥ずかしいて聞かれもせん、どうぞ、破いて放《ほ》ってもらうがええ」

思い詰めたように云った。

「いや、女のことなら、初代は三人もおましたさかい、そない改まって固うに云われると、かえって困りますがな、ただ、女気などないものと思い込んでいた嘉蔵はんやったさかい、ことが大きいになっただけだす、それにあない遠慮した遺言状にしてはるのやから、そないめくじらをたてることもおまへんやろ」

為之助は、白けかえっている座の気配を和らげるように云った。

藤代は顔を硬《こわ》ばらせたまま聞いていたが、つと顔を上げ、

「お父さんの臨終の日に、人目をかすめて、忍び込んで来ていた女が、それだすか」

刺し通すような鋭さで云った。

「さようでおましたかいなあ」

宇市は、もの忘れしたような呆《とぼ》け面《づら》をして、首をかしげた。

「呆けはらんかてよろしおます、私は、ちゃんと見てましてん、まるで昔の奉公人みたいに、中庭の植込みの陰をこそこそと伝い歩きして、逃げるようにして帰ったうしろ姿も、葬礼《そうれん》の日に焼香に来て、葬礼屋の男衆《おとこし》みたいに樒《しきみ》の数まで数えていたやおまへんか」

「さようでっか、ほんなら、大嬢《おおいと》さんの方が何でもようご存知でおますわ」

出戻りの藤代を、昔通り大嬢さんと呼ぶのが、宇市の癖であったが、この場合、藤代の言葉をあやし取るような宇市の云い方が、藤代の癇《かん》に障った。

「そうだす、宇市つぁんみたいに心得顔をするか、せんかの違いで、私なりの眼と耳がおますわ」

ぴしゃりとそう云い、

「女の齢は三十二でおますな」

改めて聞いた。

「さようでおます、三十二歳だす」

「七年前からの関係というと、お母さんが亡《な》くなりはる一年前で、私が嫁いだ年ということになりますなあ」

宇市は黙って頷いた。不意に藤代の眼に険しい色がうかんだ。

「そうすると、娘の私と、父親の妾《てかけ》が同《おな》い齢《どし》、その上、私が嫁いだ年に、父親がその娘と同い齢の妾を囲うたわけだすか」

藤代の声が跡切《とぎ》れ、肩で大きく息をしたかと思うと、

「ああ、いやらし！」

引き裂くような声で云い、宇市の顔に眼を据え、

「一体、どこの、どんな素性《すじよう》の女だす、あんたは、それを知ってはりまっしゃろ」

藤代の唇がひき吊《つ》るように震えた。宇市は、藤代の険しさに、一瞬、戸惑うようであったが、

「めっそうもおまへん、手前は旦那はんのお云い付け通り、ご臨終になってはじめて、向うさんへお電話し、その席で最初のお出会《であい》をしたような次第で、その後も、葬礼の日時をお知らせしただけでっさかい、詳しいことは存じてまへん」

「ほんまだすか、あんたはあの女のことを何もかも知ってて、私らに都合の悪いことは隠してるのやおまへんか」

詰め寄りかけると、叔母の芳子が口をはさんだ。

「そんなこと宇市つぁんに聞き糺《ただ》すより、その女にちゃんと本宅へ挨拶に来さすことだす、その上で、女の出性《でしょう》や嘉蔵はんとの関係を聞いて、ことを定めたらよろしおます、それが本筋だす」

きめつけるように云い、親族たちの方を向き、

「その日は、ご一同さん方もまた、お揃《そろ》いになっておくれやすか」

妙にねっちりとした聞き方をした。返事がなく、気詰りな気配になると、その気配を見越していたような素早さで、

「ごもっともでおます、皆さんご遠路のことだすし、ご一同さんさえこちらへお任せ下さるのなら、女のことは、こちらで、始末してもらいますけど、どないでござりまっしゃろか」

取り捌《さば》くように云うと、矢島為之助は、ほっとした面持で、

「そないして貰《もら》えたら結構だす、女はんのことは一応、そちらへお任せして、三人の相続のことで難しいことでも起ったら、何時《なんどき》でも、親族が揃うと云うことでどないで

っしゃろか」

　と女のことのきりをつけかけると、他の出席者たちも、救われたような表情で頷いた。宇市は、すかさず、

「では、ご親族筆頭の矢島為之助様のお言葉通り、後《あと》の浜田文乃方《かた》に関する遺言状につきましては、同女を本宅へ呼び、お三人方とお話しの上で、ことを定めると致しまして、先の相続人へのご遺言には、ご異議ございませんか」

　はじめに、遺言状を読んだ時と同じ重々しい声でいった。

　張りつめた沈黙と、動悸《どうき》を打つような緊張感が座敷を包んだが、藤代の体が大きく前へ揺れ、

「お父さんの遺言でおますけれど、私には異議がおます」

　挑むような強さで云った。

「へえ、どのような、ご異議でおまっしゃろか」

　宇市は、用心深い表情で聞いた。

「総領娘としての私の立場が無さ過ぎるようだす、その上、お父さんの書きはった遺言状にはいろいろと妙な意味があるようでっさかい、ここ暫く、とくと考えさしてもろうた上で、返事をさしてもらいます」

藤代は、わざと鷹揚《おうよう》な身構えで云った。

「では、なかぁんさんは、いかがでござりまっか」

藤代の斜め向いに、白い細面を俯《うつむ》けている千寿は、静かに顔を上げると、

「姉さんが暫く考えてからと云うてはりまっさかい、私も今のところは遺言状を伺うだけのことにして、あと良吉とも、よう相談さしてもらいます」

言葉少なに応《こた》えた。

「ほんなら、こいさんは、いかがでおますか」

末席に坐って、親族会が始まってから、一言も口をきかずにいる雛子は、宇市の問いに始めて、まるいくくり顎《あご》をひいて口を開いた。

「私には何にも解れへんわ、第一、株券やとか、骨董《こつとう》やとか、私には難しすぎることばっかり――」

ぽつんと投げ出すように云い、

「誰かに相談するわ」

「えっ、どなたはんに、ご相談になりはりまんのでっか」

宇市の細い眼が光った。

「ううん、誰とはまだきめてへんけど、そない思うただけ――」

また、ぽつりと云い、何がおかしいのか、右頬に小さな笑窪《えくぼ》をうかべた。

「では、お三人さま方揃うて、本日は遺言状を承るだけとお云いやすので、ご意見のほどは日を改めてお伺いした上で、相続分の分配を致しとうおますが、何時《いつ》がおよろしおまっしゃろか」

藤代は、暫く思案したのち、

「一カ月あとで、どうだすか」

千寿の方へ云った。

「ええ？　一カ月もあと――」

千寿は驚いたような表情をし、返事に迷うようであったが、雛子は、

「私は、それでよろしいわ」

と、藤代の意見に賛成した。

「そうすると、来月の四月十五日ということでございますが、その日まで、遺言の執行者に指名されておりますす手前が、遺言状をお預かりさせて戴き、ことに応じて、またご親族様のお集まりをお願い致しとうおます」

二通の遺言状を丁寧に畳み、元通り封におさめると、宇市は膝を改め、

「今席《こんせき》のお話し合いは、ひとまず、この辺に致し、あとはお寛《くつろ》ぎの上、夕食をお召し

上りになり、ご遠路のお骨のばしをして戴きますよう、お願い致します」

と挨拶すると、さすがに気疲れをしていたのか、一座にほっと息をつくような気配がした。

座敷に堺卯《さかう》で誂《あつら》えた会席膳が並び、五人の女中が揃いの仕着《しきせ》を着て、接待を勤めた。

宇市は、会席膳になると、人が変ったようなこまめさで、お膳の前に坐った親族たちに酌をして廻った。上座の矢島為之助、大曾祖母《おおそうそぼ》の実家、曾祖父の実家、祖父の実家と、縁続きの順位を踏まえながら、一々、作法にかなった鄭重《ていちょう》さで献盃《けんぱい》して廻り、その度に遠路の出席を厚く謝した。その行き届いた挨拶は、同じように献盃して廻っている養子婿の良吉が、見劣りするほどの応対の仕方であった。

何回目かの献盃をうけて、顔を赤くほてらせた矢島為之助は、宇市に盃《さかずき》を返しながら、

「宇市つぁん、あんたは幾つになりなはった」

「へえ、何時《いつ》の間にやら、七十二を迎えております」

「ほおう、もう、そないになりなはるか、まだ六十代というところで、七十とは見え

まへんけどな」

頭と眉《まゆ》は白髪《しらが》まじりであったが、矍鑠《かくしゃく》とした宇市の体を見直すように云った。

「おかげさんで元気に致しとりますけど、先々代の時からのご奉公でっさかい、もう五十八年にもなっとります」

「二代も大番頭を勤めて、今度は三代目も勤めるわけやけど、大番頭が三代の主《あるじ》に勤めるという例は、ちょっと聞きまへんな、それだけに矢島家にとっては、あんたはかけがえのない人やさかい、達者に長生きしてもらわんなりまへん」

長年の労をねぎらうように云うと、為之助の妻も、

「遺《のこ》った人が若い姉妹たちだけに、あんたもこれから苦労なことでっしゃろけど、お連れあいもお達者にしてはりまっか」

女らしい気の配りようをした。

「いえ、手前の連れあいは、十五年も前に先だっとりますけど、鰥夫《やもめ》暮しには、馴《な》れとりますので、一向に不便を感じまへん」

「ほんなら、子供さんは——」

「子なしでおます」

宇市は、急にむっつりとした語調で答えた。

「そうでっか、そうとは知らんと、いらんことを聞いてしまいましたな」

言葉の継穂《つぎほ》をなくすと、傍《そば》にいる為之助が、

「それやったら、なおのこと、宇市つぁんの老後は、安楽に考えたげんといかん、ところが、さっきの嘉蔵はんの遺言には、宇市つぁんへの分け代《しろ》は、何にも書いておまへんでしたなあ」

すまなそうに云った。

「とんでもおまへん、手前は十四の時からご厄介になって、世間の常識なら、とうに退《ひ》かんならん齢になっても、こうして働かして戴いているのでっさかい、分け代など、そんな——」

宇市は、大袈裟《おおげさ》に首を振った。

「いや、たしか、初代矢島嘉兵衛の時の遺言状には、大番頭への分け代も書いてあったように聞いてまっさかい、そない遠慮しはるに及びまへん」

そう云い、藤代の方へ向き、

「あんたらのお祖父《じい》さんの時から働いて貰い、お父さんやお母さんも、宇市つぁんにはえらい力になって貰うたはずだす、それにあんたらも、小さい時から世話をかけてまっしゃろ、それだけにこの際、宇市つぁんにもあんばいにしたげはることだすな」

「あんばいにする？　どないするのだす？」

藤代は、見当のつきかねる顔をした。為之助は、ちょっと思案するような顔をしたが、

「ちゃんと遺産相続がすんだら、あんたらの相続分の中から、それぞれ取り分に応じて、宇市つぁんに長年のお礼をしはったら、よろしおまっしゃろ」

「へえぇ、まるで弁護士さんにするみたいなことだすな、けど、そないせんかって、宇市つぁんは、心がけのええ人でっさかい、老後も困ることがないように、もうちゃんと蓄《た》めてはるのやないかしら？」

皮肉をまじえた云い方をしたが、宇市は、表情を変えず、

「めっそうもおまへん、そこまで手前に働き甲斐性《がいしよう》がおましたら結構な話だすけど、そこまでは至りまへんので、一つ冥土《めいど》へ行くまで働いて、お給金を戴かせてもらう心づもりでおます」

卑下とも、本気ともつかぬ云い方をし、慇懃《いんぎん》に頭を下げて席をたつと、また次の膳へ酌に廻った。

宇市のきり廻しで、会席には和やかな酒気が漂い、賑《にぎ》やかな話し声が続いていたが、藤代は、自分の期待を裏切られた苛《いら》だたしい焦《あせ》りと、ともすれば深い処《ところ》へ落ちこんで

行くような虚脱感を覚えていた。父の自分たちに対する遺言状といい、女に関する遺言状といい、どちらも自分の予期に反し過ぎたものであった。千寿の夫が、父の生存中から矢島商店の商いに従っていたという事実だけで、千寿夫婦が矢島商店の商いを継ぎ、その上、養子婿《ようしむこ》の良吉が矢島嘉蔵の名を襲名するとは思いも及ばないことであった。藤代からみれば或《あ》る意味では、幾ばくの遺産よりも家名の方が大きく、欲しいものであった。それを千寿の方へ仕分けた上、外に囲った女の仕分けまで遺言した父の仕打が、胸に食い入るようにこたえた。

おろおろと始終、母に気を遣い、長女の藤代にまで気兼ねしていた父が、母の生前から妾《めかけ》を囲い、その妾が藤代と同い齢であることに偶然さ以外の、父の陰湿な意図が籠《こ》められているようであった。不満を一言も口に出さず、三十数年間、女の傲慢《ごうまん》さと冷酷さを耐え忍び、燻《くすぶ》るように憤《いきどお》りの火を燃やし続けて来た父の異様に拗《ねじ》けた思いが、そこにあるように思われた。それだけにあの整然と書きしるされた藤代たち姉妹宛《あて》の遺言も、憚《はばか》るように控え目に書いた妾への遺言にも、どんな隠れた意図が含まれているか解らない。しかもその遺言を執行するのが、宇市であってみれば、暗澹《あんたん》としたものを感ぜずにはおられなかった。

藤代は、会席膳《かいせきぜん》の箸《はし》を使いながら、それとなく宇市の様子を見た。宇市は何時の間にか自分の席へ戻り、年寄りくさく背中をまるめて、黙々と箸を動かし、細いよく光る眼が何を思案するのか、時々、異様に光り、その度に盃を口に運んできゅっと酒を吸った。

＊

阿倍野橋《あべのばし》から上町線《うえまちせん》に乗り、神ノ木《かみのき》で降りると、宇市は風呂敷《ふろしき》包みの結び目を確かめるように見て、停留所の石段を降り、そこから三つ目の辻《つじ》の精米所の角を折れた。八時過ぎの郊外の道は、薄暗い門燈《もんとう》に照らされ、時々、自転車に乗った人影とすれ違うだけで殆《ほとん》ど人通りがなかった。

宇市は、親族会で振舞われた酒の気がまだ残っているのか、前に来て知っているはずの道順が頼りなく、曲り角に来ると、迷いがちになった。その度に立ち止って、半月程前に来た道筋を思いうかべ、やっと薬局と煙草《たばこ》屋を兼業している店の横から、細い小道を入って左へ曲ると、浜田文乃の家があった。

生垣で囲った平家建ての家であったが、年期が来ているのか、生垣の下の積石も家の外廻りの造作も古びて、ところどころ手入れの行き届いていない箇所があった。宇市は、門柱の脇《わき》にある呼びリンを探して押した。門といっても、生垣の端に形ばかりの開き戸をつけた門であったから、呼びリンを押しながら中の様子が見えた。玄関にぱっと電気がつき、ガラス格子《ごうし》に浜田文乃の小柄な姿が映り、腰を屈《かが》めるようにしてガラス格子を開け、門燈の明りで宇市の姿を認めると、急いで門へ来て、開き戸の閂《かんぬき》を抜いた。

「今日は、もう、お見え戴《いただ》けまへんと思うてました」

低い声で云《い》った。

「いえ、えらい遅うなってすみまへん、ご親族様方のお帰りが、ちょっと遅うおましたので、夜分になりましたけど、やっぱり、今日中に参る方がええと思いまして――」

宇市は慇懃に断わりを云いながら、文乃の後に随《つ》いて玄関へ入った。

一坪程の玄関の土間に下駄箱《げたばこ》と傘たてを置き、沓脱石《くつぬぎいし》を鏡のように拭《ふ》き磨《みが》き、三和土《たたき》の隅々まで掃除が行き届いている。宇市がこの家を訪れるのは、今日で三度目であったが、何時も塵《ちり》一つないきれいさで、下駄箱の上に載せた盆栽の位置まで寸分、違わぬ場所にあり、文乃の几帳面《きちょうめん》さが現われていた。

玄関の三畳の間の次が、八畳と四畳半続きの座敷になり、ほかに六畳と四畳半の茶の間があったが、宇市は何時も八畳の座敷へ通された。正面の床の間の掛軸をはずして小さな机を置き、その上に故矢島嘉蔵の古ぼけた写真を飾り、写真の前に嘉蔵が日常使っていたらしい茶碗《ちゃわん》に御飯を盛って水を添え、線香と燈明をあかあかと供えていたが、位牌《いはい》のない空《うつ》ろさが、文乃の立場を物語っていた。

最初、宇市がこの家を訪れたのは、矢島嘉蔵の通夜《つや》の日であったが、その時も文乃は空ろな身のあり方で宇市を迎えた。昼間、嘉蔵の臨終の席で、宇市と顔を合わせたことも忘れ果てたように玄関にたって、暫く黙って宇市の顔を見詰めていたが、やっと昼間のことを思い返したように宇市を奥へ案内し、「どうぞ、拝んであげておくれやす」と云い、座敷の真ん中に敷いた三枚重ねの布団《ふとん》を指したのだった。その方へ眼を向けると、友禅の派手な掛布団の上に白い布をかけ、枕《まくら》の上に嘉蔵の写真を載せ、ほんとうの仏にするように水を入れた茶碗と、樒《しきみ》の小枝を枕元に供えていた。その異様さに思わず、宇市が眼を逸《そら》せかけると、「旦那《だんな》はんに、樒を上げておくれやす」と云い、宇市に樒の枝をすすめた。断わりようがなく、樒の枝を受け取って、写真入れに入っている嘉蔵の顔を撫《な》でかけると、「どうぞ、お水でお口を湿してあげてほしおます」と云い、水茶碗を宇市の前に突き出した。改めて樒の枝を水で湿し、写真の嘉蔵の口もとを水で湿すと、写真入れのガラス板の上に水滴《しずく》が流れ、たちまち枕の上まで垂れ落ちた。それを見て、文乃は「おおきに有難はんだす、あんさんだけが、わてと一緒に仏さんを拝んでくれはった、たった一人のお弔い客だす」と云うなり、堰《せき》を切るように嗚咽《おえつ》したのだった。

二度目に文乃の家を訪れた時は、嘉蔵の葬儀の日取りを知らせに来た日であった。文乃は待ち兼ねていたように宇市を出迎え、葬儀の日取りを聞くと、「わても光法寺へお焼香をしに参じさせて戴いても、よろしいでっしゃろか」と遠慮がちに云った。宇市が即答せずにいると、「旦那はんは、お達者な時からお葬式のことばっかり云うてはりました、まるで表彰式にでも出るような気張り方で、わいの葬礼《そうれん》は十五カ寺の住職の読経《どきよう》と樒三百対《つい》やと云うてはりましたさかい、それを拝みかたが詣《まい》らせてほしおます、喪服も、お数珠《じゆず》も、もうちゃんと用意しておます」そうすることが、陰の女の最後の願いであるように云ったのだった。

「まあ、お座布団もあてはらず、何を考え込んでいはったのだす、どうぞ、お茶を――」

台所からお茶を運んで来た文乃は、座敷の真ん中につくねんと坐《すわ》っている宇市に、

お茶と座布団をすすめ、床の間の嘉蔵の写真に向って、新しい線香と燈明を供えると、宇市の方へ向き直り、

「先日来、いろいろとお気遣いを戴きまして、有難さんでございました、本日はまた、いろいろとお疲れのことでございまっしゃろ」

改まった挨拶《あいさつ》をし、鄭重に頭を下げると、先日来の取り乱し方と異なり、あとは黙って慎《つつま》しく顔を俯《うつむ》けた。通夜も、葬儀も終り、二七日《ふたなのか》を過ぎると、取り乱していた悲しみから、七年間もひっそりと情を尽して来た人に、独り置き去られた空ろな侘《わび》しさが、文乃の心を埋めているようであった。

宇市は、まだ残っている酒気を気にしながら、改まった表情で、

「先日、お電話でちょっと、お話し申し上げておきましたように、今日の親族会には、ご本家筋、ご養子筋のご親族様方がお集まりの上で、お亡《な》くなりになった旦那はんの御遺言状の封を初めてお開きしてご一同さまへお伝え致しましたわけでおますが、そのご遺言の内容は、手前が只今《ただいま》、持参致しておりますような内容でおました」

宇市は膝《ひざ》の横においた風呂敷包みを開き、会席の折詰の上に、別包みにして置いた長方形の封書を出し、何を思ったのか、二通のうち、藤代たちの相続のことを書き記した遺言状を、文乃の前へ置いた。

「どうぞ、ご一読しておくれやす」

文乃は、はっと息を呑《の》むような張りつめた表情をし、書置状としたためられた封書に眼をあてていたが、やがて静かに手を伸ばして、遺言状を開いた。

一重瞼《ひとえまぶた》の涼しい眼が食いつくように遺言状を見詰め、一字一字を読み取るように静かに読みはじめた。最初はゆっくり、何の読み支《づか》えもなく読んでいたが、三人の相続の仕分けを箇条書にしたあたりに来ると時々、読み直するのか、眼を瞬《しばた》かせて暫くそこに視線を止めたり、前の行へ視線を返らせたりした。中程を過ぎると、読み急ぎするような落着きのなさが眼に泛《うか》び、かすかな動揺が文乃の胸の中にあるようであったが、遺言状の最後まで読み終ると、揺ぎのない平静さで、

「これだけ仔細《しさい》なお書置きでおましたら、お三人の相続人さま方も、ご納得のことでございまっしゃろ」

抑えるような声で云った。宇市は、黙ったまま、文乃の次の言葉を待った。

しかし、文乃はそう云ったきり、自分のことがそこに書かれていない不安を口に出さず、読み終った遺言状をもと通り、丁寧に畳んで、宇市の手もとに返した。

宇市は、それを受け取ると、

「こちらが、あんさんのことを、おしたためになった遺言状でおます」

隠すようにしていた、もう一通を示した。文乃の顔に驚きとも、喜びともつかぬ表情がうかび、震えるような手で、自分のことがしたためられている遺言状を開いた。二、三行読みはじめるなり、みるみる文乃の眼が涙に潤《うる》み、耐《こら》えるように睫毛《まつげ》を瞬かせた。五、六行目まで読むと、耐えていた涙がどっと噴き溢《あふ》れるように文乃の頰を伝い、文乃は思わず、声に出して嘉蔵の言葉を読んだ。

「……まことに憚《はばか》りながら、私儀の歿後《ぼつご》は、この女にも何分のものを相つかわされ度く、幾重にも願い上げ……」

読みながら、嗚咽し、涙が首筋にまで流れ落ちた。

読み終ってからも、文乃は人前を忘れたように遺言状を離さず、そこに書き遺されている字から男の心を嗅《か》ぎ取るような情に潤んだ視線を当てていたが、

「わてのような陰の立場の者には、ことづけのご遺言だけでよろしおますのに、こんなちゃんとした書置状にまでしておいてくれはりまして、わては、ほんまに……」

と云い、涙ぐんだ。

「いや、口頭の遺言でおましたら、何の効力もないらしおます、つまり、ご遺族の方から、そんなことは知らんと突っ放されたら、それまでのことになってしまうわけだすけど、遺言状の形にしてあったら、ちゃんと法律的にも効力があるわけだす」

宇市は、白髪まじりの眉の下から、文乃の顔を見詰めるように云った。文乃はまだ納得がゆかないのか、頼りなげな顔をし、

「遺言状て、そない力のあるものでおますか――」

不思議そうに聞いた。

「何か問題が起った時、裁判所へ遺言状を持ち出し、死んだ本人が書いたものであることに、相違ないと認められたら、遺言状通りにするように判決されるそうだす、それだけに、旦那はんは、あんさんのために、こうして書置状をしておきはったのやと思います」

また、文乃の眼から涙が溢れた。

「せっかく、旦那はんが、こうして書置状までしてくれはったのでっさかい、あんさんは、取れるだけ、取りはったらよろしおます」

宇市は、至極、当然な云い方をした。文乃は、驚いたように顔を上げ、

「いいえ、わてはそんな……そんな仰山戴こうとは思うてしまへん、これから先の日々の暮しにさえ不自由しまへんでしたら、それで結構でおます」

拒むように云うと、

「ご遠慮には及びまへん、いくらとはっきり書かず、何分よしなに願い上げ候《そうろう》と書い

てはりますのでっさかい、取れるだけ取ったらええと云うことだすわ」

宇市は、おっかぶせるように云った。

「いいえ、何分よしなにというのは、旦那はんが、ご一同さま方に遠慮して云うてはるのだす、そやから、わては、ほんまに仰山いりまへん、そんなえげつない戴き方せんでも戴ける時は、ちゃんと戴けるのでっさかい――」

「えっ？　何のことだす？」

宇市の細い眼が光り、聞き返した。

「いいえ、別に――何ということも、おまへんけど、わては取れるだけ取るなど、そんな強引な……」

口ごもるように云い、文乃が頭を振りかけると、

「まあ、あんさんのことは、何事も手前に任しておくれやす」

宇市は、文乃の言葉を引き取り、

「ところで、近日中に一度、本宅の方へお運び願いとうおます」

「えっ、本宅へ――」

文乃は、顔色を変えた。

「へえ、あんさんのことが遺言状におましたので、相続人の嬢《とう》さん方にご挨拶をして

戴きとうおます」

「ご挨拶と申しますと、どんな……」

文乃の声が、かすかに震えた。

「いや、なに、別にたいしたことやおまへん、まさか挨拶を交わしたこともない人に、旦那はんの遺産分けをするわけにも行かず――と、まあ、そういう工合のところでおますわ」

巧みに笑い濁すように云ったが、文乃は、宇市の言葉も耳に入らぬように、部屋の隅の一点に、じっと眼を見据えたまま肩で息をしていた。何を詮《せん》じ詰めているのか、涼しい眼に怯《おび》えとも、挑みともつかぬ異様な光が帯び、よく見ると、頰から首筋のあたりにかけて、病い窶《やつ》れのような窶れが見えた。

「どこか、お悪いのやおまへんか」

案じるように宇市が聞くと、文乃は、狼狽《ろうばい》するように、

「いいえ、どこも悪いことおまへん、ただ、旦那はんに死に別れて、ほかに身寄りもなく、何やかやで、独りで心細うて……」

声を跡切《とぎ》らせ、暫く黙り込んでいたが、

「やっぱり、ご本宅へお伺いせんといけまへんでっしゃろか」

まだ、決心がつかぬように云った。

「えらいそうに思い詰めてはるらしおますけど、実は嬢さん方は、あんさんが、旦那はんのご臨終の席にお出《い》でやした時も、ご葬儀にお見えやした時も、ちゃんと見て、知っておいでやしたのだす、いうてみたら、全くの初対面ではないわけだす」

文乃の心を和らげるように云うと、

「そうでっか、ほんなら、やっぱり知っておいでやしたのでっか――」

そう云い、深い息をつくと、

「お三人さま方、揃《そろ》うて白い喪服をお召しやして、眼が痛うなるほどごりっぱでお美しゅうおました、わてらのように素性のない家の娘と違うて、家筋のあるちゃんとしたお育ち――」

と云い、何かを自分の心に云い聞かせる風であったが、ふいに笑顔をつくると、

「それでは、至りまへんが、ご本宅へのご挨拶は、何時《いつ》でも参上させて戴きまっさかい、ご本宅のご都合のおよろしい日をお聞かせしておくれやす」

思いきめるように云った。

「あんさんが、そない云うてくれはったら手前も安心だす、日取りは、また改めてこちらへお知らせさして戴きまっさ」

そう云うと、宇市は文乃に見せた二通の遺言状を、元通り小風呂敷に包み、包み合わせにしていた会席膳の折詰の上に載せると、その上から、もう一枚風呂敷に包んで、帰り支度を始めた。

「もうお帰りでっか、まあ、もうちょっとゆっくりしておくれやす、今、お燗《かん》をつけまっさかい」

文乃は、宇市の酒好きを知っていて、酒の用意をしかけると、

「いえ、今夜はもう、たんと戴いてまっさかい、これで失礼致しまっさ、それにもう九時を廻ってますし、大事なお書きつけを二通も持っておりまっさかい――」

と断わり、風呂敷包みを持って、宇市が席をたちかけた時、突然、表の呼びリンが鳴った。無遠慮な音高い押し方であった。宇市は思わず、探るように文乃を見た。

「どなたはんでっしゃろ、こんな夜分遅うに――」

文乃は、ちょっと怪訝《けげん》そうに首をかしげてから、静かに立ち上った。その間も、表の呼びリンは無遠慮に鳴り続けた。

門を開ける音がし、男の声が聞えた。何を話しあっているのか、ぼそぼそ話し合う低い声がした。宇市は、玄関の方へ体をにじらせ、耳を傾けたがよく聞えない。時々、旦那はんが――という、女の低く籠るような声が聞えるだけで、男の声は全然、聞き

とれない。宇市の眼に疑惑の色がうかび、足音を忍ばせて、跣《はだし》で玄関の三和土《たたき》の上へ降り、ガラス格子に手をかけた時、文乃の足音がして、ガラス戸が開いた。

「まあ、こんなとこで、何をしておいやすか」

驚いたように云い、

「ちょうどよろしおましたわ、実は今、亡くなった旦那はんが、表具屋へ預けておきはったお軸が出来て来ましてん、宇市つぁんも、見ておくれやす」

細長い包みを、胸に抱えていた。

「え、表具屋——、お軸でっか」

宇市は、気ぬけしたように云い、文乃に随いて座敷へ戻った。

文乃は、座敷の真ん中に坐り、丁寧に包みを解いて、桐箱《きりばこ》の中から掛軸を出した。

「これは、去年、旦那はんが本宅から持って来はったお軸だすけど、えらい表具が傷《いた》んで来たからと、三カ月程前にこの近くの表具屋へ出しはったものだす、支那《しな》表具たらいうもので、手入れにえらい手間がかかるものやそうだすけど、旦那はんは、何回も催促してはったんだす、それがやっと、出来上って来ましたら、亡くなってしもてはって——」

文乃は、ちょっと言葉を跡切らせたが、すぐ気を取り直すように軸の掛紐《かけひも》をほどいて、座敷一杯に広げた。

雪村《せつそん》の滝山水の淡彩であった。宇市にも見覚えのあるもので、矢島家の骨董《こつとう》類の中では、十指の中に入る重要なものであった。それだけに矢島家でも、蔵から出して床の間に掛けるようなことが、めったに無かった。

「わてには、こんなもののよし悪《あ》しは、さっぱり解《わか》りまへんが、旦那はんがあない大事にしてはったものでっさかい、きっとごりっぱなものでっしゃろ」

宇市は、黙って応《こた》えなかった。

「ちょうど、宇市つぁんが来てはる時にお軸が届きましたさかい、あんさんから本宅へお返ししておいておくれやす」

「えっ、返しはる？　本宅へ――」

宇市は驚いたように云い、

「これは、あんたが、旦那はんからお貰《もら》いになったものでっしゃろ」

文乃は、ちょっと首をかしげ、

「さあ、どうでっしゃろ、確かにこの家へ持って来てくれはりましたけど、わてにはっきりやるとは、云いはれしまへんでしたさかい、預かりものみたいなもの、つまり、この家の床の間用に借りてたようなものやおまへんやろか」

「預かりもの――、借りもの」

宇市は呟《つぶや》くように云いながら、まじまじと文乃の顔を見詰めていたが、文乃が本気で云っていることを知ると、

「まあ、これは暫く、ここへ預かっておいておくれやす、取り急いで返しはるには及びまへん、こういうものを返すには、返却の時期というものがおますさかい、手前に任せておくれやす」

引き取るように云い、

「ほんなら、これで失礼致しまっさ、ご本宅へ伺う日はまた改めてお知らせ致しまっさかい、その節はよろしゅうに」

と云うと、宇市はもう一度、掛軸の方へ眼を遣《や》って、席をたった。

宇市は、もと来た道を通って神ノ木の停留所の石段を上に来ると、せかせかと気急ぎする様子で電車を待った。そのくせ、停留所のそばまでタクシーが寄ってきても、そっぽを向き、電車の来る方向にばかり眼を向けていた。

前照燈《ぜんしょうとう》の円い光が見え、郊外の支線を走る小さな電車がのろのろとした速度で停留

所に入って来た。九時を廻っているせいか、車内は人影が疎《まば》らでがらんとしていた。宇市は、車内を見渡してから、運転台の斜めうしろの座席に腰をかけ、手に持っている風呂敷《ふろしき》包みを、膝の上にかかえ込むようにした。

電車が動き出しても、宇市はきちんと膝を揃えたまま、風呂敷包みを抱え込んでいたが、北畠《きたばたけ》を過ぎるあたりになると、さすがに親族会を開いて遺言状を公表し、そのあと会席膳《かいせきぜん》を出して宴会を勤め、さらにその帰りに浜田文乃の家を訪ねた一日中の疲れが出て来たらしく、姿勢をくずして、うとうと眠りかけた。

阿倍野橋に着くと、宇市はすぐ上本町六丁目廻りの市電に乗り替え、二つ目の椎寺町《しいでらちょう》で降りた。戦災で焼け残った家ばかりが建て込んでいる一角であったが、停留所から三丁程歩いて横道にそれると、急にひっそりとした家並になり、近くに寺町があるせいか、石工《いしく》や植木屋の庭置場のある家が多かった。

宇市は、その家並の角にある低い土塀の家の前まで来ると、土塀の端の切戸《きりど》を押した。中はすぐ暗い庭になり、小振《こぶり》な庭木や鉢ものの植木が並んでいた。

「お帰りやす、今日は遅うおますな」

離れを借りている植木屋の女房が、母屋《おもや》の縁側にたって、声をかけた。宇市が聞えぬ振をして行きかけると、

「今夜はもう、夜業《よなべ》にお店へ出かけはらんかてよろしおますのでっしゃろ」

また縁側から声をかけた。宇市は、気難しい表情をし、

「いいや、それがまた、今晩も夜業がおますねん、近頃の若い者は夜業をいやがりますのでな」

宇市は、そう応えながら、庭をはさんで西側にある離れ屋の戸を、ことこと開けにかかった。

「お掃除だけは、ちゃんとすましときましたでぇ」

「そら、どうも、おおきに――」

何時ものことであるから、背中向けで礼を云《い》い、ガラス戸を開けると、部屋の中が、きちんと取り片付けられ、拭《ふ》き掃除もすんでいる。西向きの六畳と三畳続きの座敷であったが、いまの植木屋夫婦の両親が生きていた時に住んでいた部屋であるから、六畳に本床がつき、続きの三畳の間には台所と厠《かわや》も付いていた。十五年前に働き者の女房を失い、戦災で谷町の家を焼かれてから、ずっとこの離れに独り住いしていたのだった。老舗《しにせ》の大番頭の住いにしては粗末すぎると云われたが、宇市はその度に「男《おとこ》鰥夫《やもめ》でっさかい、便宜に住まわしてもらうことが一番よろしおます」と云い、気楽な離れ住いを続けて来ていた。

宇市は、座敷の中の片付け工合を見廻し、縁側の雨戸の戸締りを一つ一つ改めると、何を思案するのか、暫《しばら》く座敷の真ん中に坐《すわ》り込んでいたが、つと起《た》ち上って、本床の横にある押入の前に体を屈《かが》ませ、用心深い身構えで、そっと襖《ふすま》を引き開けた。

押入の上の段には、衣類箱や、道具類らしい箱が積まれていたが、下の段には、夜具が堆《うずたか》く積み上げられている。宇市は、背を屈めながら、老人とも思えぬ力で、夜具布団《ぶとん》を、一枚一枚畳の上へ引きずり出し終ると、押入の奥へ這《は》い込み、中から古ぼけた柳行李《やなぎごうり》をひっぱり出した。行李の蓋《ふた》の上に『明治三十四年三月十八日 大野宇市』と記した紙札が貼《は》りつけられている。宇市が、十四の齢《とし》、矢島商店へ丁稚《でっち》に入った時の年月日であった。

宇市は、その蓋を開け、中から粗末な木箱を取り出した。手垢《てあか》や脂汗《あぶら》で真っ黒に汚れた一尺四角の箱であったが、宇市の眼が俄《にわ》かに異様な光を増した。舌舐《したなめず》るようにその箱を見詰め、皺《しわ》だらけの口もとに薄い笑いを溜《た》めて、木箱の蓋を開けた。薄汚れた郵便貯金帳と、一つ一つ名義を変えた銀行預金帳が、一括《くく》りの束になって重なっている。

宇市は、その嵩《かさ》を楽しむように暫く眼を細め、電車の中でかかえ込んでいた風呂敷包みを開くと、その中から遺言状の入った封書だけ取り出して、木箱の中へしまい込み、蓋を閉めた。そして、もと通りに木箱を行李の中へ入れ、押入の奥へ押し込むと、その上からまた、夜具を一枚一枚積み上げた。

それがすむと、宇市は押入の前に坐ったまま、ほっとしたような表情で煙草《たばこ》に火を点《つ》けたが、二、三服吸うと、さっき開いた風呂敷包みの中から、会席膳の折詰の包みだけぶら提げ、衣桁《いこう》にかかっている衿巻《えりまき》を巻いて起ち上った。

母屋の方へ響かぬようにそっと離れの玄関を開け、外から戸締りをし、薄暗い門燈に照らされた中庭を、庭石に躓《つまず》かぬように足探りして通りぬけた。裏切戸《うらきりど》を開けると、外はもう真っ暗で、人通りも殆《ほとん》どなかったが、宇市は電車通りに向って、気忙《きぜわ》しく歩き出した。


椎寺町から三つ目の上本町六丁目停留所で降り、石ケ辻町《いしがつじちょう》の方へ戻ると、小林君枝の家があった。五軒一棟《むね》に並んだ二階建てのせせこましい家であったが、女の独り住いらしい、門口《かどぐち》に植木鉢を並べて小ぎれいに飾りたてていた。

案内も乞《こ》わず、宇市が表のガラス戸を開けかけると、

「ちょっと待っておくれやっしゃ、すぐ開けまっさかいに――」

中の女の声がし、すぐガラス戸を開けた。

「まあ、どないしてはりましてん、こない遅うまで――、さっきから、きつう心配してましたわ」

声ほどなく、襷掛《たすきが》けの甲斐甲斐《かいがい》しい姿で、宇市を迎えた。

「これ、今日の会席膳の折詰や」

ぶら提げて来た折詰を渡すと、

「へえ、おおきに、早速、今晩の夜食に戴《いただ》きまひょ」

いそいそと受け取り、宇市のうしろへ廻って衿巻をはずし、

「すぐお風呂に入りはりまっか、ちょうど今、お湯加減をみてたところだす」

そう云いながら、先にたって奥へ入り、簞笥《たんす》の引出しを開けて、宇市の下着と浴衣《ゆかた》の用意をしかけた。

宇市は黙って、着物を脱ぎ、下穿《したば》き一枚になって、猫の額ほどの庭先にある風呂場の戸を開けた。

狭い風呂場であったが、暮に湯槽《ゆぶね》を仕替えたばかりであるから、真新しい檜《ひのき》の香が風呂場一杯に籠《こも》っている。宇市は、水道の冷水でタオルを濡《ぬ》らし、四角に畳んで頭の

上に載せた。医者から高血圧を注意されていたので、その用心をしてから、そろそろ湯槽に浸《つ》かることにしている。湯加減も、何年か続けると、温度計のような正確さになるのか、君枝のうめた湯加減は、何時も四十二、三度ぐらいの頃合《ころあい》になっている。大家《おおや》の植木屋に店の夜業《よなべ》に行くと偽って、週に二、三度この家へ足を運び、湯に浸かって背中を流してもらうのが、宇市の快い寛《くつろ》ぎの時であった。

ガラス戸が開き、裸になった君枝が入ってきた。やや浅黒い肌をしているが、小肥《こぶと》りにむっちり肉の付いた体であった。もう十年も前からの関係で、七十を越えてからは、以前ほどその方面への興味は強くなかったが、それでも女の体に触っていないと、妙に頼りなく落着きが悪かった。

君枝は、自分のかかり湯をすますと、湯槽に浸かっている宇市の肩へ、水をました微温《ぬる》めの湯をかけながら、

「なんで、こない遅うおますのだす、なんぼ、親族会があるいうても、どないしてはりましたん」

「ふん、親族会のあと、神ノ木の旦那《だん》はんの妾宅《しょうたく》へ寄らんならん用があったものやさかい――」

「へえぇ、なんでまたこない遅うにご妾宅まで行かんなりまへんの、明日でもよろし

おますやろに、それとも、なんぞ、今日中にご妾宅まで、行かんならんことでもおましたか」

妙に勘ぐるような云い方をした。

「ふん、ちょっと、旦那はんの御遺言状のことでな」

むっつりと応え、湯槽から上って、洗い場に腰を下ろした。君枝はすぐ、宇市の背中を石鹸《せっけん》で撫《な》で廻し、真っ白に泡だたせてから、手拭《てぬぐい》でこすりはじめた。

「そいで、神ノ木の女《おなご》はんのことは、どない書き遺《のこ》してはりましたのだす？」

「何分、よしなに頼むと、そう書いてあったのや」

「ええ？　何分、よしなに頼む――、たったそれだけだすか」

湯殿《ゆどの》に響くような大きな声で聞き直した。

「阿呆《あほ》！　耳に石鹸が入るやないか」

君枝の石鹸だらけの手が、うっかり宇市の耳もとを押えていた。

「すんまへん、鈍なことで――」

君枝は慌《あわ》てて、宇市の皺になって垂れ下った耳もとの石鹸を拭い取り、

「それやったら、ご本宅のお心もち次第で、なんぼ遺産分けをしてもらえるのか、解りまへんなあ、それで、神ノ木の女はんは、どない云うてはりますねん」

「ところが、たんと要りまへんと、いうてはるのや」

「えっ、たんと要らん――」

思わず、君枝の手が止まり、

「それ、ほんまでっしゃろか、本気でそう云うてはるのか、それとも、そう云うた方が、同情が集まって得するから、そない云うてはるのと違いまっしゃろか」

文乃の心を詮索《せんさく》するように云った。

「そら、そうかも解らん」

そう云い、宇市はくるりと、前向きの姿勢になって手を伸ばした。君枝は、宇市の骨ばった手を取って、石鹸をつけ、

「そいで、肝腎《かんじん》のご本宅の嬢《とう》さん方へのご遺言は、どうやったんだす」

宇市は、眼をつむり、手を君枝に預けたまま、

「分け隔て無う、仲良う三等分になるように、それぞれ、店や土地や建物、株券、骨董などを、うまいこと分けてはったのや」

「ご親族さんや、ほかには？」

「ご親族さんには、それぞれ、鄭重《ていちょう》な仕儀《とぎ》にしはった」

ぷつりと切るように云い、暫く話が跡切れたが、君枝はざっと流し湯をかけると、

「あんさんのことは、どないだした？」

張り詰めた声で聞いた。宇市は、聞いていないのか、返事もせず、眼をつむって白い湯気に包まれている。君枝はもう一度、ざっと流し湯をかけてから、

「あんさんのことも、遺言状に書きおきしてくれてはりましたんか」

大きな声で聞いた。

「――あらへん――」

「えっ？　何でおます――」

聞き返すと、

「わいのことは、一言も、何にも、書いてあらへん」

宇市は、区切るように云うと、洗い場からたち上り、湯槽につからず、そのまま乾いたタオルで体を拭かせて、先に上った。

湯殿から上ると、宇市は下穿《したばき》と毛糸の腹巻に丹前を着、卓袱台《ちゃぶだい》に向って、湯上りのビールを飲むのが、何時《いつ》もの癖であった。美味《おい》しそうに最初の一杯を飲み、

「どうや、堺卯《さかう》の仕出しは、やっぱり上等に出来てるやろ」

そう云い、折詰のまま広げた料理に箸《はし》をつけ、二杯目のビールを注《つ》がすと、

「ところで、お前は幾つになったのや」

昼間、宇市が、矢島為之助に聞かれたような聞き方をした。君枝は、風呂上りの襟《えり》にうっすら襟白粉《おしろい》を刷《は》き、ぬき衣紋《えもん》にした浴衣の襟を指先で、ちょっと直す仕種《しぐさ》をし、

「急に女の齢など聞いてどないしはります、わても、何時の間におばあさんになって、四十を二つ、三つ出ましたわ」

「ほう、もう、そないなるかなあ、若う見えるさかい、ついそんな齢を忘れてしまいそうや」

細い眼で、湯上りの女の顔を眺めながら、君枝にもビールを注いでやると、

「ええ齢でっさかい、わてもそろそろ、商売の方をきれいにやめてしまおうと、思うてますねん」

道頓堀《どうとんぼり》の料理屋で、仲居をしている君枝は、宇市の顔色を見るようにして云った。

「やめて、どないするつもりやねん」

宇市は、用心深い口調で聞いた。せっかく、ここ十年も一緒に世帯を持ちたがっている君枝を寄せつけず、大家の植木屋にさえ夜業《よなべ》に行くと偽り、よほどでないと泊ら

ぬことにして来た世間体と気楽さが、宇市の気がかりになった。君枝は暫く、宇市の心の中を測るように黙り込んでいたが、

「そうでおますなあ、料理屋の仲居をやめて、家に居てて、出来ること——、小唄《こうた》の師匠でもしようかと、思うてますねん」

仲居といっても、君枝は三味線も、唄も出来る遊芸仲居であったから、場末の小唄の師匠ぐらいはやって行けるのだった。

「そら、その方が気楽でええやろ、それにお前やったら、それぐらいのことはできるやろし」

ほっとしたように云うと、

「それにしても、やっぱり先だつものがいりまっさかい、よう考えてからせんとあきまへん、ともかく、仲居勤めをしてたら、日銭《ひぜに》のお祝儀《しゅうぎ》が間違い無うに入って来ますけど、小唄の師匠をして、一向にはやれへん時は、どないにもなりまへんよって——」

と云い、頼りなげな様子をしたが、宇市は素知らぬ顔で、三杯目のビールを飲んだ。

「そら、毎月、あんさんから戴いてますお手当と、わての仲居勤めのお給金で充分でおますけど、わてかて、もし、神ノ木の女《おなご》はんみたいに、旦那はんに先だたれたらと、

そう思うたら心細うて」

と云い、言葉を詰らせると、

「わいは、旦那はんみたいに簡単に死なへん」

突然、がんと、突っ撥《ぱ》ねるように云った。

「そんなこと云いはったかて、寿命というものがおますさかい」

「縁起でもない、わいは、誰が何と云うても、今度の矢島家の遺産相続の始末をつけてからやないと、死ねと云われても死ねんのや、旦那はんが、三人にそれぞれ仕分けしはったほかに、山林《やま》や銀行預金などの共同相続財産の目録は、わいやないと解《わか》らへん、これをちゃんとせんことには、ほんまの遺産相続はすまへんのや」

宇市は、顔を染め、腹の中の怒りを吐き出すように云った。君枝は、注意深く宇市の顔を見、

「なんぞ、今度のことで、気になりはることでもおますのか」

探りあてるように云うと、

「いいや、別に何もあらへん、ただ、今度の遺産分けの肝腎なところは、わいやないと解れへんと、云うてるだけや」

そう云うと、宇市は、昼間の疲れと湯上りの酒気で、急に酩酊《めいてい》して来たのか、ふら

りと起ち上った。

「もう、お寝《やす》みでっか」

「いや、小便《しし》や」

宇市は、君枝が付添いにかす手を払い退け、頼りない足《の》もとで、それでも白髪頭《しらがあたま》をしゃんとたて、浴衣の裾《すそ》を端折《はしよ》って、独り小用にたった。

君枝は、手早くビールで汚れた卓袱台を拭き、食べかすになった皿を片付け、煙草の吸殻のこぼれた座布団をはたいて、裏へ返しかけると、座布団の端に手帳が落ちていた。反古《ほご》を綴《と》じ合わせた手製の小さな帳面であった。宇市が小用にたった時、毛糸の腹巻から脱け落ちたものらしかった。君枝は、ちらっと厠《かわや》の方を見て、まだ宇市が小用を足しているのを確かめると、急いで手帳を開いた。

㋗四十町歩、　△　あり（二〇〇万）

㋵五町歩、　△　のみ（三〇〇万）

㋔百二十町歩、　△　あり（二六〇万）

㋟十町歩、……

次を読みかけた時、宇市の足音がした。慌てて手帳をもとの位置に置いたが、宇市は細いよく光る眼で、座布団の端に抛《ほう》り出された手帳をじろりと一瞥《いちべつ》し、徐《おもむろ》に拾い上げて、腹巻の間へ押し込むと、

「わいの手帳に書いてあったこと、何のことか、お前に解ったかいなぁ」

何気ない聞き方をした。盗み見して怒鳴りつけられるものと思い込んでいた君枝は、拍子ぬけしたような表情で、

「それが、いろはがるたの判じものみたいなもので、わてには何のことやらさっぱり解りまへんわ」

と、応《こた》えると、宇市は新しいビールを注がせ、

「さっきの仲居をやめたいという話、あれ、止《や》めたかったら、何時でも止めたらええ、お前が、先々で安心できることぐらいのことは、してやるさかいな」

さっきと、うって変った気前のよさで云《い》い、

「今夜はそろそろ、寝よか」

「ほんなら、今夜はお泊りでっか」

「ふうぅ、たまには、な」

宇市は、久しぶりに君枝を寝間へ誘い込んだ。

＊

店へ出て来た藤代の姿に気付き、良吉は勘定場の中から愛想よく迎えた。

「今からお出かけでおますか」

着飾っている藤代に声をかけると、藤代は良吉の方へは眼もくれず、勘定場の前を通り過ぎ、店框《みせがまち》のところで女中から小物袋を受け取って、表口へ足を向けた。

店の間《ま》にいる店員たちは、気詰りな顔をしたが、良吉は表情も変えず、売掛帳を開き、眼を通す振《ふり》をしながら、眼の端では、何時もより着飾った藤代がいそいそと店先から遠ざかって行くうしろ姿を見て取っていた。

藤代の姿が見えなくなると、良吉は売掛帳を閉じ、用事を思いついたように勘定場をたって奥へ入った。

縁側に面した障子を開けると、千寿は良吉を待ち構えていたように起って来、ガラス戸越しに藤代の部屋へ眼を遣《や》り、

「やっと出かけてくれはりましたわ、まるで私が姉さんを不幸にしたように、親族会のあった翌日から、朝の挨拶《あいさつ》をしても知らん顔、廊下で顔を見合わせても、ぷいと顔

を背け、そのくせ私の方から眼を逸《そら》せかけると、わざと足を止めて、ぞっとするほど冷たい棘《とげ》のある眼で、人の顔を見据えはるし、できるだけ顔を合わさんように部屋の中へ引っ籠ってても、姉さんのあの棘々しい眼が始終、体に突き刺さって来るみたいで、姉さんが家にいてはる間中、私の気は憩《やす》まれへんわ」

昂《たかぶ》った声で云い、細面《ほそおもて》を青白ませた。良吉は、何時ものように座敷机の前に坐り、暫く黙り込んでいたが、たったままでいる千寿の方を見上げ、

「急に思いついたように、一体、何処《どこ》へ出かけて行きはったのやろか」

千寿の昂りを抑えるような冷静な声で云った。

「何処て――、姉さんのことでっさかい、どうせ、気まぐれに出かけはったのやと思うわ」

「まるで芝居へでも出かけるように、何時になく着飾って、いそいそと出かけて行きはったけど、やっぱり気まぐれやろか」

良吉は腑《ふ》に落ちぬ顔をした。

「まさか、お父さんの四十九日もすんでしまへんのに、着飾って芝居見物になど行きはるはずがないし、第一、姉さんは独りで遊びに行ける人やないわ、人を誘って派手に遊びたい人ですさかい、独りやったら、せいぜい気晴らしに、お買物にでも出かけ

はったのでっしゃろ」

千寿は投げるように云い、良吉の前に肘《ひじ》をつくように坐《すわ》った。良吉は口を噤《つぐ》み、ちょっと考えをめぐらせる様子であったが、頷《うなず》くように首を振り、

「そうだすな、何処へ出かけたのか、わてらに気を揉《も》ませるために、何でもないのにわざわざ着飾って、いそいそと出かけはったのかも解りまへんな、義姉《ねえ》さんのことでっさかい、それぐらいの意地の悪い厭《いや》がらせは、平気でしはりまっしゃろ、何しろ、この間の遺言が不満で、我慢ならん様子だすから——」

千寿の顔に険しい色が泛《うか》んだ。

「一体、姉さんは、あの遺言状のどこが我慢ならへんのだす？　ここ一週間ほどさんざん、私らの気持を傷つけ、その上、まだ妙な厭がらせをしたり、何がそない姉さんの不満になってるのだす？」

「義姉さんにしてみれば、出戻りしても総領娘の自分がこの店を継げるものと思ったのが、あの遺言状やったので、それが、我慢ならへんわけでっしゃろ」

「へえぇ？　姉さんが、この店を——」

「そうだす、戦前なら長子相続で竈《かまど》の下の灰まで長子のものになり、長子以外はおこぼれみたいなものしか貰《もら》われへんものと定《き》まってましたから、まさか、こんな結果に

なるとは、義姉さんは予想しなかったのでっしゃろ、それにしても、戦後の民法では、父親が死んだ時は、その妻が遺産の三分の一、あとの三分の二を実子が等分に相続し、その妻が既に死んでいる時は、実子が全財産を等分することになっているのに、それを知りはれへんかったのはおかしおますな」

「ほんなら、お父さんのあの遺言状は、姉妹三等分のつもりで書きはったのかしら？」

「もちろん、そうだすやろ、いろいろ考えぬきはったあげく、わてらには矢島商店の土地、建物と暖簾《のれん》営業権、その代り、純益の五〇パーセントは姉妹三等分する、義姉さんには北堀江の貸家二十軒と東野田町の貸家三十軒、こいさんには株券六万五千株と骨董《こっとう》と、それぞれ同等の額になるように分けてはるわけだす」

「ちゃんと三等分になるように分けてはるのやったら、姉さんが何も不満に思うことはないやおまへんか」

「ところが、義姉さんには、貸家や土地より、この四代も続いている矢島嘉蔵商店という暖簾が一番欲しおますのやろ」

千寿は暫《しばら》く黙っていたが、切れ長の眼をきらりと光らせると、

「そないこの店の名がほしおますのかしら、第一、私らの矢島商店の商いを継ぐとい

う取り分は、姉さんやこいさんに比べてほんまに得だすやろか、あんたのような男の商人の立場は別として、私のような女の立場から考えたら、店の商いと暖簾を継がしてもろうても、商いのやり方が悪かったらなんぼ暖簾の老舗《しにせ》でも落目になることがおます、それに比べたら姉さんが相続しはる土地や建物の方が値下りの心配も無《の》うて、手固い戴《いただ》きものやおまへんやろか、こいさんの株と骨董の場合も、株は昔から持っている資産株だすし、骨董かて戦前からのものばかりで、筋が通ってるはずだすから、これも値上りこそすれ、損になることはおまへんでっしゃろ」

姉と妹の相続の多寡《たか》を、臆測《おくそく》するように云った。

「それは、あんたの細かい女勘定というものでっしゃろ、なるほど土地や株は手固いものだすけど、だいたいの評価がきまっているやおまへんか、その点、暖簾にはきまった評価がおまへん、こっちの商い次第で、どのような大きな評価にもなるというものだす、またそうなるように商いして行くのが、女系筋《によけいすじ》の老舗へ養子に来た者の甲斐《かい》性《しよう》というものだす」

良吉は、何時になくはっきりしたものの云い方をした。そう云われれば、千寿も黙って頷くより仕方がなかった。大阪の老舗では、女系筋はもちろん、男の実子がある場合でも、実子よりも見どころのある養子婿《ようしむこ》を迎えて商いを大きく広げる家業第一主義が取られていたから、良吉の立場にたてば、商いを受け継ぐことが出来なければ老舗の養子婿になった意味が失われてしまうのだった。

「そら、あんたの云いはることはよう解ります、そやけど、せっかくあんたが大きな商いをしはったかて、純益五〇パーセントの三分の一ずつを、姉さんとこいさんに渡さんなりません、それやったらまるで、あんたが、あの二人のために働き蜂《ばち》になって働くようなものやおまへんか、それがいやだす」

千寿は、そこに藤代と雛子を見据えるように云った。

「その心配はいりまへん、純益五〇パーセントなどという数字は、わてが勘定場を預かっている限り、わてのやり方一つで、どうにでも——」

そこまで云い、良吉は、不意に顔を綻《ほころ》ばせ、

「どうだす、これで、わてらがバカをみるのではないやろかという、心配は無うなりましたやろ」

安心させるように云うと、千寿はにこりともせず、

「まだおます、遺言状で、中の間を境にして奥内《おくうち》の土地建物は姉妹三人の共同相続財産にして、三人の合議の上で適宜に処分するようにというのは、一体、どういうことですやろ、私らにこの店をくれはるのなら、さっぱり、きれいにくれはったらええの

に、中の間から向うの店廻りはやるけど、奥内は三人で分割などという遺言は、私らを苦しめるようなものだす——」

三人姉妹が遺産相続の多寡を測り合いながら、一軒の家の中に相住いする陰湿ないやらしさが千寿の胸に来た。

「遺言状に、奥内は三人の共同相続財産と定められてあったら、どうにもでけへんものだすか」

詮《せん》じ詰めるように云った。良吉は暫く思案していたが、考えがついたように眼を上げ、

「高商時代に、ちょっと習うただけやけど、たしか、遺産の分配は、法律の規定できめる方法と、遺言できめる方法と、遺言者が遺言で第三者を指定して第三者にきめさせる方法との三つがあって、遺言状が間違いなく遺言者本人が書いたものであったら、法律の規定よりも遺言者の意志の方が尊重されるわけだす、それだけに、よほどのことがない限り、遺言状で定められたことは変えられまへん」

「ほんなら、今後もずっと、あの二人と一軒の家の中に住まんならんというわけだすか」

千寿の顔が、青白むように気色ばんだ。

「いや、それは、ちゃんと遺産相続の分配の話がついてから、義姉さんとこいさんに、こちらが適当な価格で譲り受けることも出来ますけど、それも向うが承諾してくれはらんことには、どうにもなりまへん、ともかく、今はお舅《とう》さんの遺言通り、三人個々に定められたものを、一応きれいに分けることだす、それに遺言の執行者が、宇市つぁんになっているから、あんまり妙にもめん方がええと思いますねん」

良吉は何を懸念《けねん》するのか、急に注意深い語調になった。

「なぜ、お父さんは、宇市つぁんになど遺言状を預けたり、遺言の執行者に指定しはったのかしら？　弁護士に依頼するのが常識やないかしら――」

千寿は、親族会の日から、その点が不審に思えていた。

「そんなことはおまへん、遺言の執行は、財産の在り方や在り場所、相続人同士の関係など、その家の事情をよく知っている人を指名するのがあたり前で、遺言者が遺言執行者を直接、指定することは法律でも認められていますさかい、宇市つぁんでええわけだす、弁護士は争いごとが起ってから、それを解決するために頼むのが普通だす、宇市つぁんを遺言の執行者にしてはるところに、お舅さんの複雑な考えや、いろいろな含みがおますのやろ」

と云い、良吉は話し疲れたように太い吐息をつくと、ちらっと床の間の置時計を見た。

「どこかへ出かけはりますのん？」

「三時半から、ちょっと同業組合の寄合いが、堂島の方でありますねん」

「ほんなら、帰りは遅うなりはるのかしら――」

「今日は、ちょっと、こみ入った話があるさかい遅うなりまっしゃろ、そやから夕飯は先に食べておくれやす」

そう云い、良吉は起ち上って、自分で箪笥《たんす》を開け、羽織だけ着替えて、部屋を出た。

一人になると、千寿は座敷机に寄りかかり、机の上に頰杖《ほおづえ》をついた。

良吉の話を聞いて、この間から解らない点のあった遺言状の内容が吞《の》み込めたが、聞き馴《な》れない話をしたせいか、気怠《けだる》い疲れを覚えていた。ガラス戸越しに庭先へ眼を向けると、植込みを隔てて藤代の部屋の明り窓に白い春陽が溜《たま》り、風がそよぐ度に、障子に映った植込みの影が吹きこぼれるように揺れ、人気《ひとけ》のない部屋に美しい影を落していた。

千寿は、ふと、姉の藤代が何処《どこ》へ出かけて行ったのか、確かめてみたかった。手を伸ばして床框《とこがまち》の横のベルを押すと、上女中のお清が顔を出した。

「姉さん、もう帰って来てはるかしら」

　帰って来ていないのを知っていながらそう聞いた。

「いいえ、舞のお稽古《けいこ》にお出かけやしたままでおます」

「えっ、舞のお稽古に——」

「へえ、何時《いつ》もより派手目のお着物《べべ》を出してくれとお云いやしたので、加賀染の友禅のお着物と袋帯、ぼかし染のお羽織をお出ししますと、舞用の五枚小《こ》鉤《はぜ》の足袋をお履きになって、今度の舞習《まいざら》えには出ようかしらんなどと、御機嫌のええことを云いはって、お出かけやしたのでおます」

　千寿は、何気ない様子で聞きながら、心の中の激しい動揺を抑えていた。父の亡《な》くなる二カ月前から、日本舞踊の稽古を休んでいた姉が、遺産相続の問題もすまないうちに突然、舞の稽古を始めたことも大きな驚きであったが、さらに嫁入り前の娘のように舞習えにでも出ようかしらなどという、そんな姉の心を派手に浮きたたせているものが、何であるのか、それが千寿の気持を不安にした。

「それで、何時《なんじ》ごろ、帰ってくる云うてはったの」

「へえ、今日は大旦那《おおだん》はんの御葬儀後、はじめての外出やからゆっくり遊んでくると、こない云うてはりました」

ゆっくり遊んでくる――という、余裕のある姉の言葉が、さらに千寿の心を激しく動揺させたが、平静を装《よそお》い、

「こいさんは――」

妹の雛子のことを聞いた。

「へえ、こいさんの方は、何時ものように朝からお料理のお稽古にお行きやして、今日は早う帰ってくると云うてはりましたけど、なんぞご用でも――」

「ううん、急ぐ用事やないから、またのことでええわ」

お清が退《さが》ってしまうと、いいようのない不安が千寿の胸に広がり、妹の雛子といい、姉の藤代といい、そして夫の良吉さえも、千寿だけをこの陰鬱《いんうつ》な家の中に取り残して、勝手気儘《きまま》に出歩き、何かを企《たくら》んでいるような妄想に囚《とら》われた。私は疲れているのやわ――、そう心の中で云いきかせ、気を鎮《しず》めようとすればするほど、ビルの谷間にただ一軒、昔の形のままで続いている女系の家の陰湿な人間関係と女臭い執念が、千寿の心に重苦しくのしかかってくるようであった。

廊下に足音が聞えたかと思うと、千寿の部屋の前に止った。

「なかぁんさん、何かご用やったの」

雛子の声であった。千寿は、自分の乱れた表情を隠すように、ちょっと壁際《かべぎわ》の鏡台に顔を映してから、

「お帰り、こっちへお入りやす」

と応《こた》えると、勢いよく襖《ふすま》が開いて、ツーピースを着た雛子が入って来た。

「お清から聞いたけど、何かご用だすのん」

そう云い、さっきまで良吉の坐っていた座布団《ざぶとん》の上に、足を投げだすように坐った。

「別に何もあれへんけど、親族会のあった日からこっち、あんたとは、ちっとも顔を合わしてへんから、どないしてはるかと思うただけ――」

「そういうたら、あれから一週間目になるのに、なかぁんさんとは不思議に顔を合わしてへんわ、私はちょこちょこ、お稽古に出かけるけど、なかぁんさんは何時も家の中に閉じ籠《こも》ってばかりいはるねぇ、退屈やない?」

「ううん、ちっとも退屈やないわ、私は昔から外へ行ったり、人前へ出たりするのは、嫌いやもの、あんたか、姉さんにでも誘われんことには、出かけるのが気しんどい方やわ」

「そうすると、なかぁんさんは、やっぱり典型的な家付き娘さんやわ――」

そう云い、感心したようにしげしげと、千寿の白い細面《ほそおもて》の顔を見詰めてから、

「私には、養子取りの家付き娘は似合わへんかしら？」

雛子は、冗談とも、本気ともつかぬ云い方をした。

「まさか、あんたみたいなハイカラな若い娘が、養子取りなど――」

千寿は取り合わずに笑いかけると、不意にはっとした表情で、雛子を見た。

「こいさん、それ本気？」

と云うと、雛子は小さくつぼんだ唇を花びらのように開き、

「ふぅ、ふぅ、ふぅっ、そんなこと、その場になってみんと、解《わか》れへんわ、けど、もし私が養子婿を迎えたら、この店の商いを手伝うわけやさかい、なかぁんさんも、良吉義兄《にい》さんも、力強うてよろしいやないのん」

雛子は、無邪気とも、意味あり気《げ》とも、捉《とら》えどころのない、笛を鳴らすような笑い方をした。千寿は、さっき「わてが勘定場におりさえすれば、純益の五〇パーセントはどうにでも変えられる」と云った良吉の言葉が胸に来、雛子の言葉の中に油断のならない計算を感じ取った。

着飾って外へ出ると、両側の老舗の店先から、藤代の姿に好奇な眼を向けている店員たちの視線に気付いたが、藤代はわざと取りすました権高《けんだか》な表情で通りぬけた。加賀染の友禅に、若草色のぼかし染の羽織を羽織った姿が、齢《とし》よりもうんと若く見えることも、豪勢な葬儀を出した老舗の出戻りの総領娘という物見高い眼で見られていることも、すべて承知の上で、派手な衣裳《いしょう》を着て出かけているのだった。

南本町の問屋筋をぬけ、御堂筋《みどうすじ》へ出ると、タクシーを拾わず、順慶町《じゅんけいまち》の梅村《うめむら》流の踊りの稽古場までゆっくり歩き出した。藤代は右手に舞扇を入れた小物袋を抱え、時間をもてあますような緩慢さで足を運びながら心の中では踊りのことなど考えず、父の遺言状に記されている貸家と土地の評価を考えていた。

北堀江六丁目の貸家二十軒と東野田町の貸家三十軒の建物と土地が、藤代の所有になるのであったが、それが一体、どれほどの評価になるのか見当がつかなかったし、賃貸契約の内容によっても評価が違ったり、貸家にまつわる複雑な紛争を考えると、よりにもよって女独りで始末しきれぬ一番、厄介なものを譲り受けたように思えた。それだけに男のしっかりした相談相手が欲しかったが、妹婿の良吉は、この際、相談どころか、相続分を争うかもしれない相手であったし、大番頭の宇市も腹の底が知れず、うっかり相談など持ちかけては、かえって不利な結果になりかねない。藤代は、もう一度、親族会に集まった親戚《しんせき》の顔ぶれを丹念に思いうかべた。初代矢島嘉兵衛の生家を代表する矢島為之助、嘉兵衛の妻であった卯女《うめ》の実家方《さとかた》の橋本留治、養子婿であった曾祖父《そうそふ》、祖父、父の実家方、死んだ母の妹である叔母夫婦、その叔父の実家方――、順番に思いうかべてみたが、良吉と宇市を相手にして、藤代の利益を画策してくれそうな頼り甲斐のある顔は見当らなかった。親戚外の暖簾分けをした別家の中を見渡しても、商いの相談は出来ても、遺産分けの過不足の相談が出来るような相手は見つからない。専門家に相談するのが、一番、確かで簡単な方法であるかもしれなかったが、専門家には、どう話を持って行けばよいのか、それが億劫《おっくう》で不安であった。

藤代はもう四、五日も前から同じことを繰り返して考えながら、まだ、ぐずぐずと思い迷っている自分に神経が苛立《いらだ》ち、やはり、梅村芳三郎に相談してみるのが一番、手っとり早い方法であるようだった。

「今日《こんにち》は、今からでっか」

賑《にぎ》やかな声に顔を上げると、同じ稽古場に通っている心斎橋の呉服商の娘が稽古をすまして、帰ってくるところであった。

「ええ、今からですけど、順番、すいてますかしらん」

「ちょうど、あと、お一人だけでしたさかい、早うお行きやす」

藤代は、急ぎ足で順慶町の角を東へ折れた。高い黒塀で囲まれた料亭のような構えが、梅村流の稽古場であった。

表の格子戸《こうしど》を開け、打ち水をした二間ほどの敷石を伝って、式台付きの玄関に入ると、すぐ二十畳余りの檜造《ひのきづくり》の稽古場になり、稽古場の横が八畳程の待合部屋になっている。

藤代は待合部屋に入って、羽織を脱ぎ、小物袋から扇子を出して、正面の舞台へ眼を向けた。

内弟子が弾き語りで地方《じかた》を勤め、若師匠の梅村芳三郎が振《ふり》をつけている。習っているのは、二十二、三の贅沢《ぜいたく》な着物を着た娘であったが、勘が悪いのか、『黒髪』の一段がなかなか復習《さら》えられない。何時もは並んで同じ手で踊る芳三郎が、覚えの悪い娘のために右手に持った扇を左手に持ち変え、右左を逆に踊る逆勝手になって器用に復習えてやっている。

男にしてはきれい過ぎるほど整った顔だちが、踊りの器用さと加えて、妙に華奢《きやしや》な冷たさを人に与えがちであったが、性格はそれと全く違った逞《たくま》しさを持ち、この稽古場が栄えているのも若師匠の力のようだった。

師匠の梅村芳静《よししず》は、関西の梅村流では鳴らした踊り手であったが、もう五十を過ぎた姥桜《うばざくら》になり、若師匠の芳三郎は、家元との間に出来た一人息子で、まだ三十二歳の若さであった。家元の籍に入っていなかったが、世間では公然と家元の息子として通り、踊りの筋より、梅村流の稽古場を殖やしたり、流派を隆盛にする会を作ったりする経営的手腕がずば抜けていると噂《うわさ》されていた。

この順慶町の稽古場も、最初は、傘問屋の借地の上に建てた手狭なものであったが、若師匠の芳三郎の才覚で借地を無理に買い受けて、僅《わず》か五、六年の間に船場《せんば》の真ん中に梅村流の大きな稽古場を持ったのだった。場所柄、富裕な家庭の子女を独占するように吸収してしまい、今ではここを中心にして、大阪市内に三つの稽古場を持っていた。

その三つの稽古場も、順慶町の稽古場のように土地、建物の強引な買取りによって、安く手に入れたという専《もっぱ》らの噂であった。どこまでが事実か、噂であるのか解らなかったが、ともかく芳三郎は、手腕家だといわれ、それでいて、金銭的な卑《いや》しさが体に現われず、踊りの師匠でありながら、稽古のない日は、背広を着て遊びに出かける洗練された面があった。

「お待ちどおさん、芳喜代《よしきよ》さん、どうぞ――」

何時ものように藤代の名取り名で呼んだ。藤代は席をたって、舞台へ上ると、膝前《ひざまえ》よ」

に扇子を置き、

「お願い致しとうおます」

そう挨拶《あいさつ》して、芳三郎と並んで、正面の鏡に向った。

「大分、長い間、お休みでしたさかい、四君子《しくんし》のはじめから復習えることにしまひ

と云《い》い、扇子を構えて前弾きを待った。

鶏の八声《やこゑ》も湧《わ》きて華やかに、きらめきいづる初日《はつひ》かげ……咲く梅ヶ香も手弱女《たをやめ》の、袂《たもと》に通ふ都の春……桜かざして如月《きさらぎ》や弥生《やよひ》の花の白雲《しらくも》もいつか青葉になりぬれば……誰《た》がぬぎかけし藤《ふぢ》ばかま、風のまにまにかをる香の……

芳三郎は、藍大島《あいおおしま》に博多《はかた》独鈷《どっこ》の角帯を締め、真っ白な五枚小鉤《こはぜ》の足袋を履きしめて、水の上を滑るような静かさで踊り出した。

鏡の中で、藍色に包まれた芳三郎の体が、女のようなたおやかさで舞い、手に持った扇のかざしようも、藤代より艶《なま》めかしい色気が溢《あふ》れていた。藤代は、芳三郎に随《つ》いて踊りながら、その艶めかしさをいやらしいと思ったが、要返《かなめがえ》しをして、とんと床を

踏み鳴らし、

「はい、誰が脱ぎかけし藤ばかま——から、かっちり舞うのだす、そう、右足をひいて、腰を落し、左手を大きくかざして向うを見て——」

芳三郎は、さっきの情緒をふっきるようにさっと趣を変えた振をつけ、戸惑っている藤代の踊りの手を、強引に自分の踊りの中へ引き摺《ず》り込んで行った。

四君子の一段がすむと、藤代はほっとしたように扇子をおさめたが、暫《しばら》く稽古を休んでいたせいか、さす手、ひく手が思いのままにならず、自分でも気にいらなかった。

「今日は、ほんまにお目だるいことやったと思います」

手をついて、挨拶すると、

「いや、稽古ごとというものは、誰でも間をあけると、調子の取りにくいものだすけど、もう、お家の方は、落ち着きはりましたのでっしゃろ」

芳三郎は、藤代の気持を引きたたせるように云った。

「ええ、おかげさんでやっと落ち着きましたけど、折り入って若師匠《わか》さんにご相談にのってほしいことがおますけど——」

改まった様子で頭を下げると、

「私でお役にたつようなことだすか——」

やや怪訝《けげん》そうに云い、あとに稽古待ちの人影がないことを確かめ、

「ここでは、ゆっくり伺えまへんよって、奥へお越しやす」

と云い、藤代を奥へ案内した。

若師匠の芳三郎の部屋は、師匠の部屋より手狭で、質素であったが、独り者の部屋にしては床の間の軸から飾りものまで行き届いていた。内弟子がすぐお茶とお菓子を運んで来て引き退ると、

「改まってご相談というのは、どんなことでっしゃろ」

芳三郎は、見当がつき兼ねるように云った。藤代は、ちょっと言葉を探すように口ごもったが、

「突然、ぶしつけなことをお伺い致しますけど、どなたか土地や建物の売買について詳しい信用のおけるお人をご存知やおまへんやろか」

「えっ？　不動産売買――」

芳三郎は、一瞬、驚いた表情をし、

「急に不動産売買のことなど、一体、どないしはったのだす？」

訝《いぶか》しげに云った。藤代はまた口ごもりかけたが、

「家の遺産相続のことだす――」

思いきって切り出した。

「亡くなった父の遺言で、市内にある貸家と土地が私の相続分ということになったのだすけど、それの評価や不動産の始末の仕方などを知りまへんので、その方面にお詳しい人に頼んで欲しおますのだす」

「お身内の方に、心当りの人がいはれしまへんのでっか」

芳三郎は、注意深く聞いた。

「ところが、身内には適当な人がいまへんし、それにうっかり相談をかけると、都合の悪い事情がありますので――」

そう云い、言葉を濁らせると、

「お身内の中で、何かお難しいご事情がおありのようでおますな」

確かめるように云った。藤代が頷《うなず》くと、芳三郎は暫く黙り込んでいたが、ふいに、

「わてが、ご相談にのらせて戴《いただ》きまっさ」

「えっ、若師匠さんが直接――」

まさか、芳三郎自身が世話をやいてくれるとは思っていなかった。

「ほかの人と違うて、あんさんは六つの齢からうちの母のお稽古につきはった大事なお弟子さんだすし、私とのおつき合いも、私が二十歳《はたち》で代稽古するようになった時か

らでっさかい、お役にたたせて戴きます」

と云い、藤代の顔をまともに見、

「ところで、何のためにそない急いで貸家と土地の値ぶみしはりますのだす、それがまず、おうかがいしたいことだす」

直截《ちよくせつ》に畳み込むような芳三郎の聞き方が、藤代を喋《しやべ》りやすくした。

「実は、姉妹三等分の仕分けということで、中の妹は矢島商店の暖簾《のれん》営業権と店の間の土地建物、下の妹は株券六万五千株と骨董《こつとう》、私は大阪市内の五十軒の貸家と土地という割り振りになっていますけど、私の取り分がほんまに三等分に相当しているか、どうか、その評価を出したいのだす」

「出してみて、どないしはるのだす？」

「もし、少なかったら少ない分だけ、妹たちの取り分から割り戻してもらうつもりだす」

「ほんなら、もし、多かった時は、どないしはります？」

藤代は、きれいな鼻筋を横に向け、応えなかった。芳三郎の頬に薄い笑いが泛《うか》んだ。

「そうでっか、要は、あんさんの取り分が少ない場合のことだけが問題だすねんなぁ、そうすると、あんさんの取り分になっている貸家と土地の評価が、実際は非常に高い場合でも、登記権利書の上では、できるだけ低い評価にしておく必要があるわけだすな、そうしておくと、遺産分けの時に不足分だけ、妹さんの取り分から割り戻してもらえるというわけだすけど、それは男でもちょっと手の混んだ難しいことでっさかいな」

と云い、芳三郎は、鞣皮《なめしがわ》のシガレット・ケースの蓋《ふた》を開け、吸口のついたスリー・キャッスルをつまみ出して、薄い唇にくわえた。

「中の妹さんには、養子婿《ようしむこ》さんが随いてはりますなぁ」

藤代は、黙って頷いた。

「下の妹さんには、大番頭はんか、どなたか相談相手がいてはりますのでっか」

藤代は、頭を振った。

「しかし、いずれ、どなたかが相談相手に随きはりまっしゃろ、妹さんも誰かを頼りはりますやろし、傍《はた》の者も放《ほ》っとけしまへんやろ」

唇にくわえた煙草《たばこ》に火を点《つ》け、ゆっくり煙を吐き出しながら、新作舞踊の振付を考える時の美しい形を追うような視線をしていたが、不意に煙草の火をもみ消すと、

「何にしても、まず、その貸家の建物と土地を二人で見に行くことだすな」

と云い、値踏みするような鋭い視線を、ちらっと藤代に向け、

「それで、何時《いつ》がご都合よろしおますか」

芳三郎の方から、日を定めにかかった。

「さあ、何時がよろしおますかしら――」

藤代は、千寿と良吉に気取《けど》られぬ日を考えてみた。親族会で遺言状が開かれた翌日から、千寿と良吉は、まるで腫《は》れものにでも触るような気の使い方で、藤代の一挙手、一投足に神経を集めているのが、藤代にもちゃんと感じ取れていた。それは得をしている者が、損をしている者に対する余裕と、必要以上の警戒心から出ているものだった。それだけに藤代はいらいらと苛立ち、千寿と良吉を出しぬくことばかりを考えていたのだった。したがって、芳三郎と貸家の検分に行く日も、次の踊りの稽古日を利用するのが、巧みな出しぬき方であった。

「次のお稽古の日、若師匠《わかししょう》さんはお忙しおますかしら――」

芳三郎は、座敷机の上の予定表を開いて、日を繰った。

「午後から、ちょっと会合がおますけど、何とか都合をつけまっさ」

予定表に赤い印をつけ、

「まさか、あんさんに舞のお稽古以外に、不動産のご相談にまでのるとは、思うても

みまへんでしたわ、けど、私にこんな相談を持ち込みはるのは、なかなかお考えになりましたな、もし、私がお宅と同じような商家の息子やったら、相手が老舗《しにせ》の総領娘はんの遺産分配のことでっさかい、何を考えるかわかりまへん、その点、舞踊家の私が考えることは、せいぜい派手な会を開くことぐらいだすわ」

藤代はさっき、家を出る時、舞習《まいざら》えに出るようなことを云って来たが、それは千寿と良吉の心を騒がせるためで、本心ははっきりした遺産分配がすむまで、舞習えに出る気持の余裕などなかった。しかし、こちらの頼みごとをしたあとだけに、素知らぬ顔も出来ず、

「そう、そう、うっかりしてましたけど、今度の会は、どんな風にしはるのでっか」

愛想よく聞いた。

「今年の梅村流の会は、例年の五月を七月に繰り下げ、その代り、新作舞踊に力を入れ、金もうんとかけて、盛大にやるつもりですさかい、あんさんも何か一つ大きな演《だ》しものに出てもらおうと思うてますねん」

「私などとても、大きな演しものなど——」

遠慮するように断わりかけると、

「いや、師匠も、矢島屋はんの大嬢《おおいと》さんには、是非、出てもらいたいと云うてました

さかい――」

舞踊会の費用は、それに出演する弟子たちの賄《まかな》いで殆《ほとん》ど賄われていたから、大きな演しものに出る弟子が多いほど盛大にやれるのだった。

「まあ、お師匠はんが――、今日は、どこかへお出かけでっか」

「家元の方の集まりで、朝から出かけてますねん」

「ほんなら、今度、お師匠はんにお目にかかってご相談してから、定《き》めさせて戴きます、それに今日は、今からちょっと清水町《しみずちよう》の別家へ寄る用事がおますので――」

巧みに口実を設けて席をたちかけると、芳三郎も時計を見、

「ちょうど、今から日本橋《にっぽんばし》の稽古場へ出かけますさかい、清水町あたりまでご一緒しまっさ」

そう云い、藤代を先にして部屋を出ると、内弟子がもう玄関口に廻り、履物を揃《そろ》えて待っていた。

順慶町から御堂筋へ出ると、昼下りの陽が、広い道幅一杯に降り落ち、芳三郎の藍大島が明るい光の中で、瑞々《みずみず》しく冴《さ》えた。女より金目《かねめ》のかかった渋い贅沢な衣裳を着ている男のきれいさといやらしさが、藤代の胸にわだかまり、いろいろと考えあぐね、せっぱ詰った上の相談とはいえ、芳三郎に不動産の相談などしたことが、後悔めいた

苦さになった。

新橋を渡ると、急に人の往来が激しくなり、藤代は、すれ違う人の眼が、芳三郎と自分に向けられていることに気付いた。芳三郎はそんな人眼を意識して、舞台の上を歩く時と同じようなきれいな足捌《あしさば》きで歩いている。

藍大島の対《つい》に男物の小物袋を提げた芳三郎と、萌《も》えたつような若草色の羽織を羽織った藤代は、巧まずして鮮やかな配色になり、見ようによっては衣裳も、齢合《としあい》も、似合いの連れ合いに見えるのかもしれなかった。

そう思うと、藤代は、ぱっと払い退《の》けたいような不快さを覚えた。出戻り娘でも、四代も続いている矢島商店の総領娘が、踊りの師匠などと並べて考えられるのは、いいようもない不快さであった。藤代は、不意に足を止めた。

「私、ここからタクシーに乗りますわ」

「え？　もう、そこやおまへんか」

芳三郎は、怪訝な顔をした。清水町まで、あと一丁半程の近さであった。

「いえ、ちょっと、ほかへ廻るところがおますので、今度のお稽古にさっきのこと、よろしゅうに頼みます」

そう挨拶し、通り合わせたタクシーを止めた。車が動き出すなり、藤代は自分に向って、私は貸家と土地の値踏みを頼んだだけのことやわ、それ以上は、何でもあれへんし、何かあるようにみられるだけでも迷惑やわ――、そう呟《つぶや》くように云い、美しい勝気な眼を窓の外へ向けた。

第　三　章

桜宮《さくらのみや》橋を渡ると、藤代はもう車の中で財布を出していた。今朝、藤代の方から、稽古場《けいこば》で会わずに東野田停留所の前で梅村芳三郎と出会う電話をしておきながら、三十分も時間に遅れているのだった。

停留所の前に車が停り、運転手が体をねじって扉《ドア》を開けると、

「どないしはりましてん、遅うおましたなあ」

洋服を着た芳三郎が、扉の外に起《た》っていた。渋い鼠色《ねずみいろ》の背広を上背のある体に吸いつかせるように着こなし、象牙色《ぞうげいろ》の白っぽい合オーバーを羽織った芳三郎は、眼を見張るような変りようであった。着物を着ている時の女性的な艶《つや》っぽいいやらしさがなくなり、三十代の男性が持つ落ち着いたもの腰と渋い好みが芳三郎を包んでいた。

「すみません、お頼みした方が遅れてしもうて——」

藤代は、ややまぶしげな表情で頭を下げた。

「いや、こっちはどうせ早い目に来て、下見をする段取りでしたさかい、ちっともかめしまへん」

そう云《い》い、うしろを振り向き、

「常はん、見えはったわ」

と声をかけた。芳三郎から五、六歩離れたうしろに、派手な背広を着て、鳥打帽を冠《かぶ》った小肥《こぶと》りの男がたっていた。男は近寄って来ると、すぐ大きな名刺を出した。

浪花《なにわ》不動産商事　小森常次
会社名の大袈裟《おおげさ》さに比べて、所在地が場末の周辺部で、電話番号も記されていなかったが、芳三郎は、

「私の片腕だす、駈出《かけだ》しの周旋屋だすけど、うちの稽古場の土地を買《こ》うたり、家を建てたりする時には、私に代って、こまめに走り廻ってくれる男だす、今度も、商売気を離れて話に乗ってくれてますねん」

そう紹介されると、小森常次はずんぐりした体を屈《かが》め、

「矢島屋はんでっか、この度はどうもえらいご不幸なことで、おうちのようなご大家ほどあとの始末がお難しおますな、いや、名のある老舗《しにせ》はどちらさんも同じことで、その辺のことは、よう承知致しとりまっさかい、何なりとお気安うにご用命を――」

妙に呑《の》み込んだ挨拶《あいさつ》をした。その馴《な》れ馴《な》れしさに藤代がむっとしかけると、

「常はん、早速、付き合うて貰《もら》おうか」

芳三郎は、常次と並んで先に歩き出した。

東野田の交叉点《こうさてん》を南へ渡り、二丁程京橋の方へ行き、東野田五丁目あたりに来ると、小森常次はたち止まって、鳥打帽のひさしを上にあげた。

「物件の番地は、何番地だす？」

藤代は、ハンドバッグの中から住所書を出し、常次に渡さず、芳三郎へ渡した。

「五丁目の六十三番地から始まって八十番地までと、百十番地から百二十一番地までになってるのや」

藤代に代って芳三郎が応《こた》えると、常次はすぐ区分地図を開き、軒並の標札に眼を走らせ、暫《しばら》くぐるぐる歩き廻っていたが、見当がついたらしく、電車道へ出て、角から六軒目の電車道沿いの建物を指した。

「ここから向う十八軒が、六十三番地から八十番地の物件だす、この場所で、よう戦災に焼け残ったものだすなあ」

一棟《むね》六戸建ての戦前の建物であったが、電車道に面し、京橋北口と東野田の交叉点の中程になり、車と人の往来が激しかった。紙箱、瀬戸物、金物、洋品雑貨など小商

いの商店が軒を並べ、前の狭い歩道にスクーターと自転車が投げ出すように置かれている。

常次は、何度も、その店先を往《ゆ》き来し、舐《な》めるような眼で建物を見廻し、つと建物のそばに寄ると、人目にたたぬようにコンコンと、外壁を叩《たた》いた。芳三郎も同じように十八軒の店の前を行ったり来たりし、時々、ショー・ウィンドーを見るような振《ふり》をして、店の中まで覗《のぞ》き込んだ。藤代は人眼につかぬように電車道の向う側に渡り、レースのショールで顔を掩《おお》うようにしながら、二人を待っていた。

まぶしいような春陽が、じかに藤代の顔に照りつけ、時々、眼の前を大型トラックが地響きと砂煙をたてて通り抜けた。その度に、藤代はショールで鼻先を押えて顔をそむけたが、砂煙がおさまると、また向う側の二人に眼を据えた。

芳三郎と常次は、何を話し合うのか、歩道の端にたって、ちょっと話し合っていたが、すぐ左右に分れて、十八軒の店に近い辻《つじ》を折れた。建物の裏を検分するためらしかった。人の往来の激しい埃《ほこり》っぽい道を、何度も往き来して貸家の値踏みにかかっている二人の男と、それを指図するような形で道端に起っている自分の姿を思うと、藤代は、一瞬、はしたない、あくどさを覚えたが、あと半月余りに迫っている二回目の遺産相続の話し合いのことを考えると、旧家の女らしい嗜《たしな》みを守っておられなかった。

電車道を渡って来る二人の姿に気付くと、藤代は待ち構えていたように、

「お世話さんでおます、どないでしたかしらん」

芳三郎は、柄ものの絹のハンケチで額を拭《ぬぐ》い、

「そうだすな、建物は、大分、年期ものらしおますけど、戦前の建物だけに普請《ふしん》はよさそうだすな」

そう云い、常次の方を向き、

「どや、常はんの見込みは、一戸当り、どれくらいの見当や」

「それは、これで弾《はじ》いてみんことには解《わか》りまへん」

常次は、上衣《うわぎ》のポケットから携帯用の四つ玉の小さな算盤《そろばん》を出した。

「まず、あの物件の一戸当りの坪数は、何坪でっか」

「敷地四十坪、建坪は延べ七十二坪——」

藤代が事務的に応えると、

「敷地は坪当り七万として、四十坪で二百八十万、建物は、年期ものだすけど、造りがしっかりしてまっさかい、坪一万として、一戸、七十二坪の七十二万、土地建物合わせて一戸当り三百五十二万というところだすけど、借家人が入ってまっさかい、これを土地付売家に評価する場合、借家人の借家権四割を見込まんなりまへんよって、

六掛《ろくがけ》にしますと、二百十一万二千円、その十八戸分で合計、三千八百一万六千円也というところだすな」

そう云い、常次は四桁《よんけた》に並んだ算盤珠《そろばんだま》を、藤代と芳三郎に見せると、すぐポケットにしまい込み、

「ほんなら、次の物件を拝見しまひょうか」

と云い、芳三郎から渡された住所書を見て、また電車道を向うへ渡った。

さっきの店舗から二筋、京橋の方へ寄った辻を南へ入ると、急にごみごみと小さな家が建て込み、お好み焼屋、洗濯屋、八百屋、うどん屋などの看板が屋根に上り、ところどころ、大きな空地があるのは、戦時中の強制疎開《そかい》のあとらしく、櫛《くし》の歯がぬけ落ちたような不自然さで空地になっている。

常次は、桜宮小学校を目じるしにし、小学校の裏側へ出ると、辺りの標札を見廻した。長屋風の仕舞屋《しもたや》ばかり並んだ一画であったが、常次はすぐ見当をつけ、六軒一棟で二棟になっている仕舞屋の前にたった。

二棟とも、二間《にけん》間口《まぐち》の表に半間程のガラス戸がはまった二階建てであったが、修理が行き届かず、表の軒下の壁が斑《まだら》に剝《は》げ、羽目板も反り返ったまま、不恰好《ぶかっこう》に緩んでいる。

「こっちは、えらい傷《いた》んでますなあ」

常次は、気落ちするような顔をしたが、すぐ先程と同じように人目にたたぬように外壁を小突いたり、羽目板の反り工合を触ったり、泥棒にでも入るような熱心さで建物の持ちを確かめ、

「この物件の大きさは、何坪だすか」

「敷地が三十坪、建坪五十二坪――」

そう応えると、常次は怪訝《けげん》な顔をし、

「へえ？　そないありまっしゃろか」

藤代の顔を見て、首をかしげた。

「おかしかったら、巻尺で実測したらええやないか」

横から芳三郎が、こともなげに云った。藤代は、はっとして辺りを見た。電車道から奥へ入った仕舞屋ばかり並んでいる人通りの少ない筋とはいえ、昼日中《ひるひなか》、人の住んでいる家を実測することは、さすがに気がひけ、藤代は詰《なじ》るような表情をした。

「かめしまへんやないか、あんさんの持物になる貸家でっさかい――」

芳三郎が、そう云うと、常次は、ズボンのポケットから巻尺を出し、

「ほんなら、若師匠《わかわか》はんが、そっちの端を持っておくれやす」

巻尺の端を芳三郎に渡した。芳三郎は何度も、こうしたことをしているのか、馴れた手つきで巻尺を持ち、

「常はん、そこの露地へ入って測ったら、近所を刺激せんでええやろ」

芳三郎は、常次のうしろを眼で指した。常次がたち止まっている家の端が、二棟の六軒長屋との境目になり、そこに小さな引っ込みが出来、奥まで細い露地が通っていた。常次は、芳三郎の眼の早さに、驚いたような顔をし、すぐ露地へ入って行った。

芳三郎に随《つ》いて、藤代も細い露地へ足を踏み込むと、じめじめとした濡《ぬ》れ土が藤代の蜥蜴《とかげ》の草履《ぞうり》裏《うら》を濡らし、下水板の間から饐《す》えた汚水の臭《にお》いがつき上げて来た。思わず、鼻を押え、そっと引っ返しかけると、芳三郎が振り返った。

「やっぱり、嬢《いと》はんでおますな」

からかうように云い、手に持っている巻尺を伸ばすと、下水板の上に踞《つくば》って実測の起点をつくった。常次は這《は》うような素早さで巻尺を繰り、露地を利用して長屋の実測をすませた。

露地から出て来ると、常次はまた首をかしげた。

「おかしおますな、やっぱり、一戸当りの敷地が三十坪おまへん、二十六坪をちょっと切れますわ、どないしまひょ」

判断しかねるように芳三郎の顔を見た。芳三郎は、ちょっと思案をめぐらせるように黙り込んだが、藤代の方を向き、

「三十坪というのは、あんさんがちゃんと、登記簿を見はった上の坪数でおますか」

念を押すように聞いた。

「いいえ、登記簿には眼を通してまへんけど、大番頭の宇市に確かめた数字だす」

「ふうん、登記簿は、見てはれしまへんのでっか――」

奥歯にものの挟まるような云い方をし、

「登記簿と実測のずれは、〝縄延《なわの》び〟云うて、時々、あることだすけど、一戸当り四坪も登記簿より少ないというのは、おかしおますな、考えようによっては、この長屋の裏に妙な空地ができてますさかい、ひょっとしたら、強制疎開で四坪ずつ、削り取られたのかもしれまへんな、それやったら、ちゃんと、差引き勘定して貰わんと、えらい損になりますさかい、実測通りに勘定しときまひょ、常はん、そうしといてんか」

常次は上衣のポケットから算盤を出した。

「こっちは、電車道から引っ込んでまっさかい、坪三万として、一戸当りが二十六坪で七十八万円、建物の方は、もう使いものになりまへん、かえって取壊し料を云われるぐらいでっさかい、土地代だけが値打だす、そうすると、一戸当り七十八万という

ところだすけど、さっきと同じように借家権がおますさかい、六掛で一戸当りが四十六万八千円、その十二戸分で、五百六十一万六千円、それにさっきの物件を合わすと、四千三百六十三万二千円也というところだすな」

「たった、四千三百六十万だすか――」

藤代は、端数は云わずに、はじめて常次の顔をまともに見て、口をきいた。

「たったとは、おそれ入りますな、この辺は、ちょっと中心部から離れてまっさかい、お望みの値が出まへんけど、北堀江の方は、中心地に近いでっさかい、ええ値になると思いますねん、今からすぐにお伴《とも》させて戴《いただ》きまっさ」

常次は、意気込むように云った。

北堀江二丁目の停留所から西へ入り、浪速《なにわ》通りの広い道路を横切ると、助手台に乗っている常次は、運転手に車を停めさせて自分だけ降り、西区の区分地図を広げて、暫く番地を探していたが、二丁ほど西の辻にたち止まって、大きく手を振った。

芳三郎と藤代は、そこまで車で行き、常次がたっている前で降りた。

「この辺は、戦後の土地区画で、通り筋が大分、変ってますけど、これはええ場所でっせ、同じ北堀江通りでも、周防町《すおうまち》通りにつながる広い通りでっさかい、高値だす、建物も五軒ずつ四棟の店舗用住宅の形でっさかい、ええ値になりそうだすな」

常次の云う通り、貸家といっても、五軒ずつ一棟《むね》になった木造モルタル塗の店舗併用住宅の建て方で、しかも、心斎橋筋につながる広い通りが、建物の前に一本、大きく通っていた。車の往来も、先程の東野田と比べものにならない激しさであった。近くに木津川、長堀川が流れているせいか、材木問屋と運送店が軒を並べ、材木を積んだトラックやオート三輪がひっきりなしに往き交い、両側の舗道の並木は、真っ白に砂埃をかぶっていた。

藤代は、芳三郎と六丁目の角にたち、周囲の状況を確かめるように見渡してから、まず北堀江通りを挟んで北側に並んでいる五軒一棟で二棟並んだ貸家の方を見た。北堀江通り六丁目の東角から始まり、一番端が自転車屋、砥石《といし》、古鉄屋、材木小売、建具屋の五軒であったが、周囲の自分の持家らしい建物と比べると、モルタル塗の仕上が安っぽく、ところどころに、みみずの這うようなひび割れが入り、二階のスレートの屋根の勾配《こうばい》もひずんでいる。

「場所はよろしおますけど、建物は終戦後のものらしおますな、これで、なんぼぐらいの評価になりそうや」

芳三郎が常次に聞くと、

「そうだすな、戦後建ちの物件は、外見《そとみ》がようても、内《なか》はがらくたが多いでっさかい、うっかり出来まへん」

と云い、思案するような顔をした。

「ほんなら、内を見てんか」

「えっ、内を——」

常次は、ちょっと意外な顔をしたが、すぐ頷《うなず》いて、一番端の自転車屋へ入って行った。

店先に新しい自転車を並べていたが、本筋は自転車の修理であるらしく、店の奥に古びた自転車の部品が散乱し、二、三人の若い店員が、せっせと修理にかかっているのが、表にたっている藤代と芳三郎の方からも見て取れた。

常次が声をかけると、油だらけの仕事着を着た若い店員が顔を出し、入れ代って五十過ぎの店主らしい男が胡散《うさん》臭げに常次の話を聞いていたが、ふいに大きな声を上げた。

「あかん、あかん、ペテン師みたいな土地ブローカーが、何をつべこべ、ぬかしけっかれん！」

ごま蝿《ばえ》を払うように手を振った。常次の顔が気色《けしき》ばみ、何か云い返しかけた時、芳三郎が藤代の横を離れた。まるで踊りの手のようなひらりとした何気なさで常次の前にたち、端麗な顔に柔らかい笑いをうかべた。

「えらいすみまへん、こちらの言葉が行き届かず、ご無礼を致しましたけど、実は手前どもは南本町の矢島商店から参りました者で、あちらに起ってはるのが、今度、この辺りの貸家を相続しはる嬢《とう》はんでおます」

商人のような低いもの腰で、挨拶した。

「へえぇ、そうすると、あの女《おなご》はんが、新しい大家《おおや》はん——」

自転車屋の主人は、ちょっと妙な顔をしたが、藤代が故矢島嘉蔵の娘で、その遺産相続が自分たちの住んでいる借家であることが解ったらしく、

「そうでっか、それで、この家を見てどないしはりますのだす、当節は借家人にも、いろいろと権利がおまっさかいな」

凄《すご》むような云い方をした。

「そんな難しいことやおまへん、何分、女はんのことでっさかい、大家はんになりはるなり、自分の持家がどないなっているか、気になって、見ておきたいというだけの

ってい る藤代にまで、愛想笑いをうかべて内《うち》らへ招いた。

「それやったら、どうぞ、裏の樋《とゆう》まで十分に見て貰《もら》いまひょか」

雨漏りや屋《や》根瓦《ねがわら》の修繕の下調べと思い違えたのか、急に愛想のいい応対で、表にた

ことでおますわ」

芳三郎が慇懃《いんぎん》な語調で云うと、

家の中へ入ると、店の間《ま》に続いた奥の六畳へ案内し、自転車屋の女房が番茶を運んで来、窺《うかが》うような表情で藤代の方を見て、台所へ引っ込んだ。藤代は出されたお茶に手をつけず、両手を膝《ひざ》の上において静かに坐《すわ》っていたが、芳三郎と常次は、手伝い職人のようにこまめに体を動かした。常次は東野田の時のような露骨な値踏みの仕方はしなかったが、間柱《まばしら》や、壁仕上げ、鴨居《かもい》から敷居の入り工合まで調べ、狭い庭に降り、縁側の支え柱を見る振をして、床下《ゆかした》の基礎まで丹念に調べ廻り、芳三郎は、自転車屋の主人の注意を逸《そら》せるために、ずりかけになっている屋根瓦の雨漏りの箇所や雨樋《あまどい》の傷みを、一々、聞いて廻り、番頭のような鄭重《ていちょう》な受け応えをしている。

藤代は騒々しい厚かましさの中で、ふと静かな家の中に坐っている千寿の姿を思いうかべた。荒くれた駈引《かけひき》の真似《まね》ごともせず、奥内《おくうち》の自分の部屋に坐っていさえすれば、矢島商店の暖簾《のれん》が相続出来、商いは夫の良吉が勤めてくれる千寿の立場を思うと、周

旋屋などと自転車屋の値踏みをしている自分が口惜《くや》しかった。ぎりぎりと口の中が引きしぼれ、思わず、唇を嚙《か》みかけると、

「おかげで前から気になってた修繕箇所を全部、見て貰えましたわ」

自転車屋の主人は上機嫌で藤代の前に坐って、番茶をすすめ、

「一週間ほど前も、お宅の大番頭はんが家を見に来はりましたしな」

「えっ、うちの大番頭が——」

藤代は、思わず、聞き返した。

「さよだす、毎月、家賃を集めに来はる大番頭はんが、家賃を集めに来はったついでに、何時《いつ》に無《の》う、家の内《なか》まで上って、丹念に見て帰りはりましてん」

「家の内まで、見て——」

「へえ、今日と同じように、そこここを丁寧に見て廻りはりましたわ、その上、また重ねて、こない按配《あんばい》に見てくれはったのでっさかい、よっぽど念入りに修理してくれはるおつもりでっしゃろ、えへっへっへっ」

ぬけ目のない下卑《げび》た笑い方をした。

藤代は返事をせず、黙って席を起った、背後《うしろ》で慌《あわ》てたように挨拶《あいさつ》する芳三郎の声が聞えたが、藤代は振り返りもせず、外へ出た。

藤代の胸に、家を出る時、良吉と並んで勘定場に坐っていた宇市の姿がうかんだ。外へ出かける藤代に気付くと、宇市は勘定場から「どちらかへお出かけでおますか」と慇懃に挨拶し、ちょっと舞のお稽古《けいこ》にと応《こた》えると、一瞬、奇妙な表情をしたが、「それはお精の出ることでおます」と云い、丁寧に頭を下げて送り出した。宇市は、父の葬儀後、親族会まで殆《ほとん》ど姿を見せず、親族会のあった翌日からはまめに店へ出て、父の生存中と同じように勘定場の金庫の前に坐り、金庫番のような律義《りちぎ》さで現金出納を取り仕切っているのだったが、一体、何を考えて、藤代が相続することになっている貸家の家内《いえうち》を、仔細《しさい》に見て廻ったのだろうか。

しかも、五日前に、藤代が貸家の所番地、坪数、賃貸関係などを聞いた時にも、北堀江の貸家を調べに行ったことなど、噯《おくび》にも出さず、小さな和綴《わとじ》の帳面を開いて、藤代の問いに応えたのだった。宇市は、ほんとうに家賃を集めに行ったついでに、修理箇所を見調べたのだろうか、それとも——不意に藤代の胸に、日頃は強《し》いて心の隅に押しやっていた女の名前が、げっぷを吐き出すような不快さをもって、押し上げて来た。

浜田文乃——父の二通目の遺言状に、何分、よしなに幾重にも願い上げ候《そうろう》と書き遺《のこ》されている女であったが、この女によしなに取り計らってやるのは、宇市しかなさそうだった。藤代たちの立場からみれば、余計な邪魔者でこそあれ、自分たちの取り分から、よしなに分けてやる気など毛頭なかった。そうと察して、宇市は、父の遺言通り、女をよしなに取り計らってやるために、藤代たちの相続分の中で妙な画策を考えて、北堀江の貸家を見調べに行ったのではなかろうか——。今日まで女の存在を忘れていたのではなかったが、ともかく、姉妹三人の相続分の目処《めど》をつけてから、女を家に呼び寄せて、その始末をつける心づもりをしていたのであったが、宇市が藤代より先に貸家を見調べに来たと聞くと、急に藤代の心に、宇市と女に対する疑惑が大きくふくれ上った。

藤代を呼ぶ芳三郎の声がした。振り向くと疾走する車をよけながら、芳三郎が早足で追いついて来た。

「どないしなはったんだす、急にものも云《い》わんと席を起って、さっさと出てしまいはったりして——一緒にいる者が困りますやないか」

詰《なじ》るように云った。藤代が応えずに黙って先を歩くと、芳三郎はくるりと、藤代の前にたちふさがるように足を止めた。

「大番頭はんが、えらい気になりはるようだすな」

藤代の心を覗《のぞ》き込むような鋭い視線を当てた。藤代はその視線を弾《はじ》き返すように大きな眼をきらりと光らせ、形のいい鼻をつんと横に向けかけると、芳三郎の眼に薄笑いがうかんだ。

「隠しはらんかて、よろしおます、さっき、自転車屋で、私らがまるで手伝い職人みたいにばたばたと走り廻っている時も、人ごとのように平然と座敷に坐ってはったあんさんが、大番頭はんの話が出た途端、はっと顔色を変えはったやおまへんか、何時もは、めったに表情を動かしはれへんあんさんが、大番頭はんの名前が出ると、表情を変えはるのは、おかしおますな」

そう云い、上衣のポケットから煙草《たばこ》を出してくわえると、

「まあ、この件については、ご心配に及びまへん、私がご相談に乗り、あいつがこまめに走り廻っている間は、下手なことにはなりまへん、あいつは、なかなか目端《めはし》がききまっさかいな」

振り返って常次の方を見た。常次は自転車屋と反対側の南側二棟の借家の前に立ち、全部合わせた二十軒分の値踏みをしているらしく、家の建付けと土地を見比べながら、せっせと、何か手帳に書き込んでいる。

芳三郎は、大きな声を上げて、常次を呼んだ。常次は手帳から眼を離し、芳三郎の方を見て、二、三回大きく手を振り、ずんぐりした体を重そうにして走って来た。

「えらい粘ってるやないか、なんぞ、ええことでもあるのんか」

芳三郎がひやかすように云うと、

「ええことなどおまへんがな、人に間違い無《の》う値踏みせえ云うといて、ご自分らは、さっさと先へ行ってしまいはるのやから、かないません」

仏頂面《ぶっちょうづら》で云い、鳥打帽を脱いで、頭の汗を拭《ぬぐ》った。

「ところで、ここは、なんぼぐらいの評価になりそうや」

「わての見積りでは、一戸当り坪七万五千円として敷地四十坪で三百万、家屋は坪二万円とみて、一戸当り七十三坪で百四十六万、合わせて一戸当りが四百四十六万というところだすけど、さっきと同じように六掛にして一戸当り二百六十七万六千円の二十戸分でっさかい、五千三百五十二万円、これにさっきの東野田を合わせると、〆《し》めて総計九千七百十五万二千円也ということになりますな」

「九千七百十五万……」

藤代は呟《つぶや》くように云い、

「その評価は、この節の相場だすか」

「そうだすな、せいぜい気張って、ええ値をつけさしてもらいましたわ、ほかの周旋屋は、もっと低値をつけて買い叩《たた》きますやろから、売りはるのやったら、わてに売らしておくなはれ」

「え、売る——」

藤代は驚いた表情をした。

「えぇ？　売りはれしまへんのでっか」

常次の方が、驚いた顔をした。

「売るつもりなどおまへん、時価を評価してもろうただけだす」

「ほんまに売りはれしまへんのか」

常次は食い下るように云った。

「ほんまだす、若師匠《わかししょう》さんに聞いておくれやす」

そう云い、芳三郎の方を見ると、芳三郎は、戸惑うような表情をし、

「そうだしたな、私が伺いましたのは評価だけ——たしか、そうだすな、売りはるとは聞いてまへん、そら、そうだす」

妙にせかせかとした云い方をし、

「ところで、常はんのつけた値が、高値の相場やとしたら、普通は、どれぐらいにな

るのや」
「そうだすな、確かにええ場所だすけれど、建付け土地でっさかい、もぐりの周旋屋やったら、建物の値段に難くせをつけて、安値をつけまっしゃろ、建物の見積りいうのは、なかなか混《こ》み入ってて、今建てたらなんぼにつくという再建築価格をまず定めて、それから、その建物があと何年使えるかという耐用年数を勘定して、それで減価格を割り出し、それを先に定めといた再建築価格と差し引きするわけだす、ところが建物の耐用年数や、減価格とかいうもんは、素人《しろうと》にはどだい難しいて解《わか》るもんやおまへんさかい、これで素人は騙《だま》されて、買い叩かれるわけだす、この北堀江の貸家も、耐用年数あと四、五年という見込みをされたら、再建築費の一割の坪六千円ぐらいの安値になってしまうわけだす」
「そうすると、建付け土地の評価は建物の見積り次第で、うんと値幅が出てしまうわけやな」
「そうだす、そういうことになりますさかい、もし売りはるのやったら、わてに売らしておくなはれと、云うてるわけだす」
常次がまた、話をむし返しかけると、藤代はさっと払い退《の》けるように、
「鑑定料はおいくらでおますか」

切口上《きりこうじょう》に云い、ハンドバッグの口金を開けかけると、芳三郎が藤代の手を遮り、

「いや、何もここで今すぐ、払いはらんかてよろしおます、あとで常はんに聞いて、あんさんにご連絡しまっさ、それより、ちょっとお茶でも飲んで一服しまひょ、お昼過ぎからぶっ通しでっさかいな」

芳三郎は筋向いの角にある喫茶店を指さした。藤代は、咽喉《のど》の渇きと疲れを覚えていたが、貸家を売りせがまれている常次をまじえてお茶を飲むことが煩《わずら》わしく、不快だった。芳三郎の方へ眼で断わりかけると、芳三郎はそれと察し、

「そう、そう、あんさんは、ちょうど、この時間にお寄りになるところがおましたな、ほんなら、その方のご用を先にすまして、そのあと、そうだすな、心斎橋筋から東へ入った三津寺《みつでら》筋《すじ》の鈴屋をご存知でっしゃろ、あそこで待っててておくれやす、私はちょっと、常はんとお茶を飲んでから、鈴屋の方へ行きまっさ」

巧みに云い捌《さば》いた。

「ほんなら、お先へ——」

藤代は、どちらへともなく云い、くるりと背中をむけて、心斎橋の方へ足を向けた。

常次は、芳三郎と喫茶店の隅で向い合うと、よほど咽喉が乾いていたのか、コップの水を一気に呑《の》み干し、

「若師匠はん、殺生《せっしょう》だすな、てっきり売ってくれはるものとばかり思うて、半日がかりで値踏みしたら、とどのつまりは売れしまへん！　と撥《は》ねつけられたんでっさかいな、それなら、そうと、最初から云うてくれはったら、よろしおますやないか」

大きな鼻の穴を膨ませ、不足がましくぼやいた。芳三郎もコップの水を一口飲み、

「ところが、こっちも、てっきり、売りはるものとばかり思い込んでいたのや、もちろん、あの人は時価と、安値と両方の評価をしてほしいと云いはっただけやけど、土地と家屋を業者に評価して貰《もろ》うてくれと頼みはる限りは、まあ売りはるものと思うて、それやったら一つ、常はんに儲《もう》けさせたろうという工合やったのや」

宥《なだ》めるように云うと、

「わても、若師匠はんにこの話を聞いた時から、相手が世間知らずの女《おなご》はんやから、これは一丁儲けさせて貰えると思うて、今日も、そのつもりで高い値をつけると見せかけて、実のところはぎりぎり一杯の安値をつけてましてん、そうしといたら、若師匠はんとぐるになって、売買の鞘稼《さやかせ》ぎが出来まっさかいな」

「人聞きの悪いこと云いなや」

芳三郎は打ち消すように手を振り、慌てて店内を見廻した。人影が疎《まばら》であることを確かめると、

「鞘稼ぎやあらへん、世話料というものや」

落ち着き払った、ふてぶてしい云い方をした。

「へへへへへ、若師匠はんには、うっかりものを頼めまへんわ、何でも世話料をとられまっさかいな、女みたいにきれいで上品な顔をしてはって、一体、どこからそんなあざとさが出ますねん、それも舞の手だすか」

常次がおべんちゃらがましく云いたてると、芳三郎は急にまじめな顔をし、

「ところで、そんな値鞘《ねざや》をつけたりして、大丈夫かいな、あの人は独りいうても、家にはうるさそうな大番頭が居るのやでえ」

用心深く念を押した。

「その点は大丈夫だす、土地の値段というものは、あって無いようなもので、呼び値と売り値とはうんと値開きのあるものでっさかい、もしあの女はんの方から、わてのつけた評価が低過ぎると云い出しはったかて、なんぼでも疑われんような云いぬけがおますねん」

自信を持った云い方をした。

「それやったら安心やけど、女の人のことやさかい、また気が変って、売りたいと云い出しはるかも解れへん、その時は、さっきの高値と見せかけて、ぎりぎり一杯の安値をつけたあれで、ばしっと安う買い叩いて、ぱーんと高う売ったることやな、まあ、今日のところは鑑定だけで辛抱しといてんか、そのうち儲けさしたるさかいな」

芳三郎は、ぞんざいな口のきき方をし、上衣《うわぎ》のポケットから財布を出すと、千円札を五枚ぬき、

「これは今日の足代や、鑑定料の方は、あとでほしいだけ請求してくれたらええわ」

と云い、常次に手渡すと、常次は、上眼遣いにちらっと芳三郎の方を見、

「若師匠はんは、ほんまにわてに儲けさせてくれはるのでっしゃろな、わてと組んでるように見せかけて、案外、あのきれいな出戻り娘はんの方へ付いてしまいはるのと違いまっしゃろな」

疑い深い顔をした。

「何をけったいなことを云うのや」

笑い飛ばしかけると、

「いや若師匠はんは、なかなか凄腕《すごうで》でっさかい、うっかり、気をぬけまへん」

本気とも、冗談ともつかぬ云い方をし、

「ほんなら、そろそろ、失礼さして貰いまっさ、おあとがつかえているようでっさかい」

と云うと、常次は鳥打帽を冠《かぶ》り直して椅子《いす》から起ち上った。


芳三郎は、常次と別れると、すぐ三津寺筋の鈴屋へ足を向けた。

浅葱色《あさぎいろ》の暖簾がかかり、門口に小さな山水《さんすい》と懸樋《かけひ》を配した数寄屋《すきや》造りの鈴屋は、数少ない和風の茶寮であった。拭《ふ》き磨かれた格子戸《こうしど》を入ると、藤代が二服目のお薄《うす》を受け取っているところであった。

つい三十分程前まで周旋屋について、土地、家屋の値踏みに歩き廻っていたとは見えぬ静かな潤《うるお》いのある姿で藁椅子《わらいす》の上にゆったりと腰を下ろし、お薄茶碗《うすぢゃわん》を受け取ると、作法にかなった飲み方でお茶を干した。

藤代は、芳三郎の姿に気付くと、眼の端に笑いをうかべ、

「お疲れさんでおました、おかげで気懸りになっていたことをすませて戴《いただ》きまして――」

腰を上げて、丁寧に頭を下げた。

「いや、それより、さっきはえらい失礼でおました、あいつは、ちょっと厚かましいところがあって、困り者だすけど、私がいる限りは、妙な真似はさせまへんさかい、まあ、今日のところは堪忍《かんにん》してやっておくれやす」

そう云い、芳三郎もお薄を注文し、

「ところで、売る、売りはれへんにかかわらず、約九千七百万という土地、家屋が、あんさんの相続分というわけだすけど、相続税を見込んではらんと、手取り分がえろう変って来ますねん、それはちゃんと見込んではるのでっか」

芳三郎がだめを押すように云うと、

「ええ、それは一応、見込んでおますけど――」

藤代はややうろたえ気味に応えた。

「一応ではあきまへん、しっかり計算しておきはらんと、八千万円以上の相続なら、うかうかしてたら、半分ぐらい税金に持って行かれますさかい、相続分の分配の時にこの点をしっかり含んでおかんと、あんさんが一番損をしはります」

「え、私が一番損を――」

藤代の眼に動揺の色がうかんだ。

「そうだす、上の妹さんが相続しはる暖簾《のれん》営業権などというものは、どうにでも評価のつけられるものだすし、下の妹さんの株券も、名義書換の点をうまいことやったら、全部表《おもて》へ出まへんし、骨董類《こっとうるい》に至っては、値があって無いようなものでっさかい、碌《ろく》なものが無かったことにしたら、それでことがすみますけど、土地、家屋の不動産の場合は、登記書がおますさかい、逃げ隠れがきかず、三人の中では、あんさんの取り分が一番損だす」

はっきり、断を下すような芳三郎の声が、突き刺すような鋭さをもって藤代の胸に響いた。

総領娘である自分が、よりによって二人の妹より一番損——女独りで評価や始末のしにくい不動産を遺《のこ》され、その上、相続税の負担も一番不利なものを相続しなければならぬことを考えると、一見公平そうに見えていた父の遺言状に陰険な悪意が隠されているようであった。

出戻りの独り身の藤代には、手固い土地と建物、養子婿《ようしむこ》を取っている千寿には、矢島商店の暖簾営業権、末娘の雛子には、換金して持参金に出来る株券と骨董をと、父親らしい公平な配慮を見せながら、その実、藤代には額面ばかりが大きくて、手取りの少ないものを当てがっているのだった。

藤代の眼には険しい光が溜《たま》り、不意に体を屈《かが》ませたかと思うと、

「若師匠《わか》さん、力になっておくれやす、私はなかぁんさんや、こいさんより貧相《ひんそ》な相続など出来まへん」

鳴るような激しい声で云った。

＊

中前栽《なかせんざい》の植込みの間を通りぬけながら、雛子は宇市の方を向き、

「そないしてたら、まるで、蔵番みたいな恰好《かっこう》やわ」

着物の上に短い厚司《あつし》（半纏《はんてん》風の仕事着）を重ね、右腰の帯に鍵束《かぎたば》をぶら下げ、右手に古びた大きな蔵帳を提げている宇市の姿に、悪戯《いたずら》っぽい笑いを投げつけたが、宇市は聞えないのか、にこりともせず、年寄りくさく背中をまるめたまま、先に歩いた。

雛子は、庭石の上をわざとゆっくり渡りながら、姉の藤代と、千寿の部屋へ眼を配った。

藤代は、先週と同じように舞の稽古《けいこ》に出かけて、遅く帰って来るつもりらしく、前栽に面したガラス障子を閉め、何時《いつ》もは縁側に出し放しにしている籐椅子《とういす》まで、部屋の中に引っ込めてしまっていた。千寿の部屋も、ガラス障子が閉ざされ、ひっそりと

静まりかえっていたが、部屋の中には、何時ものように千寿が何処《どこ》へも出かけずにいるはずであった。雛子にとっては、長姉の藤代さえ、留守であってくれれば、千寿の在宅は気にならなかった。千寿なら、雛子が突然、蔵へ入って、道具調べをし出しても、気付かぬ振《ふり》をして、自分の部屋に閉じ籠《こも》っている性格であった。

奥前栽の道具蔵の前まで来ると、宇市は腰から大きな鍵束をはずした。じゃらじゃらと鍵の触れ合う金属音がし、宇市はその中の一つを選んで、蔵扉《くらとびら》の鍵穴に差し込んだ。骨張った大きな手で鍵をゆっくり廻し、廻し終ると、両手に力を入れて扉を押した。

重い軋《きし》むような音がし、湿《し》けた臭《にお》いが宇市の肩越しに、雛子の鼻をついた。厚い土壁に囲まれた蔵の中には、北側の小さな明り窓から洩《も》れるかすかな光があるだけで、ひやりとした暗さに包まれていた。

「電燈《でんとう》を点《つ》けまっさかい、ちょっと待っておくれやす」

宇市は先に入って、手さぐりでスイッチをひねった。明るくなった光の中で、埃《ほこり》をかぶった道具類が照らし出された。突き当りの壁に油単《ゆたん》(湿気を防ぐ覆《おお》い布)に覆われた屛風《びょうぶ》類がたてかけられ、両側の壁面に取りつけられた棚には、掛軸らしい細長い箱がずらりと並び、蔵の中央に取り付けられた棚の上には、茶道具の茶碗や水指《みずさし》、茶入

らしい小振《こぶり》な箱が置き並べられていた。雛子は、スカートの裾《すそ》をつまむようにして蔵の中へ入ると、

「これが、私の相続することになっている骨董類ですのん?」

古びた桐箱《きりばこ》の上に記された難解な箱書を見詰め、やや当惑するような表情をした。

「さよでおます、この道具蔵の中に納まっている骨董類と、さっきお見せした株券六万五千株が、こいさんのご相続分になっております」

「一体、どれぐらいあるのかしらん」

雛子は、道具棚の上を見廻し、見当がつきかねるように云《い》った。

「へえ、それは、この蔵帳を調べたら、すぐ解りまっさかい、ご心配おまへん」

宇市は、手にぶら提げている蔵帳を見せた。大福帳に似た和綴《わとじ》の分厚な帳面は、綴糸が傷《いた》み、表紙も手垢《てあか》で黒い汚点《しみ》だらけになっていたが、

矢島家蔵帳

筆太の達者な字で、したためられていた。

「蔵帳——そんなもので、何があるのか、正確に解るのかしらん」

雛子が訝《いぶか》しそうな顔をすると、宇市は急に気難しく眉《まゆ》を寄せた。

「こいさんが、そんな非常識なことを云いはってはいけまへん、蔵帳というのは、道具蔵を持っている家には、ちゃんと昔から備えつけられてあるもので、御先祖代々からのお道具類の名前が掛物、屛風、茶器、酒器、料紙、硯箱《すずりばこ》などの別で記載されておりまして、これさえご覧になれば、一々、蔵の隅までひっ探さんでも、骨董の品目と評価が解る大事な控え帳でおます」

「ほんなら、私が相続する骨董類も、この蔵帳さえ調べたら、品目と評価が出るというわけやのん？」

「さよでおます、早速、蔵帳調べを致しまひょうか」

雛子が頷《うなず》くと、宇市は中央の道具棚の前へ寄り、改まった姿勢で蔵帳を開き、

「まず、茶器之部のお茶碗から始めます、何というても、ご当家のお道具は茶道具でおます、代々、女系《にょけい》の家筋でおましたさかい、ついお茶道具になったわけでございますな」

と前置きして、品目を読みはじめた。

「一、乾山黒梅《けんざんくろうめ》の絵
一、斗々屋《ととや》銘春雪《めいしゅんせつ》

一、仁清作錐御器《にんせいさくきりご》写茶碗《きうつしちゃわん》
一、黄瀬戸筒《きぜとつつ》
一、ノンコウ黒銘黄鶴楼《こうかくろう》
一、茂三《もさん》茶碗」

宇市は、七十を過ぎた老人とも思えぬ張りのある声で読み上げながら、一つ一つ、棚の上に並んだ道具箱に眼を遣《や》り蔵帳と箱書を引き合わせた。雛子も、宇市の眼を追って、一つ一つの箱書に眼を当てた。読み馴《な》れない漢字ばかりを次々と読んで行くのは、退屈で根気のいることであったが、三日前に叔母の芳子から蔵の中の骨董類の品目を調べておくように云われていたのだった。

茶器之部の引き合わせが終ると、宇市は、すぐ釜《かま》之部を読み始めた。

「一、道仁作平丸釜《どうにんさくひらまるがま》
一、与次郎《よじろう》阿弥陀《あみだ》堂釜《どうがま》
一、古天明望月釜《こてんみょうもちづきがま》
一、古芦屋《こあしや》松竹地《まつたけじ》紋《もん》
一、佐兵衛《さへえ》作宝珠形鉄瓶《さくほうじゅがたてつびん》
一、道也《どうや》雲竜釜《うんりゅうがま》」

さっきと同じように宇市は、蔵帳と棚の上の箱書を引き合わせ、引き合わせのすんだ品目の上に鉛筆で小さな標《しるし》をつけて行った。三分の一ほど読み進んで来た時、雛子は、ふと妙なことに気付いた。宇市が読み上げている蔵帳に、時々、墨で塗り消されている箇所があるのだった。宇市はその箇所へ来ても、読み詰らず、墨で消された箇所は読み飛ばし、澱《よど》みなく、次の品目を読み上げている。雛子は、不意に手を伸ばした。

「次は、私が読むわ」

「え？　何でおます——、次を読め、へえ、すぐお読みしまっさ」

宇市は急に耳が遠くなったように耳を傾けて、呆《とぼ》けた応《こた》えをし、さらに次を読みかけた。

「違う、違う、次から私が読むというてますねん」

雛子は大きな声で云い、わざと乱暴に手を伸ばし、宇市の手から蔵帳を取りかけると、

「ああ、これをご覧になりたいというのでおますか」

やっと解ったような顔をした。

「ううん、見たいのと違いますねん、次から私が読むというてますのねん」

きめつけるように云うと、

「ほおぅ、こいさんが蔵帳をお読みになりはる――、そら結構でござりまっけど、こいさんでは、ちょっとお読みになれまへんでっしゃろ」

妙にもって廻った断わり方をした。

「読みにくうて難しいやろうけど、試しに読んでみるわ」

突っ返すように云うと、

「さよでっか、そないおっしゃるなら、どうぞお読みやす」

宇市は、とってつけたような丁寧くさい云い方をし、読みさしにした蔵帳を、そのまま雛子の手へ渡した。ずっしりした重みと黴《かび》くさい臭いがし、雛子は緊張した表情で続きを読み始めた。

「茶入之部
一、記三作大棗《きぞうさくおおなつめ》
一、古織部《こおりべ》覚々斎書付《かくかくさいかきつけ》
一、時代嵯峨蒔絵《じだいさがまきえ》」
雛子は、時々、読み詰りそうになったり、読み間違えをしたりしながら、宇市がしたように棚の上の箱書と引き合わせ、蔵帳の品目の上に標をつけて行った。

「一、少庵……」

下の字に詰りかけると、宇市が口をはさんだ。

「少庵《しょうあん》棗《なつめ》 江岑《こうしん》判有《はんあり》」

雛子は頷いて、次の頁《ページ》を繰った。

「茶杓《ちゃしゃく》之部

一、利休《りきゅう》供筒《ともづつ》

一、石州《せきしゅう》茶杓《ちゃしゃく》銘松島《めいまつしま》……」

次の行が消されていた。『一、啐啄斎《そったくさい》銘霜柱《めいしもばしら》』と記された上に、墨で棒線が引かれているのだった。

「宇市つぁん、これ、なんで消されてますのん」

雛子は、宇市の顔を見た。宇市は白髪《しらが》まじりの太い眉の下から、よく光る眼でじろりと雛子の顔を見たが、

「ああ、それだすか、それは人に分けてしまいはって、現在、蔵に無いものだす」

気にとめない云い方をした。

「分けはったて、誰に――」

「大嬢《おおいと》さんがお嫁に行きはる時や、今橋《いまばし》の御寮《ごりょう》さんが、分家しはる時にお道具として、

持って行きはったり、ほかにご親類筋の御祝儀《しゅうぎ》ごとにさし上げはったものも、おありのようだす」

「それだけ？」

「手前の知っている限りでは、それだけでおます、もっとも、先々代以前に無《の》うなったものや、お分けになりはったもののことは知りまへんけど、この墨を引いてあるのは、蔵出しになったものという標だす」

「ええものが全部出てしもうて、私には、がらくたばっかり、残ってるかもわかりまへんな」

雛子の顔が急に大人び、言葉遣いまで、藤代や千寿の使う古めかしい大阪弁になった。

「いや、そのご心配は無さそうでおます、蔵帳の中で消えている品目の数も、案外、少のうおますし、ものもたいしたものは出てないようだす、第一、えらい失礼な申しようでおますけど、大嬢さんのお嫁入りや、今橋の御寮さんのご分家の時に、家宝並の逸品をお分けになるはずがおまへんし、まして、ご親類やご別家筋の御祝儀ごとにええものをお出しになるはずがおまへん、やっぱり、これというものは、ちゃんと蔵の奥に残してはるものでおますさかい、こいさんは、安心おしやす」

宇市は、何時にない優しい語調で説明した。

「ほんまに、安心してもええかしらん？」

念を押すように云うと、

「大丈夫でおます、それに、そうしたことは、手前が眼を配っておりますさかい、ご心配いりまへん、実は今日も、お道具類の大体のお値段をと思うて、まだ旦那《だん》はんがお達者な時に、一度お値入れした控えがおましたさかい、それをもとにして、大体のお値段調べを致しております」

「え、値段調べを――」

一瞬、雛子はこだわるような妙な表情をしたが、

「それで、どれぐらいになりましてん」

「へえ、ちょっと待っておくれやす、計算した書付がおますさかい――」

と云い、着物の懐《ふところ》から、四つに畳んだ書付のようなものを出しかけた時、蔵の外に人の気配がした。

女中のお清であった。蔵扉の前にたち、

「こいさん、お客さんでおます、京雅堂はんという骨董屋はんやそうだす――」

宇市の顔色が、かすかに動いたようだった。

「ああ、その人やったら、すぐ蔵へ来てもろうて——」

そう応え、お清が行ってしまうと、宇市は始めて口を開いた。

「こいさん、これは、どなたはんのお智恵《ちえ》でおます?」

「どなたて、私の考えやわ」

「こいさんが、誰にも相談しはらんと、骨董屋など呼びつけはりまっしゃろか」

宇市の眼に、強い光が帯びた。

「呼びつけたらおかしいかしらん、私かて、もう二十二やし家に引っ込んでばかりいるなかぁんさんと違《ちご》うて、お稽古《けいこ》に出かけてたら、骨董屋や株屋の娘さんと知合いがあっても、おかしいことあらへんわ」

「ごもっともでおますけど、道具屋をお呼びしはるのでしたら、よその一見《いちげん》の道具屋を呼ぶより、出入りの道具屋を呼ぶ方がおよろしおますが——」

「出入りの道具屋いうても、お父さんの代になってからは、殆《ほとん》ど何も買《こ》うてはらへんし、めったに出入りがあらへんから、どこでも一緒やないの」

叔母に教えられた通りの口実をつけた。事実、和歌山の百姓の家に生まれた父の代になってからは、殆ど道具屋の出入りがなく、昔からのものを守っているだけであった。

蔵の外に、京雅堂を案内して来るお清の声が聞えた。

「そちらは商い蔵で、お道具蔵はこっちでおますさかい、どうぞ——」

「これは、おりっぱなお蔵でおますな、それにお庭も結構な造りで、ああ、お道具蔵の横に見えますのがお茶室でおますか、あとで拝見させて戴《いただ》きまっさ」

如才のない京雅堂の声が聞え、蔵扉のところにたっている雛子の姿に気付くと、

「先日はわざわざお運び下さいまして、本日はまた、結構なお道具を拝見させて戴けますそうで、有難うおます、こちらは手前どもの店の者で、本日のお手伝いをさせて戴きます」

うしろに従《つ》いている店の者の断わりを云い、鄭重《ていちょう》に頭を下げた。

「早速やけど、値段調べをしておくれやす、ちょうど今、蔵帳調べをうちの大番頭としていたところだすねん」

そう云い、京雅堂を宇市に紹介すると、

「大番頭はんでおますか、これはご無礼でおました、この度は手前どもの方にお道具拝見をお申しつけくれはりまして、ご挨拶《あいさつ》が遅れてますが、宜《よろ》しゅうにお引きたてしておくれやす」

京雅堂が恐縮するように挨拶をすると、宇市の白い眉がぴくりと動いた。

「あんさんのお店は、どちらだす」

「へえ、賑橋《にぎわいばし》の南詰でおます」

京雅堂は鄭重に応えた。

「賑橋の京雅堂はん——、聞いたことがおまへんな、伏見町か、高麗橋《こうらいばし》の骨董屋はんなら、よう知ってますけどな」

伏見町、高麗橋は、大阪の名の通った骨董商ばかりが集まっている処《ところ》であった。

「へえ、手前どもはまだ老舗《しにせ》のお仲間入りとまではいきまへんけど、おかげさまで商い繁昌《はんじょう》にさせて戴いとります」

「そら結構なことでおますな、けど、老舗の遺産分けのお道具調べの時には、紋付で参上しはるだけの心得はほしおます」

鉄無地の茶羽織を羽織っている京雅堂の肩先を、じろりと見た。京雅堂は、はっとしたように肩をつぼめ、

「これは、えらい鈍なことで、ご無礼致しました、早速、着替えに帰って参じますさかい、三、四十分、お時間をお頂戴《ちょうだい》致しとうおます」

京雅堂が引っ返しかけると、雛子は慌《あわ》てて止めた。

「かまへんやないの、羽織ぐらい紋付でも、紋なしでもたいしたことあらへんわ、第

一、値段に関係せえへん、それより、さっさと、お道具調べをしてほしいわ、それから、お清、店へ行って、手のあいている者四、五人来てもろうて、蔵の中のお道具を奥座敷へ運ぶように云うてんか――」
客を案内して来て手持ち無沙汰《ぶさた》にしているお清に、そう云いつけ、京雅堂の方へ、

「これがうちの蔵帳だす、今、道具を奥座敷へ運ばせますよって、蔵帳とお道具を引き合わせて、ちゃんとしたお値段をつけておくれやす」

京雅堂は、宇市の方を見て、ちょっとためらうような表情をしたが、

「ほんなら、このままでご無礼させて戴き、まず、お蔵の中から拝見させて戴きまっさ、ご免やす」

と断わり、敷石の前で履物を脱ぎ、蔵の中へ入ると、手渡された蔵帳を開け、にじり寄るように道具棚の前へ寄って、蔵帳に記された品目と箱書を一つ一つ、慎重に引き合わせて行った。

宇市は、終始、むっつりと押し黙って、京雅堂の蔵帳調べの様子を見詰めていたが、ふいに雛子の方へ近寄ると、京雅堂に聞えぬような低い声で、

「手前の蔵帳調べでは、ご不満でございますのでっしゃろか」

慇懃《いんぎん》な聞き方であったが、咎《とが》めるような響きがあった。雛子は、何を思ったのか、

下膨れの頰に、けろりとした笑いをうかべ、

「ううん、宇市つぁんの蔵調べには不満などあれへんけど、もし偽物《にせもの》なんかがあったら、えらい損やさかい――」

「えっ、偽物――」

宇市は、驚愕《きようがく》するように云った。

「そうやわ、なんぼ、宇市つぁんかて、骨董の偽物だけは、目利《めき》きができまへんやろ」

そう云うと、雛子はくるりと宇市の方へ背中を向けた。宇市は冗談とも、本気ともつかぬ雛子の言葉に、暫《しばら》く戸惑う様子であったが、やがて鍵束《かぎたば》を持ったまま、むっつりと押し黙り、のそりと蔵を出て行った。


十二畳と八畳続きの、奥座敷の床の間と鴨居《かもい》のあたりに軸物が掛けられ、茶碗《ちやわん》、釜、香合《こうごう》、鉢物、花生《はないけ》、硯石《すずり》などは畳の上に部類別に仕分けて列《なら》べられ、京雅堂はその一つ一つの前へ這《は》いつくばるように躙《にじ》り寄り、作柄《さくがら》を見調べると、膝《ひざ》の上に広げた控え帳に値を付けて行った。時々、うしろに従《つ》いている伴《とも》の番頭の方へ振り返り、何か小

声で話してから、慎重に値を入れる。

その度に、雛子は、自分の相続する財産の額が定められて行くような異様な昂《たかぶ》りを覚え、座敷の真ん中に突《つ》ったたったまま、まるい肩をかすかに揺ぶるようにして、部屋の外を見た。

枝を広げた庭木の向うに、さっきまで宇市と一緒に入っていた道具蔵の屋根瓦《やねがわら》が重々しく聳《そび》え、土壁の白さがまぶしいほど明るく眼を射た。ついこの間までは、雛子と全く無縁であった道具蔵が雛子のために扉が開かれ、その薄暗い湿《し》けた蔵の中で埃《ほこり》をかぶり、古びていた道具類が明るい、陽の光の中で、急に生きもののような大きな価値をもって、雛子に働きかけて来るようだった。

雛子は、ふうっと熱っぽい吐息をつき、部屋の中に眼を向けた。京雅堂は殆ど一服もせずにぶっ通しで値入れにかかっている様子であったが、やっと掛物之部と茶器之部がすんだところであるらしかった。時計を見ると、四時を廻りかけている。姉の藤代が帰って来るまでには、まだ二、三時間の余裕があったが、気まぐれな藤代のことであるから、夕方ともなれば、ひょっくり早く帰って来るかもしれなかった。雛子は京雅堂に声をかけた。

「まだ、大分、手間がかかりそうかしらん？」

京雅堂は、道具調べをしている手を止め、雛子の方へ振り向き、

「軸物と茶道具の方だけすみましたさかい、ざっとお値打を申し上げまひょ」

と云《い》い、膝の上に載せている値入帳を持って雛子の方へ膝を寄せた。

「一、一休和尚一行墨跡《いっきゅうおしょういちぎょうぼくせき》　五十五万

一、雪舟山水横物《せっしゅうさんすいよこもの》　百二十万

一、等伯山水《とうはくさんすい》大竪《たて》物　七十三万

一、探幽絹地《たんにゅうきぬじ》竪二幅対　五十万

一、定家卿御色紙《ていかきょうおんしきし》竪物　三十五万」

雛子は、その一つ一つが自分のものであることを確かめるように大きく頷《うなず》きながら、頭の中で京雅堂の読み上げる数字を暗算して行った。

「一、応挙太公望《おうきょたいこうぼう》三幅対　四十五万

一、無学和尚一行墨跡《むがくおしょういちぎょうぼくせき》　五十五万

一、蕪村六歌仙《ぶそんろくかせん》自《じ》画《が》賛《さん》　四十八万

一、宙宝無事《ちゅうほうぶじ》竪物　二百万」

次第に増大して行く数字を追いながら、雛子は、ふとお稽古友達の西岡みつ子の云った言葉を思い出した。「美人で名門で、莫大《ばくだい》な遺産を継いだら、縁談の断わりに困

らんならんわ」溜息《ためいき》まじりに、羨望《せんぼう》に満ちた声で云ったが、その言葉と同じことが、今、雛子の身辺に起りつつあるのだった。雛子は自分の体を襲ってくる熱っぽい昂りと華やかな甘さにゆるく身をもたせかけた時、荒々しい人の気配がした。

振り向くと、乱暴に襖《ふすま》が開けられ、姉の藤代が、外から帰って来たばかりの着飾った姿で、敷居際《しきいぎわ》にたっていた。雛子は、気を呑《の》まれたように顔を硬《こわ》ばらせたが、すぐ何時《いつ》もの笑窪《えくぼ》をうかべた子供っぽい表情に返り、

「お帰りやす、今日はえらい早うおましてんねぇ」

そう挨拶して笑いかけると、藤代はにこりともせず、険しい視線を京雅堂に当てた。京雅堂は、はっと驚いたように鄭重な会釈《えしやく》をして頭を下げたが、藤代は、はたき返すように顔をそむけ、

「これは、一体、何の真似《まね》でおます」

背筋を逆なでるような冷やかな声で云った。雛子は一瞬、怯《ひる》みかけたが、

「何の真似て、ご覧の通りやわ、蔵の中の道具調べをしてますねん」

けろりとして、応《こた》えた。

「お道具調べに、わざわざ骨董屋《こつとう》はんまで呼んで来てはるのは、どういうわけでおます？　その上、よりにもよって、私が留守になるお稽古日を狙《ねろ》うて、お道具調べをし

はるのはおかしいやおまへんか、なかぁんさんはねそ泥、こいさんは、こそ泥で、二人寄って私に損をさせることばかり企《たくら》んではるのでっしゃろ」

藤代はいきりたつような激しさで云い、雛子の顔を見据えた。

「ほんなら、姉さんは何ですのん」

雛子は、また、けろりとした表情で云った。

「私、私は、ねそ泥やこそ泥みたいなことはせえしません、私に取る権利のあるものは堂々と取りまっさ」

人前を憚《はばか》らず、昂った声で云うと、藤代はつうっと、踊りのような足捌《あしさば》きで道具類の間を分け入り、茶器の列んでいるところで足を止め、何かを探し出すように暫く視線を往《ゆ》き来《き》させていたが、ふいに手を伸ばすと、

「こいさん、これは誰の許しを得て、蔵から持ち出しはったのだす」

野点《のだて》用の茶道具十点が納まった溜塗《ためぬり》の茶箱を指した。

「誰て、私が相続するものやったら、誰にも断わらんかてええやないのん、それとも――」

と云いかけると、藤代の眼に激しい怒りがうかんだ。

「これも、あんたの相続するものやと云いはるのでっか、これは亡《な》くなったお母さん

が一番大事に使うてはったお茶道具を、私がお嫁入りする時に持たしてくれはったものだす、うちは他家《よそ》と違うて、女系《にょけい》の家筋でっさかい、お茶道具が大事なお道具になっておます、なかぁんさんにさえ、私のお道具には手を触れんようにと、証文を一札取って、道具蔵の中でも、別に一まとめにして置いてあったはずだす」

そう云われれば、蔵の隅に野点用の茶箱だけが別に置かれていたようであったが、蔵帳には墨で消されていなかった。雛子にはその点が、腑《ふ》に落ちなかった。

「ほんまに、姉さんのものやという証拠が、何かありますのん？」

「証拠――まあ、一番末っ子のあんたまでそんな疑い深い、いやらしいことを云いはりますのか、証拠は私のお嫁入りの時の荷入《にいれ》目録を見はったらよろしおます、何やったら取って来て見せてあげまひょか」

藤代は高飛車にきめつけるように云った。雛子はちょっと口を噤《つぐ》んだが、

「どちらのものかは、半月先の親族会の時に定めることにして、お値入れして貰《もら》う段にはかまへんやないの」

京雅堂の手前、雛子があたりさわりのない云い方をすると、

「私のお道具に、勝手な値入れをしはるのは、やめといておくれやす」

ぴしゃりと云い、藤代は部屋の隅の呼びリンを押した。

女中のお清が来ると、藤代はよそ行きの着物の袖《そで》を身八つ口（袖付下のあき）に端折《はしょ》り、

「お清、お前はそっち側を持ち上げて、私の部屋へ運び込むのだす」

と云い、自分から先にたって野点用の茶箱を持ち上げた。持ちなれぬものを持ち上げた藤代は、二、三歩足を運んだ途端、ぐらりと不恰好《ぶかっこう》に前のめりした。雛子は、はっと手を助《す》けながら、

「何にも、今すぐ運び出しはらんかてええやないの、姉さんのそんな大事なものやったら、手も触れんと、親族会までちゃんと別にしておきますやないの」

「いいえ、私がうかうかしてたら、あんたとなかぁんさんに、どんな目に遭わされるかも解《わか》れへんさかい、人頼みは出来まへん」

気色《けしき》ばむように雛子を見た。

「おかしいわ、今日は、姉さんはどないかしてはるわ、お稽古に行って、何かあったのと違いますのん」

怪訝《けげん》そうに、藤代の顔を覗《のぞ》き込んだ。

「え、何かあったて――何もあらへんわ、きまりきった舞のお稽古やさかい、変ったことがあるはずがおまへん、何時ものように長いこと順番を待って、お稽古をすまし

ただけ——今日は『四君子《しくんし》』の二上《にあが》りからやったけど、なかなかきれいな手に踊られしまへん、ちょと長い間、お休みしてたら、間《ま》の取り方がはずれてしまうものやわ」

妙に饒舌《じょうぜつ》に喋《しゃべ》り、とってつけたように笑いを見せ、

「それに、あんたのお道具調べがあんまり突然やさかい、びっくりして、思わず神経が昂ったわけだす、何もあらへんわ」

念を押すようにそう云うと、藤代はお清を促して、茶箱を運び出した。

京雅堂と伴の番頭は、藤代と雛子の諍《いさかい》から遠慮するように座敷の端の方に、背中向けに坐《すわ》り、道具調べをしているような姿勢をしていたが、藤代が座敷を出て行くと、雛子の方へ向き直り、

「ご都合によっては、また日を改めて参上さして戴きますけど——」

様子をうかがうように云った。雛子はまるいくくり顎《あご》をひき、思案するような顔をしたが、

「かまへんわ、続けておくれやす、私も早う値打を知りたいから——」

雛子は、姉との諍が別に苦にならないらしい屈託のない表情で促した。

「ほんなら、もうちょっとでおますさかい、今日中に改めさせて戴きます」

京雅堂は、うしろに控えている番頭に蔵帳を開かせ、それと実物を照応させながら、

せっせと値入れにかかった。

雛子は縁側に出て、そっと藤代の部屋へ視線を向けた。奥座敷と藤代の部屋は、前栽《せんざい》の植込みを隔てて同じ列びになっていたが、奥座敷は広縁の廻り廊下が出張っているから、その気になって覗けば、ガラス戸越しに藤代の部屋の中まで見通せた。雛子は大柄な体をぐうっと背伸びさせ、縁側の端の柱の陰から部屋の中を覗き込んだ。

ガラス戸越しに、なだらかな藤代の肩先が見え、その肩の向うに運び込んだばかりの茶道具が見えた。藤代は、その前に踞《つくば》るように坐り、茶箱の蓋《ふた》を開け、掌《たなごころ》で受けるように茶碗を出すと、体の位置を明るい縁側の方へ向け変え、白い掌の中で小振《こぶ》りな茶碗を陽にすかすようにして眺めた。冷やかなよく光る眼が、濃緑色の茶碗に吸い寄せられるように大きく見開かれ、なだらかな肩まで息づいているようであった。雛子は、ふと亡くなった母の顔がそこにあるような錯覚にとらわれ、母の遺《のこ》した野点茶碗を見入る藤代の姿に、異様な美しさと女の執念を感じた。ふうっと小さな息をつき、柱の陰から体を離しかけた時、雛子の眼の端に人影が横切った。

身じろぐようにその方へ眼を向けると、千寿の部屋のガラス障子の端に、猫のように背を屈《かが》め、藤代の部屋を隙見《すきみ》している千寿の影が映った。さっきからの騒ぎも覗き見していたのか、ガラス障子の障子の部分に身を潜めるように貼《は》りつき、僅《わず》かに開けた戸の隙間から眼だけを覗かせているのが、藤代の部屋からは植込みの陰になって見えなかったが、雛子のたっている位置からは斜めに見通せた。虫も殺さぬおとなしい顔をしながら、そっと姉の部屋を隙見する千寿と云い、雛子の前から茶道具を運び出して、自分の部屋でそれを愛玩《あいがん》する藤代と云い、雛子はこの家の中に住む女の異様な心の動きに一種の怖《おそ》れを覚えた。しかし、私だけはそうやあらへん——、そう呟《つぶや》くように云うと、雛子は、柱の陰を離れて、奥座敷へ入った。

座敷へ戻って来た雛子の姿を見ると、京雅堂は手に持った算盤《そろばん》を下におき、

「やっと今、全部のお値入れがすんだところでっさかい、早速、ご報告致しまっさ」

と云い、値段を記した控帳を広げた。

「まず、茶器之部から申しますと、乾山黒梅《けんざんくろうめ》の絵六十万、茂三《もさん》茶碗九十五万、黄瀬戸《きぜと》筒《つつ》百万、斗々屋《ととや》百十万、ノンコウ黒銘黄鶴楼《こうかくろう》二百三十万——と、一つ一つのお値段書はあとでご覧戴《いただ》きますことに致しまして、茶器之部の茶碗、水指《みずさし》、茶入、茶杓《ちゃしゃく》、釜《かま》、香合《こうごう》までひっくるめたお値段は五千百万、掛物之部の掛軸、額、色紙などひっくるめたお値段は一千四百八十万、そのほか屏風《びょうぶ》、料紙、硯箱《すずりばこ》、花生《はないけ》、鉢、酒器などをひっ

くるめたのは六百五十万で、総計、七千二百三十万というお値打でおますが、これはどこまでも下見のつもりのお値入れでっさかい、実際の売買の時にはまた改めてお値入れさせて戴きとうおます」

と云い、細かく値段書をした書付を雛子の前に置いた。雛子は書付を手に取り、そこに細かく記されている品目と数字を丹念に見詰めた。二十二歳の雛子の日常からかけ離れた数字がずらりと並び、末尾に躍るような字で総計七千二百三十万円也としたためられていた。雛子はそこへさっき、蔵調べをする前に宇市に算定してもらった株券の額面を合わせた。株券と骨董と合わせて九千六百三十万円という金額が雛子の相続額であった。

京雅堂が帰ってしまうと、雛子は待ちかねたように家を出た。夜の食事もせずに出かける雛子に女中たちは妙な顔をしたが、料理学校の夜の集まりがあるといい、その実、今橋《いまばし》の叔母の家へ出かけたのだった。

『矢島中《やじまちゆう》』と標《しる》された暖簾《のれん》をくぐると、何時になく叔母が内玄関まで出迎え、するすると長い廊下を滑るように歩きながら、

「どうやった、うまいこと行きましたんか」

声をひそめ、雛子の耳もとへ囁《ささや》くように云った。

「京雅堂さんを紹介してくれはったおかげで、ちゃんとすみましたわ」

雛子がそう応えると、

「それはよろしおました、あの人は温厚そうに見えて、なかなか仕事のたつ人やから、てきぱきと片付けてくれはりましたやろ、うちへもよう出入りをしている人でっさかい――」

そう云い、奥座敷まで来ると、両開きに襖を開けた。十畳と六畳続きの座敷に神代《じんだい》杉《すぎ》の座敷机を置き、母に似て美食家である叔母の贅沢《ぜいたく》な料理が、その上に並べられていたが、二人分のしつらえしかなかった。

「叔父さんは?」

「あの人は、同業組合の寄合いにでも出かけはったのでっしゃろ」

まるで番頭か、手代が出かけているようなもの軽さで云い、雛子と向い合って坐ると、

「そいで、お道具調べは、何のさし障《さわ》りも無《の》うにすんだわけだすか」

雛子は、箸《はし》をとりながら、

「お道具調べの最中に突然、藤代姉さんが帰って来はって、お道具の中から自分のものだけ、さっ引きはったわ」

「さっ引く、あの人の分だけ――」

「ええ、亡くなったお母さんから、お嫁入りの時に戴いたものやと云いはって、野点用の茶道具一式が納まった茶箱を京雅堂さんのいてはる前で、お清を呼んで自分の部屋へ運び出しはりましたわ」

「えっ、野点用の茶箱――」

叔母は、思わず、箸を止めた。

「あの茶箱は、矢島家の茶道具の中でも高価な逸品だす、あれだけでも二、三百万はするものだす、それを一旦《たん》、他家へ嫁いだ出戻りが、そんな勝手なことをして、私など分家する時は、何も分けて貰われへんかったのに、そんな勝手なえげつない――」

俄《にわ》かに顔色をかえ、いきりたつように云う叔母に、雛子は怪訝な顔をした。

「へぇぇ、おかしいわ、叔母さんも分家をしはる時に、蔵のお道具分けをしてもらいはったはずやと、聞きましてんけど――」

「誰が、そんなじゅんさいな（いい加減な）ことを云うのだす」

「宇市つぁんやわ、蔵帳を示しながら、ところどころ墨で消してある分は、代々、お嫁入りや分家の時に、お道具分けをしたしるしだすと、宇市つぁんが説明しましたけど、それ、ほんまですのん」

叔母の顔にかすかな狼狽《ろうばい》の色が現われ、一瞬、云い詰りかけたが、

「お道具分けというのは、どの程度のことを指すのか知りまへんけど、わてが分家する時に貰うたのは、お道具分けといえるようなものやおまへん、ちょうど、うしろのそのお軸程度のものだす」

そう云い、叔母はくるりと体を床の間に向けた。一間《いっけん》の本床に水墨の山水の軸がかかっていた。

「常信《つねのぶ》の水墨画でっさかい、たいしたものやおまへん、まあ、分家祝いのちょっとしたおしるし程度のものだすわ、さっきの藤代さんの野点用の茶道具一式ともなれば、れっきとしたお道具分けともいえまっしゃろけどな」

ねっちりとしたいや味な云い方をし、

「それはそうと、あんたの相続分、骨董と株でどれぐらいになりましてん」

叔母の眼に、詮索《せんさく》がましい好奇な色がうかんだ。

「株券の評価が二千四百万、骨董の評価が七千二百三十万円で、合わせて九千六百三十万円ということやわ」

雛子がそう応えると、叔母は表情を動かさず、予想していた額よりも、多いとも、少ないとも云わず、暫《しばら》く黙っていたが、不意に、

「雪村《せっそん》の滝山水の掛軸、あれなんぼぐらいの評価になったのです？」

「雪村の滝山水——」

いきなり、そう聞かれても、書画骨董に関心のない雛子には、何のことか解らなかった。

「雛子ちゃん、あんた、今日の値段書を持ってへんの、持ってたら、それを見たら解るやおまへんか」

雛子は、膝《ひざ》の横に置いたハンドバッグから京雅堂にしたためて貰った値段書を出し、掛物之部を開いて見たが、雪村の滝山水は見当らない。

「そんなんは、あれへんわ、何か思い違いしてはるのと違うのん」

そう云《い》い、叔母の方へ値段書を渡すと、叔母は一行一行を舐《な》めるような熱っぽい視線で見調べて行き、見終ると、険しい表情で雛子の顔を見た。

「雪村の滝山水は、確かに家にあるはずだす、あれは、矢島家の骨董の中でも、さっきの野点用の茶箱と同じように十指の中に入るものだす、それが蔵の中に無いなどというのはおかしなことやおまへんか、誰が何処《どこ》へ持ち出したのか、半月先の親族会で

それをはっきりと突きとめん限りは、あんたは絶対、骨董類の相続をしてはいけまへん」

叔母は何を思ったのか、眼を据えるように云った。

*

低い軒庇《のきびさし》の仕舞屋《しもたや》がたてこんだ毛穴《けな》町の一角を通りぬけ、溝川《どぶがわ》に沿った道を三丁ほど歩いて行くと、晒《さらし》工場の廃液から出る臭気が溝川から這《は》い上って来た。

宇市は、皮の手提げ袋を持ち、今朝、おろしたばかりの新《さら》の下駄《げた》が土埃《つちぼこり》になるのを気にしながら歩いた。溝川のどんづまりに行くと、急に低い叢《くさむら》の原っぱになり、原っぱ一面に、晒しをかけた木綿が天日《てんぴ》干しにされ、白い波をうつように幾重にも干し晒されている。宇市は、ちょっとたち止まり、晒し木綿の布数を確かめるようにしてから、原っぱの端に建っている晒工場へ足を向けた。

古びた板塀に囲まれた和田甚《わだじん》晒工場は、表のガラス戸を開けると、つんと眼にしみるような苛性《かせい》ソーダの臭《にお》いがし、漆喰《しっくい》の床に、綿布をソーダで煮る鉄釜が据えられ、その横に煮沸した綿布を水洗する煉瓦《れんが》とコンクリート造の水槽が仕切られ、水洗されたばかりの綿布が、水槽の周囲に濡《ぬ》れたまま、積み上げられていた。

「ご免やす、和田甚はん、いはりまっか」

宇市が工場主の名前を呼ぶと、股《また》まであるゴム長靴と上肘《うわひじ》まであるゴム手袋をはいて働いている十五、六人の男たちが、一斉に振り返り、中の一人が土間の奥に向って、

「大将！　お人がお見えになりましたでぇ」

大きな声でいった。仕切戸の向うに、応答する声が聞え、戸が開いて、五分刈の坊《ぼう》主頭《ずあたま》の和田甚がぬうっと顔を出し、入口にたっている宇市の顔を見るなり、

「これは、これは、矢島屋はんでっか、まあ、どうぞ、奥へ入っておくなはれ」

漆喰場の横に突き出ている事務所兼応接室の部屋へ案内した。六畳ほどの板張の床に事務机二つと椅子《いす》が三脚おいてあるだけの殺風景な部屋で、窓から空地に転がっている硫酸のあき瓶が見えた。和田甚は、宇市と向い合うと、

「毎度、ご贔屓《ひいき》にあずかりましておおきに有難はんだす、おかげでうちは、お宅の晒だけで、結構、手一杯でおます、へぇ、おおきに――」

揉《も》み手《で》をしながら、たて続けにぺこぺこと頭を下げ、

「本日はまた、何でおまっしゃろか、大番頭はんにわざわざ、お越し戴かんかて、電話一本で、下請《したうけ》の手前の方が参上致しまんのに――」

矢島商店の生機《きばた》木綿の晒を、一手に引き受けている和田甚は恐縮するように手を揉んだ。宇市は、返事をせず、むっつり押し黙ったまま、懐《ふところ》からいこいを出して喫《す》いかけると、和田甚は慌《あわ》てて、ジャンパーのポケットからピースを出して勧めた。

「これは、おおきに――」

ピースに火を点《つ》けてもらい、ぷかりと大きな煙を吐くと、またむっつりと押し黙った。和田甚は、暫く怪訝《けげん》そうに宇市の顔を見詰めていたが、はっと思いついたように、

「これは、うっかりしてましたわ、例の、あのことでおましたら、わざわざお見え戴かんでも、何時《いつ》ものように手前から大番頭はんのところへ持って参じますのに、ほかに何か――」

和田甚が、声をひそめるようにいうと、宇市の細い眼がぴかりと光り、

「実は、そのことでおますが、何時もより二日早いけど、例のを今日、もろうて帰りたいのやけど、どうだす？」

和田甚は、ちょっと返事に戸惑う様子だったが、

「へえ、よろしおます、たった二日のことでおますし、ちょうど、よその集金が集まって、銀行へ入れに行こうと思うてたのがおますわ」

といい、古ぼけた机の引出しから帳面を引っぱり出して繰った。

「先月は、三千五百疋《ぴき》を晒させて戴きましたさかい、大番頭はんへの戻りは、七万円というわけだすな」

五十疋ずつ梱包《こんぽう》した生機木綿を、木綿問屋から晒工場へ晒しに出し、晒し上げてローラーにかけると、もともと尺余りしている生機木綿の丈がさらに地伸びして、手拭《てぬぐい》一本分ぐらいの長さが余った。厳格な問屋と良心的な晒工場の間では、そのまま一疋分として問屋へ納めるのが普通であったが、時たま、問屋の仕入方《しいれかた》と晒工場が結託して、一疋、五丈二尺五寸という規定の長さぎりぎりに裁ち、あとは日本手拭に染めて、地方へ流す〝ピンコロ〟というたち流しの手があった、宇市と和田甚もこのやり方で、生機木綿一疋につき手拭一本分を取り、和田甚の名前で地方の雑貨店へ売り捌《さば》き、宇市は手拭一本につき、二十円を取る約束になっていたから、一カ月三千五百疋の晒を注文して、七万円が宇市のピンコロになるわけだった。

宇市は、和田甚が何度も数え直した千円札と五千円札を受け取ると、もう一度、自分の手で数え直した。よれよれになった札の端を要《かなめ》にして、手馴《てな》れた手つきでぱらぱらと、三度、数え直し、千円札で四万円、五千円札で三万円、合計七万円あるのを確かめると、皮の手提げの袋の底へ入れ、止め金をきっちり締め、

「ほんなら、これで失礼しまっさ」

ぼそりと、それだけいい、宇市は入って来た時と同じむっつりした顔で、腰を上げた。

「まあ、お茶《ぶう》でも入れまっさかい、ごゆっくり――」

和田甚が奥に向って、お茶を云いかけると、

「お茶《ぶう》、それは結構でおます、これだけ戴きましたらな」

「そうでっか、ほんなら、何のおかまいもしまへんですんまへん、来月もまたどうぞ、お引きたてをお願い申しまっさ」

矢島商店の生機木綿の晒工賃で持っている和田甚は、卑屈な愛想笑いをして、宇市を表まで送り出した。


宇市は、和田甚の晒工場を出ると、またもと来た溝川沿いの道を通って、鳳《おおとり》の駅へ出、そこから阪和線に乗って、和泉府中《いずみふちゅう》で降りた。

駅前へ出ると、バスは出たばかりなのか、停留所に人影がなく、二、三台の小型タクシーが客待ち顔に駐車していたが、宇市は着物の裾《すそ》をちょっとからげ、右手の提げ袋を持ちやすくして、歩き出した。

四月の初旬とは思えぬ汗ばむような暑さであった。宇市は、時々、たち止まって、手拭《ふ》で汗を拭きながら、田舎道をとことこと歩いた。田圃《たんぼ》に挟まれた田舎道は埃っぽいでこぼこの道であったが、田圃の中は青々とした麦畑が続き、ところどころに片流れの三角屋根を持った織物工場が見え、道沿いの小さな民家の中からも、ガチャガチャと鳴る織機の音が聞えた。

桑原町《くわばらちょう》に来ると、宇市は表通りの道から細い小道へ折れた。半丁程、小道を行き、倉庫に囲まれた袋小路に突き当ると、綿布工場独特の片流れの三角屋根を持った山徳《やまとく》綿布工場があった。工場主の山野徳太郎の名前を詰めて、工場名にしているのだった。

宇市は、案内を乞《こ》わずに表戸を開けた。だだっ広い百坪ほどの建物の天井に、頑丈な梁《はり》と、織機の動力線になるベルトが行き交い、七、八十台の織機が絶え間なく、騒々しく動いている。一足、中へ入ると、白い綿ぼこりがたち籠《こ》め、織機の前でたち働いている女工たちの作業頭巾《ずきん》からはみ出している髪も、霜降りのように白い綿ぼこりになっている。女工たちは宇市の姿に気付くと、胡散《うさん》臭そうな眼を向けたが、どうせ、声をかけても、織機の騒音で聞えなかったから、宇市は黙って、作業場を通り抜け、勝手を知った奥の事務所のガラス戸を開けた。

工場主の山野徳太郎は、宇市の顔を見るなり、驚いたように腰を上げ、

「あ、矢島屋はん、びっくりしますやおまへんか、いきなり、ガラス戸を開けはって――、それにしても、何か急なご用で――」

色の黒い痩《や》せた顔で、用心深く身構えた。宇市は、何時もの無愛想な顔で、

「いや、ちょっと毛穴《けな》の晒工場まで用がおましたさかい、ついでに山徳はんまで足を延ばしただけだす」

「それは、どうもご苦労さんでおます、ほんなら、お昼時でっさかい、うちのオート三輪で駅前の小料理屋へ行って、一杯いきまひょやおまへんか」

すかさず、昼食を誘いかけた。

「いや、その前にちょっと、積出しの綿布を見せておくなはれ」

「積出しの綿布――」

山徳は、狼狽するような顔をしたが、

「へえ、よろしおます、どうぞ」

といい、事務所の戸を開け、作業場と反対側の倉庫の方へ宇市を案内した。

薄暗い納屋のような倉庫の中に、織り上げられた生機《きばた》木綿が五十疋ずつ、一くくりになって積み上げられていた。宇市は、その前へ寄り、一番上積みの一くくりから五、

六疋の生機木綿を引っぱり出し、入口のところへ持って行くと、両手でぐうっと地を引っ張り、明るい陽に透かし見るようにした。生機木綿の寸間《すんかん》(一寸角)のうち込み糸数は、縦六十九本、横六十五本というのが規格になっていたが、織元の方でうち込みの糸数を胡麻化《ごまか》したり、指定の糸を使わずに、粗悪な糸を混使《まぜつか》いしたりすることがあった。宇市は、鼻を擦《す》り寄せるようにして、寸間のうち込みや、綿かすのついた粗糸を使っていないかを見調べた。うち込み本数の二、三本の少なさまでは肉眼で解《わか》らなかったが、綿かすやネップ(織節)の出方で、糸質の見分けはついた。宇市は、点々と、綿かすの出たのを見つけ、

「山徳はん、これでは、まるで女のそばかす面《づら》みたいやおまへんか、綿かすの出るような糸は困りますな」

渋い顔をすると、山徳は平然とした顔で、

「いや、それは一疋だけそんなんが混りましてん、何分、何千疋という積荷でっさかい、運悪うそんなんが混ることもおますわ、すぐ取り替えまっさ」

「ほかのは、大丈夫でっしゃろな」

宇市は確かめるように云うと、

「へっへっへっ、今日は、えらいきつうおますねんなあ、ほかの方《かた》と違うて大番

頭はんのことでっさかい、こっちもそうそう、手は抜けまへん、そこそこにしときまへんと、あとのご注文を戴《いただ》けまへんよってな」

山徳は、急にぞんざいな口のきき方をし、宇市の方へすり寄ると、

「ところで、今日は、あと、どれぐらいのご注文を戴けまっしゃろか」

低い声で聞いた。

「ええ？　何だす――お昼御飯、へえ、戴きまっせえ」

宇市は急に耳が遠くなったらしく、見当はずれの返事をした。山徳は呆《あき》れたように宇市の顔を見、ちょっといまいましげに口を歪《ゆが》め、

「さよだす、わても腹ぺこだすわ」

と応《こた》え、倉庫を出ると、倉庫の前の空地においているオート三輪に乗り、

「さあ、大番頭はんは危のうおまっさかい、前の助手台に乗らんと、うしろの荷積み台へ坐《すわ》って、荷台の縁《ふち》をしっかり持っておくなはれや」

と云い、宇市をうしろの荷台に乗せると、まるで宇市への面当てのように、飛び撥《は》ねるような勢いで、田舎道を走り出した。宇市は金を入れた皮袋を股《また》の間に挟み、両手で荷台の縁を摑《つか》んで、濛々《もうもう》と上る砂煙に巻き上げられた。

駅前の繁華な通りへ出ると、急にスピードを落し、こぢんまりした仕出し兼料理屋

の前へ停った。宇市は車が停ってからも、暫《しばら》く腰を上げられないほど揺さぶられ、顔中、砂埃になっていたが、山徳が荷台のうしろへ廻って、開閉扉を開けると、何でもないようにしゃんと腰を伸ばして、オート三輪から降りた。

小料理屋の二階へ上ると、山徳は、オート三輪の上とはうって変った鄭重《ていちょう》さで、宇市を床の間に据え、自分は下座《しもざ》に坐って、

「まず、ご一献を戴きとうおます」

宇市に盃《さかずき》を勧め、銚子《ちょうし》をとってお酌をすると、

「大番頭はん、今日はまた、何のご用でおます？」

改まって、気懸りそうに聞いた。

「いや、ただ、うちの仕事先を見廻りに来ただけだす」

「そうすると、これからもずっと、大番頭はんが仕入方を取り仕切りはるわけでおますな」

山徳は、相手の様子を窺《うかが》うような表情をした。

「そうだす、先代の時と同じように仕入は、これからもずっとわてだす」

と応えると、山徳はほっとしたように、

「そら、何よりのことでおます、失礼だすけど、あのご養子《ようし》婿《むこ》はんでは、何というて

も、まだお若うおますし、それにこの世界では、ことの裏表を呑《の》み込んではらんと、職人も動きにくおましてな、へっへっへっ、まあもうお一つ――」

おべんちゃら笑いをうかべて、宇市に酌をし、

「ところで、大番頭はん、さっきの話だすけどな、うちで織り上げた生機木綿のリベート、仕入値の一分で少のうおましたら、一分五厘《りん》まで頑張らしてもらいまっさかい、もう一気張り、うちの荷出し高を殖《ふ》やしておくれやす」

「ふうん、一分五厘なあ――、しかし、なんぼ仕入方を仕切っているいうたかて、あんさんとこばかりに出すと、ほかの機屋《はたや》との割り振りがあるさかいな、この割り振りが難しおましてな」

宇市は鯛《たい》の刺身を口に運びながら、妙にもって廻ったいい方をした。

「割り振り――、なるほど、そうだすな、ほんなら、うちはもう一気張りして、一疋につき二分のリベートということで、どうでっしゃろ」

「二分――、ふうん、二分な」

宇市は、細い眼をぴかりと光らせると、

「出来るだけ、おたくへ廻すようにしまっさ」

「へえ、おおきに、そう呑み込んで戴けると、こっちもやりようおますわ、へっへっ

へっ、まあ、もう一つ、どうぞ――」

小狡《こずる》そうな笑いをうかべて、酒を勧めにかかると、宇市は手を振り、

「いや、もう結構だす、それに、またこれから店へ戻らんなりまへんよって、昼っぱらから、そうそう赤い顔をしておられまへんわ、おおきに、ご馳走《ちそう》はんでおました」

宇市は、肝腎《かんじん》の話が終ると、もう、そそくさと席をたった。

オート三輪車で大阪まで送るという山徳の親切を断わり、宇市は和泉府中の駅から、阪和線に乗った。

電車が動き出すと、宇市は陽の射《さ》さない側の座席へ移り、酒気で赤らんだ顔を醒《さ》ますために、ガラス窓を開けた。陽気をはらんだ風に吹かれながら、宇市はふと、口を緩めて独り笑いをした。何もかも、宇市の胸のうち通り運び、思うつぼにはまった快さが、宇市の口もとを緩めているのだった。宇市は、右手に提げた皮袋の細い提げ紐《ひも》を手首に二重に巻きつけ、膝《ひざ》の上に置くと、安心したように居眠りはじめた。

天王寺駅へ着くと、宇市はすっかり酔い醒めしていた。地下鉄に乗り替えて本町《ほんまち》で

降りると、宇市は、もう何時もの気難しい表情になり、背中を屈《かが》めてせかせかと忙しそうに歩いた。

矢島商店の暖簾《のれん》をくぐると、店内は地方からの仕入客で賑《にぎ》わっていたが、店員たちは一斉に、

「大番頭はん、お帰りやす」

と声をかけた。宇市は、お客の前を丁寧に頭を下げて通りぬけ、勘定場に入ると、良吉が待っていたように、

「宇市つぁん、どこへ行ってはりましてん、朝からずっと、姿が見えへんさかい、探してたんだす」

やや詰《なじ》るようにいった。宇市は、金庫の横へ坐り、

「なんぞ、お急ぎのご用でもおましたのでっしゃろか」

「貸借対照簿と商品台帳を照合しようと思うたら、帳簿がややこしいて、さっぱり解《わか》れへんさかい、あんたに聞こうと思うてたんだす」

といい、机の上に広げた帳簿を指した。宇市は、ちらっとそれを見、

「ああ、それでっか、それは先々代からのやり方で、先代もその通りにしてはりましたけど、お難しおましたろ、そのうち追い追いに、お教えしまっさ」

良吉は、一瞬、硬《こわ》ばった表情をしたが、先々代からを持ち出されると、返答のしようがなく、

「朝から、どこへ行ってはったんだす?」

言葉を変えた。

「銀行から、うちの仕入先の機屋や晒《さらし》工場を廻ってたんだす」

「それも、これからは、わてが廻るようにしまっさ」

良吉がそういうと、宇市は白髪《しらが》まじりの眉《まゆ》の下からじろりと良吉の顔を見、

「へえ、それも先々代からのやり方で、下請工場などへは、老舗《しにせ》の旦那《だんな》は出向かず、せいぜい、大番頭止まりのつき合いにしておりますねん、けど、これも、お望みでおましたら、ぼちぼちとお教えしまっさ」

おっかぶせるようにいい、何を思ったのか、店の間と奥を仕切っているくぐり暖簾の方へ眼を遣《や》り、

「今日は、奥内《おくうち》はどないしていはるのでおます?」

藤代たちの様子を聞いた。

「三人とも、出かけずに、家にいてはりますわ」

「それにしては、えらいお静かなことでおますな」

宇市は、ひっそりと静まりかえった奥内へ耳をすますようにし、

「明日は、いよいよ、第二回目の親族会の日でおますな」

宇市は、妙に重い粘りつくような声でいった。

第四章

早朝から奥座敷の雨戸を繰り、ガラス障子にはたきをかけ、廊下を往き来《ゆき》する女中たちの気配が慌《あわただ》しかったが、中前栽《なかせんざい》を隔てて別棟の藤代、千寿、雛子たちの部屋は、ひっそりと静まりかえり、親族会が始まる前の異様な静けさと慌しさが、矢島家の奥《おく》内《うち》を埋めている。

宇市は、何時《いつ》もより早目に店へ出ると、勘定場には坐《すわ》らず、店の間《ま》と奥を仕切っている中の間を通って、奥座敷の方へ足を運んだ。

拭《ふ》き磨かれたばかりの廊下が黒光りに輝き、足を滑らせそうであった。渡り廊下を渡って、母屋《おもや》の座敷へ入ると、一ヵ月ぶりに三方のガラス障子が開け放たれ、上女中のお清を頭《かしら》にして、四人の女中が、十二畳と八畳続きの座敷を拭き磨き、床脇《とこわき》の仏壇の扉を開いて、仏具を飾り、経机《きょうづくえ》の上に香台を置いて、仏を前にして行なう親族会の用意を整えていた。

お清は、宇市の顔を見ると、香台を磨いている手を止め、

「大番頭はん、お早うおます、ちょうど、ええとこへお見えやした、お席の並べ方は、どないしたらよろしおますやろか」

と席順を聞いた。宇市は座敷の間取りを確かめるように見て、

「お仏壇を正面にして、座敷机を置き、上《かみ》に向って左側にご分家の今橋《いまばし》の御寮《ごりょう》さんと旦那《だんな》はん、その向いに大嬢《おおいと》さん、なかぁんさんとご養子婿《ようしむこ》はん、こいさんは今橋の旦那はんのお隣で、わては一番、下座だす」

「御親族会のお時間はご予定通りでおますか」

お清は、妙にひっそりとしている藤代たちを、懸念《けねん》するように聞いた。十時から始まることになっているのに、九時を過ぎても、藤代たち三人の部屋は、朝食をすませたあと、慌しい気配もなく静まりかえっているのだった。宇市は、ちょっと言葉をとぎらせたが、

「そうだす、予定通りや、こういうことは、何でも定《き》まった通りにせんといけません、あんたらも、時間に間にあうように、ちゃんと用意を整えておきなはれ、よろしおますな」

念を押すように云《い》い、宇市はゆっくり、踵《きびす》を返して、母屋の廻り縁の角まで来た時、

ふと足を止めた。

中前栽を挟んで、藤代、千寿、雛子の部屋がコの字型に向い合い、それぞれの部屋のガラス障子に明るい朝の陽が射《さ》し込み、庭木の茂みが青々とした枝を延ばしていたが、申し合わせたように三部屋とも、ぴったり、ガラス障子を閉めきり、静まりかえっていた。

宇市は、やや戸惑うような表情をしたが、渡り廊下を伝い、足音をしのばせるようにして藤代の部屋の前まで行き、

「お早うおます、宇市でござりますけど、およろしおますか」

外からそう挨拶《あいさつ》すると、やや間《ま》をおいてから、

「お入りぃ」

藤代の短い応答があった。襖《ふすま》を開けると、十畳の座敷の真ん中に鏡台を据え、その前に坐った藤代の周りに、華やかな衣裳《いしょう》が広げられていた。

「あっ、お召しかえをしてはるのでおますか」

宇市が慌《あわ》てて、引き退《さが》りかけると、

「いいえ、まだ時間がおますさかい、お衣裳を広げて見てるだけだす」

と云い、座敷一杯に広げた衣裳の中から、萌黄色《もえぎいろ》の駒綸子《こまりんず》の衣裳を取り上げ、はら

りと肩の上に載せた。

「どう、今日の集まりには、これを着ようと思うてますねん」

若芽の萌えたような鮮やかな緑が藤代の体を掩《おお》い、後背《うしろぜ》に利休橘《りきゅうたちばな》の家紋が、銀糸で燦《きらび》やかに縫い取られていた。

「お衣裳のことは、手前どもには解《わか》りまへんけど、今日のお集まりは、御親族会と申しましても、今橋のご分家が親族代表でご出席になりはるだけで、あとはご姉妹さま方だけの、ごく内輪《うちわ》のお集まりでっさかい、紋付のお召しもので無《の》うて、およろしおますが――」

宇市がそう応《こた》えると、藤代は衣裳をまとったまま、宇市の方へ開き直り、

「どんな内輪の会でも、亡《な》くなりはったお父さんの遺言状で、この家の遺産分けをする日だす、いうてみたら、矢島家の歴史がどう変るかも解れへん日でおますさかい、ほかの人はともかく、総領娘の私は、矢島家の紋を背負うて出るのが、嗜《たしな》みというものでおますわ」

気負いたつような熱っぽさで云い、自分の体にまとった衣裳の美しさを、見惚《みと》れるようにした。一瞬、異様な気負いと華やかさが部屋を埋めかけたが、宇市はのそりと体を動かし、

「そろそろ、お時間でおますさかい、お召替えをして戴《いただ》いて、奥座敷の方へ、お出まししておくれやす」

と云い、襖を開けて部屋の外へ出た。藤代の部屋から鉤《かぎ》の手に折れた廊下を通り、千寿の部屋の前まで来ると、宇市は先程と同じように襖の外から声をかけた。

「お入りやす――」

千寿の低い籠《こも》るような声がした。襖を開けると、出違いになったのか、良吉の姿は見えず、部屋の中に花茣蓙《はなござ》を敷き、その上に青磁色の花器を置いて、花を活《い》けにかかっていた。黄色の小さな葉をつけた金葉の枝の面白いゆがみを主にし、根締めに紫色の鄙《ひな》びた都忘れの小さな花をさらりとあしらっていた。地味で沈んだ花の彩《いろど》りであったが、一つ一つの枝と花の扱いにぴーんと張り詰めるような静かな強さがあった。千寿は手を止めると、

「宇市つぁん、何のご用だすのん」

と云い、宇市の方を向いて、何時ものようにひっそりとした笑いを見せた。

「いえ、とりたてたご用は、おまへんけど、そろそろお時間でおますさかい、念達を入れに参じましただけで――」

「そう、それはご丁寧におおきに、用意はちゃんと出来ておますわ」

そう云われてみれば、千寿は藤代の華やかさと異なり、地味な茄子紺《なすこん》の一越縮緬《ひとこしちりめん》に、さび朱の帯を締め、化粧をすませた匂《にお》やかな顔で、静かに花を活けているのだった。

「たいそうに、お寛《くつろ》ぎでございますな」

「こうしてたら、何よりも気が散らんと静かに過ごせますさかい――」

そう云い、千寿は活け込んだ花の形を見据え、鋏《はさみ》を取ると、金葉の下枝が気に入らないのか、そこへ鋏を当て、パチンと音をたてて切り落した。

宇市は、千寿の部屋を出ると、廻り廊下を通って、雛子の部屋へ足を運んだ。中前栽に面した方のガラス障子は、締め切られていたが、廊下に面した襖は小開きになり、そこから中の様子が見えた。

赤い絨緞《じゅうたん》を敷き詰めた和室に肘《ひじ》かけ椅子《いす》を置き、雛子が背中をずらせるような不作法な姿勢で腰をかけ、新聞を膝《ひざ》の上に載せたまま、ぼんやり天井を見上げていた。

「こいさん、よろしおますか」

襖の間から宇市が顔を覗《のぞ》かせると、雛子はびくっと飛び上るように振り向き、

「ああ、びっくりするやないのん、いきなり、にゅっと顔を出したりして――」

雛子は、真底、驚いたように口を尖《とが》らせた。宇市は白髪《しらが》まじりの眉《まゆ》の下で、やや眼を細めながら、部屋の中へ入り、

「えらいお静かでおますけど、何をしてはるのだす？」

「天井の節穴がなんぼあるか、数えてるねん」

「へえ、天井の節穴――」

　宇市は、とっさに返事に戸惑った。

「朝から三回数え直したわ、姉さんのお部屋も、なかぁんさんのお部屋も、まるで幽霊屋敷みたいに、妙にしーんとして薄気味悪いやないの、まさか、私一人が喧《やかま》しいにするわけにもいかへんし、今日の集まりは、早うすまして、ぱあっと何処《どこ》かへ遊びに行きたいわ」

　雛子は、とぼけとも、本気ともつかぬ云い方をし、

「あと、何分ぐらいで始まるのん？」

「さようでおますな、あと十五、六分でおますけど、今橋のご分家はんがお見えになり次第、始めさせて戴きまっさかい、ご用意をしておいておくれやす」

　と云い、席をたちながら、雛子の膝の上を見ると、折り畳んだ新聞の端から細かい数字が並んでいる株式欄が見えた。宇市は、細い眼でちらりと雛子の顔を見、

「こいさん、さっきから新聞をご覧になって、天井の節穴ならぬ株の大穴を思案してはりましたのでっしゃろ」

すかさず、そう問いかけると、雛子は、下膨れの頬に、にいっと笑窪《えくぼ》をつくり、

「そうかも解れへんわ、この頃、私も急に欲が出て、一儲《もう》けしとうなったさかい
――」

けろりとした顔で応えた。

雛子の部屋を出ると、宇市は店の間へ戻らず、空部屋になっている中の間の小座敷へ入った。薄暗い部屋の真ん中に坐り、煙草《たばこ》を出して火を点《つ》けると、今、一巡して来たばかりの三人の部屋の様子を思い返しながら、一カ月前の親族会の時から預かっている故矢島嘉蔵の遺言状を懐《ふところ》から出して、畳の上に広げた。

和紙の巻紙に几帳面《きちょうめん》な字画がしたためられ、その字のような几帳面さで、長女藤代、次女千寿、三女雛子のそれぞれの立場を考慮した遺言をしたためている。総領娘でも一旦《いったん》、他家へ嫁して出戻って来た藤代には、矢島家の商いを継がせず、手固い土地建物の不動産を与え、養子婿をとっている次女の千寿を、矢島家の跡目に据え、商いを継がせて筋目を通し、三女の雛子には、結婚費用と持参金に換えられる株と骨董《こっとう》を与えている。誰がみても一応、穏当に考える難のない遺言状であったが、三人姉妹は、三人三様の平静さを装《よそお》いながら、その実、それぞれの胸の中に、周到な計算と相手に対する異様な警戒心を抱いていることが、宇市に感じ取られ、今日の親族会の複雑さ

が今から宇市の気に懸った。

慌しい人の気配がしたかと思うと、廊下に賑《にぎ》やかな声が聞え、藤代たちの叔母の芳子が着物の裾《すそ》を蹴《け》りたてるようにし、夫の米治郎より先にたって奥座敷へ入って来た。

「まあ、まあ、一カ月前に始めて、遺言状を開いたあの日とそっくりだすな、けど、今日は他《ほか》のご親戚《しんせき》がいはれへんさかい、わての責任は重大でおますな」

遅れて来た断わりを云わず、正面の仏壇の前へ行き、燈明《とうみょう》と線香をあげ、くるりと向き直って、上座の自分の席へ坐ると、藤代の燦やかな衣裳に眼を当て、

「まあ、改まったお衣裳でおますこと、縫取りの紋までついて――けど、今日は親族会といっても、内輪の集まりでっさかい、みんな、どうぞ、お気楽に――」

と云い、下座に、控えている宇市の方を向くと、宇市は待ち構えていたように、机の上に置いた故矢島嘉蔵の遺言状を広げ、

「先日の御親族会で、お伝え致しました遺言状による遺産分配について、今日は今橋のご分家さんにご親族代表を勤めて戴きまして、お三人のご相続分についてご協議を戴きとうおます」

と切り出し、

「まず、ご長姉の大嬢《おおいと》さんの方から、ご相続分についてのお応えを戴きとうおますが――」

宇市は、右側の上座に坐った藤代の方へ細いよく光る眼を向けた。藤代は、萌黄に銀糸一つ紋の着物を着た上半身をそらせ気味にした姿勢で、口を開いた。

「私の意見をいいます前に、なかぁんさんの相続分が、どれくらいになるのか、その説明をしてほしおます」

「えっ、私の相続分を――」

藤代の横に、伏眼がちの細面《ほそおもて》を見せていた千寿は、はっとしたように藤代を見上げた。

「そうだす、あんたが相続しはることになっている矢島商店の土地建物と暖簾《のれん》営業権はどれくらいの評価になるのか、まず、それから聞かしておくれやす」

「私は、そんな、評価やなど、難しいこと、うちの人が……」

と云いかけると、千寿の隣に坐っている良吉が千寿をかばうように体を前へ乗り出した。

「そのことでおましたら、さしでがましいようでおますけど、わてが代って、喋《しゃべ》らせて戴きとうおますが――」

藤代は、それに、いいとも、悪いとも応えなかったが、良吉はさらに体を前へ乗り出すようにして、言葉を継いだ。

「まず矢島商店として使用中の土地建物について申しますと、間口十間奥行二十四間の二百四十坪の内、ご遺言通り、中の間《ま》を境にして、店舗に使用しています店の間八十坪だけがわてらの相続分でおますさかい、坪四十万として八十坪で、三千二百万、在庫品は商品台帳によりますと三千三百二十万、そのほか運搬用ダットサン三台を中古の値段に換算して一台十五万で四十五万円、金庫、机、椅子、荷台など商い用の備品一式がおますが、これらはもう古うなってまっさかい、まあ、ただ同様でおます」

良吉は一気に喋り、ちょっと言葉を切ってから、

「次に暖簾営業権、つまり暖簾代の評価でおますが、これは、その店の土地建物の価格と同額を、一坪当りに換算するのが普通でおますので、矢島商店の暖簾代は、坪四十万で八十坪、三千二百万円ということになります」

「三千二百万――、打出《うちで》の小《こ》槌《づち》がたったそれだけでおますか」

藤代は突き刺すような鋭さで云った。

「打出の小槌？」

良吉は、聞き返した。

「そうだす、商人にとって暖簾は、打出の小槌みたいなものだす、たった一枚の布地でおますけど、そこについている標《しるし》のおかげで、打出の小槌を振るように腕を振るいさえしたら、間違い無う確実に、商いが広がる結構なものやおまへんか、それだけに老舗《しにせ》の暖簾は、もっと重うにみるのが常識で、その店の土地建物と暖簾代の比率は、四対六の比率で評価してほしおます」

「えっ、四対六――」

良吉は、さっと顔色を変えた。

「そうでおます、四対六でも、老舗の暖簾代としては、決して高い方やおまへん、それとも、あんさんは、外から入って来はった人のひが目で、この矢島屋の暖簾は、それだけの値打のない、軽い薄いものやとでも云いはるのでおますか」

総領娘らしい気負いと呑《の》んでかかった尊大さで詰め寄った。座が白け、重苦しい雰囲気に包まれた。ふいに千寿の体が前へ揺れ、蒼白《そうはく》な顔が歪《ゆが》んだかと思うと、

「姉さん、何も、うちの人が、矢島屋の暖簾を軽うみるなど、そんなえげつない云いはり方を――」

あとは言葉にならず、千寿の眼に涙が溢《あふ》れた。藤代は、平然と千寿の顔を見詰め、

「また、なかぁんさんの泣き落しが始まったんでおますか、何かというたら、そのおとなしい上品な顔で、お涙式の胡麻化《ごまか》しをしはるのはやめておくれやす」

ぴしゃりと平手打ちをするように云い、良吉の方へ向き直り、

「それから、もう一つ、あんさんにお聞きしたいことがおます、遺言状の第一条に、あんさんらが商いを継いでも、月々の純益の五割分は、私たち三人に三等分するようにと書き記しておますけど月々の商い高とその純益は、どれくらいになるのか、説明しておくれやす」

畳み込むように云った。良吉は、硬《こわ》ばるような表情をしたが、

「だいたいうちの月商いは、一カ月四千万で、荒利益《あらりえき》一割、このうち人件費その他の諸経費を差し引いて、純利三分というわけでっさかい、純益は一カ月百二十万で、このうちの五割の六十万は当方に、あとの六十万は三等分で、約二十万ずつという割振りになるわけだす」

「へえぇ――純益がたった三分で、一カ月百二十万円――えらい少ないやおまへんか、それは表向きのことで、隠し利益というのがあるのやおまへんか」

疑ぐるような云い方をした。良吉がむうっと気色《けしき》ばみ、

「ご不審にお思いでしたら、帳面を見て戴いたらお解りでおます、わてはちゃんと帳

面に出てる数字をもとにして、いうてるのだす」

藤代は、ちょっと言葉に詰ったが、

「宇市つぁん、お父さんが亡くなりはってから、うちの商いは、どんな工合にしてるのだす？」

「へえ、それは、旦那はんのお達者な時からと同じように、手前が仕入方と帳簿、若旦那はんが伝票の整理、給料の勘定など、その他一切の総務という工合にやっとります」

「ふうん、そうすると、お父さんは何をしてはったのだす？」

「大旦那はんは、仕入方の元締めと小切手の判つきというお立場でおました」

「ほんなら、お父さんが亡くなりはってからは、宇市つぁん独りが、仕入方を取り仕切ってはるわけでおますな、それなら、良吉さんより、むしろ、うちの商いについては、大番頭はんのあんたの方が詳しいというわけでおますな」

藤代は、何時《いつ》になく、宇市に向って、鄭重《ていちょう》なものの云い方をした。宇市は、白髪まじりの眉の下で、返事に迷うように眼を瞬《しばた》かせた。藤代はそれに勢い付くように、

「宇市つぁん、あんたの見たところではうちの商いは、どんなものでおます？」

宇市はちらっと良吉の方を盗み見するようにしてから、口を開いた。

「そうでおますな、手前の見ましたところでは、さっきの若旦那はんがおっしゃった通り、月商い四千万、荒利益一割、純益三分というところでおます」

藤代は、呆然《ぼうぜん》とした。日頃、良吉を疎《おろそ》かにしている宇市が、まさか、良吉の言葉に追随するなどとは、思ってもみないことであった。

藤代は、孤立した心の怯《ひる》みを覚え、気弱になりかけたが、梅村芳三郎の云った言葉が胸に来た。——しっかり計算しはらんとあきまへん、三人のご姉妹の中であんさんの取り分が一番お損でおます——生温かい粘りつくような芳三郎の声が、藤代の耳に甦《よみがえ》った。

藤代は、つと眼を上げると、落ち着いた表情で、叔父の米治郎の隣に坐《すわ》っている雛子に眼を向け、

「次は、こいさんに聞いておきたいことがおます」

「私に——、へえ、どんなことかしらん」

雛子は、下膨れの頬に笑窪をうかべ、無防備な応え方をした。

「あんたが相続しはる株券と骨董《こっとう》の評価は、どれぐらいでおます？」

「ああ、私のん、それやったら、株券は関西電力、東洋レーヨン、日立製作、松下電器、京阪神電鉄、旭化成など六万五千株で二千四百万円、骨董は八十六点で、七千二

義書換をする時に偽名を沢山使うて、少ない目に分散したり、相続税の申告期間がすんでから少しずつ整理したりして、実数株を表へ出さんとすませるさかい、実際は十万株ぐらいの値打があるやおまへんか、それに骨董かて、誰の紹介か知りまへんけど、あの京雅堂とかいう骨董屋はんに、どうにでも値を付けてもらえますやろし――」

突然、叔母の芳子が、上座から、小肥《こぶと》りの体を前へ乗り出した。

「藤代はん、さっきからあんたの云いはることを聞いていると、人の相続分ばっかり聞いて、一々、文句をつけてはるけど、あんたの相続分は一体、どうでおますねん」

「ああ、そのことでおますか――」

他人《ひと》ごとのように軽く受け、

「その前にちょっと、宇市つぁんに確かめておきたいことがおます」

と云い、宇市の方へ向き直り、

百三十万円だすわ」

「ふうん、あんたもなかなか上手な見つもりにしはりますねんなぁ」

皮肉な笑いが、口もとを掠《かす》めた。

「何が、上手やのん」

「株券六万五千株で二千四百万と云《い》いはるけど、それは私の不動産などと違うて、名

「桜宮《さくらのみや》小学校の裏側にある六軒長屋、二棟《ふたむね》の貸家は、一戸当り三十坪と宇市つぁんから聞いてましたけど、一戸当りに四坪ずつも少ないのは、どういう意味でおます」

「え？　一戸当りに四坪も少ない——、そんなことおまへんはずだすが——」

宇市は、合点の行かぬ表情をした。

「嘘《うそ》やと思うたら、明日にでも検分に行っておくれやす、あの六軒長屋が二棟並んだうしろに、細長い空地になってるやおまへんか」

気色ばむように云うと、

「ああ、そうでおました！　これはえらい手違いなことで——、あれは戦時中に露地を広げるための強制疎開《そかい》で、四坪ずつ削り取られましたのをうっかり致しとりましたわ」

そう云い、真底、恐縮するように頭を下げた。

「うっかりなどせんといておくれやす、出戻りの私にとっては、今度の相続は私の一生扶持《ぶち》にせんならんかも知れまへんさかい、四坪ずつ十二軒、合計四十八坪分を差し引いた上で、東野田町の貸家三十軒と、北堀江六丁目の貸家二十軒の評価を、人に頼みましたところ、土地建物ともで、八千五百万円という評価だす」

藤代は、芳三郎と周旋屋が云った額より、少ない金額を云い、

「評価は八千五百万でおますけど、不動産相続にかかる税金を考えましたら、八千万以上の相続は、半分ぐらい相続税に持って行かれまっさかい、この分を差し引いて、私の手取り相続額は、約五千万円と考えて戴き、足らずは、あとで皆さんに考えて戴きとうおます」

「と云いはるのは、どういう意味のことでおます？」

叔母の芳子は、用心深い語調で聞いた。

「お解《わか》りやおまへんか、私の相続税に持って行かれて減る分だけ、ほかの二人の取り分から調整してほしいというわけだす」

千寿と良吉の顔に激しい動揺の色がうかんだ。雛子も、あっ気に取られるように藤代の顔を見詰めた。

「どうでおますかしらん――」

藤代が返事を促すように云いかけると、良吉の膝がつうっと前へ出、改まるように膝の上に両手を揃《そろ》えた。

「只今《ただいま》のお話では、姉さんが相続税からさっ引かれる分だけ、当方たちの取り分から割り戻ししてほしいというようなご意見でおますけど、相続税というのは、不動産を相続する場合だけで無《の》うて、暖簾営業権を継ぐ場合にも、こいさんの株、骨董類の相続の時にも同じように、がっちりかかって来るものでおますさかい、姉さんの相続税だけを云々《うんぬん》しはるのは、ちょっとお話の筋が違うようでおますけど——」

と云うと、藤代は落ち着き払った表情で、

「それは、一通りの理屈というものでおます、なるほど、暖簾営業権にも、株、骨董にも同じような相続税がかかります、けど、暖簾営業権などというものは、どうにでも評価のつけられるものだすし、株券も名義書換の点を上手にしたら、全部表へ出まへんし、骨董類に至っては、値があって無いようなものでおますやろ、碌《ろく》なものが無かったとか、偽物《にせもの》があったとか、どうにでも云い逃れがききますけど、土地家屋は何坪何合何勺《しやく》まで登記簿に記載されますさかい、逃げ隠れが出来ず、どう考えても、三人のうちで私の相続分が一番損だす、妹の身分ならともかく、総領娘の姉が一番損な相続をするというのは、納得がいきまへん」

突っ撥《ぱ》ねるような強さで云うと、重苦しい沈黙が一座を包んだが、千寿の青白い細《ほそ》面《おもて》がふいに藤代の方を振り仰ぎ、

「姉さんが、そない税金のことまで持ち出して、お損や、お損やと云いはるのでしたら、私にも云い分がおます」

透《とお》き徹るような細い硬い声で云った。

「へえ、あんたに云い分がおますの、矢島商店の暖簾営業権という、まるで打出の小槌みたいな相続分を貰《もろ》うて、その上何を云いたいことがおますのでっしゃろか」

藤代が開き直るように応《こた》えると、千寿の薄い唇がわななくように震え、

「姉さんが嫁きはる時に持って行きはった持参金、お衣裳《いしよう》料、それにお茶道具類を加えると、たいしたお値嵩《ねがさ》になりますけど、姉さんが税金の方を差引きしてほしいと云いはるのでしたら、こちらはそのお嫁入りの時のお支度料も、相続分から差引き勘定をしてほしいと云いたいのだす」

「へえ？　私がお嫁に行く時、差引き勘定にせんならんほど、持って行った覚えはおまへんけどな」

鼻先であしらうように応えた。その語気に圧《お》され、千寿は云い詰りかけたが、

「妹の私などとは、比べものになりまへんほど、仰山な、おりっぱなお支度でおましたわ」

そうはっきりと云った。

「仰山って、どのくらいだす？　勘定してくれはったのやったら聞かしてほしおますわ」

藤代の眼が険しい光を帯びた。千寿はまた、ためらうような表情をしたが、ちらっ

と良吉の方を見てから、思いきったように、

「姉さんの持って行きはった持参金は、たしか五百万円、お衣裳料が五百万円、それに銘の通ったお茶道具というのが、姉さんのお支度でおます、法律でも遺産相続の前に開業資金や結婚資金、持参金などを貰うていた者は、その分を差し引いた割で計算することが認められているようですさかい、姉さんの持参金もそのようなお勘定にしてほしおます」

蒼《あお》ざめながら、そう云いきると、雛子も、

「ほんまやわ、そんな仰山な結婚費用で嫁《ゆ》きはったのやったら、それを差引きせんと不公平やわ、この間、私が蔵帳調べをしている時、取って行きはった野点《のだて》用の茶箱も、ちゃんと差引き勘定の中へ入れてもらうわ」

昂《たかぶ》った声で云うと、

「こいさん、あんたは、黙っておいやす!」

ぴしゃりと閉め出すように云い、千寿の方へ開き直り、

「それが、あんたと養子《ようし》婿《むこ》はんとで計算しはった私の懐《ふところ》勘定でおますか、けど、そんな人の衣裳代までの細かい勘定は、何をもとにして勘定しはったのでおます? それを聞かせておくれやす」

ゆっくりと、粘りつくような云い方をした。みるみる、千寿の顔から血の気が引き、痙攣《けいれん》するように醜く引き吊《つ》れた。藤代の顔に冷やかな笑いが漂い、

「そら、云いにくおますやろ、そない云いにくいようでおましたら、私の方から云うてあげまっさ」

帯の間へ手を差し入れたかと思うと、白い折り畳んだ紙を出した。

「はい、これに見覚えがおまっしゃろ」

というなり、机の上へさっと広げた。

証

一、衣裳部屋及び蔵内《くらうち》の長姉、藤代どのの衣裳簞笥《だんす》、長持、手文庫、その他の御道具類など一切の持物に今後手を触れませぬことを固くお約束申し上げます

三月十三日　千寿

藤代どの

雛子と叔母夫婦の眼に驚愕《きょうがく》の色がうかび、宇市の眼にも、動揺が現われていた。叔母の芳子は、眼を据えるように暫《しばら》く、机の上に広げられたものものしい書きものを見

詰めていたが、

「一体、これは、どないしたことでおます——」

藤代の咽喉《のど》もとに、声にならない笑いがこみ上げ、ふうっと大きな息を吸い込むようにし、

「これは、お父さんの二七日《ふたなのか》がすんだばかりの日、何時も人気《ひとけ》のない衣裳部屋に、かすかな人の気配がしますので、そっと戸を開けて見ると、北向きの薄暗い部屋の中に、なかぁんさんが這《は》いつくばるように坐り、私の衣裳簞笥の引出しを開き、中から私の衣裳を取り出し、一枚ずつ、表地を撫《な》でさするように見、裏へ返して、胴裏、八掛《はっかけ》まで手に取って、丹念に人の衣裳調べをしてはったのだす——」

その光景を微細に、眼に映すように話す藤代の眼に残酷な光が輝き、しーんと静まりかえった部屋の中に、不気味な冷えと肌に纏《まつわ》りつくようないやらしさがたち籠《こ》めた。

叔母の芳子は、ふと衿《えり》もとをかき合わせ、

「背筋がぞっとするような話だすけど、それ、ほんまだすか、なかぁんさんが——」

顔を俯《うつむ》け、息を殺しているような千寿の方を見、信じかねるように云った。

「そうお思いでっしゃろ、私も、最初、自分の眼を疑いましてん、けど、やっぱり、なかぁんさんと知った時は、ぞうっとして、思わず、体の芯《しん》が冷えましたわ、それだ

けに、何か万一の時の証拠にと思うて、一札を取っておいたわけだす」

と云い、勝ち誇るような視線を投げかけると、

「阿呆《あほ》やな、なかぁんさんは、こんなん書いて――」

不意に雛子がそう云った。

「何が、阿呆だす」

咎《とが》めだてるように云うと、

「私やったら、書けへんわ」

と云い、雛子の体が机の上に屈《かが》み込んだかと思うと、両手で証文を引ったくった。

「あっ、こいさん、何を――」

のけ反るように藤代が叫んだ時、証文の破れる音がした。雛子の白い手の中で、びりっと大きく引き裂かれ、続いて何重にも細かくびりびりと引き破られたかと思うと、雛子はくるりと庭先へ向き、掌《てのひら》の中の紙片を大きく抛《ほう》り投げた。白い紙片が花びらのように細かく宙に舞い、庭先の湿った青苔《あおごけ》の上に、点々と散り落ちた。

「こいさん！　あんたは一体、何を企《たくら》んで――」

肩で荒い息をつきながら、雛子を見据えた。雛子は、くるりと藤代の方へ向き直ると、

「別に深い意味はあらへんわ、ただ、姉妹同士で証文を取ったり、取られたり、そうして、それを楯《たて》にして相続分の駈引《かけひき》をするのはいやらし過ぎるわ、そういうて、何もなかぁんさんに同情したわけでも、味方したわけでもないわ、それどころか、なかぁんさんに対する見方は、いささか変りましたわ」

と、雛子の方を見て、救われたように涙ぐんでいる千寿の視線を、ぷいと撥《の》ね退け、

「こんな芝居がかった証文なんか、中へ入れんと、お互いに自分の立場で、取れるものは取ったらええやないの」

小憎らしいほどの明快さで云った。下座に坐っている宇市の白髪頭《しらがあたま》が相槌《あいづち》を打つように頷《うなず》き、膝《ひざ》を前へにじり寄せた。

「さようでおます、衣裳部屋へお入りになったなかぁんさんもお悪うおますが、それを種にしてご姉妹の中で証文をお取りになった大嬢《おおいと》さんももう一つでおます、ともかく、こいさんのおっしゃるように、ご相続分については、お三人ともいろいろとご意見がおまっしゃろけど、さっきのことは白紙にして、それぞれのお立場によって、相続分の配分をご協議なさるようにお願いしとうおます」

と云い、千寿の方を向き、

「大嬢さんのご意見の次に、なかぁんさんのご意見は、いかがでございまっか」

千寿は、まだ蒼ざめたまま顔を伏せていたが、宇市の声にかすかに顔を上げ、眼を瞬《しばたた》かせるようにし、

「私の方は、たまたま、うちの人が、お父さんの商いを見習い、手伝うて参りましたさかい、矢島商店の商いを継がして戴《いただ》くことには、何の異論もおまへん、ただ、月々の商いの純利益の五割を三等分に分配するというのは、正直なところ大分、荷の重いことでおますけど、これも、姉さんの云いはる打出の小槌とやらを戴いたからには、するのがあたりまえのことかもしれまへん」

そっぽを向いている藤代の方をちらっと見、皮肉を籠めて、言葉少なに云った。

「そう致しますと、こいさんのご意見は、いかがでおますか」

「私――、私は株券と骨董《こっとう》を相続することについては、何の異論もあらへんけど、一つだけ、承知でけへんことがありますねん」

「へえぇ、一体、何でおます――」

訝《いぶか》しげな視線が、雛子に集まった。雛子は、つぶらな澄んだ瞳《ひとみ》をきらりと光らせると、

「私の取り分になっている骨董品の中で、脱けているものがありますねん、雪村《せっそん》の滝山水のお軸があらへんわ」

「えっ、雪村の滝山水——」

千寿が、驚くように云った。藤代は、探るような冷やかな視線を雛子に当て、

「それ、間違いのないことでおますか」

確かめるように聞いた。

「ほんまやわ、この間、京雅堂が来て、値調べをして貰うた時、解ったのやわ」

「ふうん、おかしおますな、あれは、うちの骨董の中でも斗々屋《ととや》、黄瀬戸《きぜと》、鼠志野《ねずみしの》、光琳蒔絵《こうりんまきえ》茶箱《ちゃばこ》などと一緒に十指に入るもので、お父さんが亡《な》くなりはる三、四カ月前ぐらいまで、気の張ったお客さんがある時は、このお座敷の床の間へ掛けてはったはずやけど——、それがあれへんというのは、けったいな話だすな、蔵帳にはどうなってるのだす？　墨を引いて、消してしもうてるのだすか」

「ううん、墨で消してもあらへんわ」

「へえぇ、ほんなら、蔵帳にはちゃんと載っているのに、品物だけがないというわけだすな」

念を押すように云い、ふいに宇市の方を向き、

「宇市つぁん、どうしたというわけでっしゃろ」

宇市は、何時もの、むっつりした表情で、

「さようでおますな、手前も、その辺がとんと解りまへん、今までご親類筋やご別家のご祝儀《しゅうぎ》に差し上げられる時は、ちゃんと蔵帳に墨で消した標《しるし》をつけてはりますのに、これに限って、墨で消して無《の》うて、ちゃんと蔵帳に記載されてますのに、肝腎《かんじん》のものが無いわけで、まるで狐《きつね》につままれたみたいな話でおますな」

そう云い、怪訝《けげん》そうに頭をひねりかけると、叔母の芳子が、さっと気色ばみ、

「狐につままれたみたいやて、蔵の鍵《かぎ》と帳面を保管しているのは、あんたやおまへんか、それに、こいさんが京雅堂を呼んでお道具調べをしはるまで解りはれへんというのは、おかしおますやないか」

騒ぎたてるように云った。

「へえ、まことに鈍なことでおますが、御葬儀のあと始末や、何やかやに追いたてられ、先日、こいさんから云いつかりますまで、お蔵を開いて改める機会《おり》がおまへんでした、まさか、こんなことになるとは思わず、その上、ご相続の分配が定《き》まりません前に、お蔵を開けるのは、何かと誤解を招くようにも思うて、なるべくご遠慮致してましたんだす」

「けど、この間、こいさんと一緒に蔵帳調べをしはった時に、気が付きはるはずやおまへんか」

「ところが、あの時は、顔見知りのない骨董屋はんが見えはったので、途中から失礼してしまいまして、えらい迂闊《うかつ》な手落ちでおます」

確かに蔵帳と鍵を保管している宇市の手落ちに違いなかったが、遺産相続で揉《も》めている最中《さなか》に宇市が妄《みだり》に蔵の中へ入らなかったことも、一理のあることであった。

「そうすると、雪村の滝山水のお軸は、嘉蔵はんが亡くなりはる前に、もう蔵の中に無かったということになりますな」

と云い、叔母の芳子は、暫く考え込むように口を噤《つぐ》んだが、はっと膝を叩《たた》くようにすると、

「早速、うちの親類筋や別家へ、わてから角がたたんように、雪村のお軸が行ってないか、どうか、虱《しらみ》つぶしに問い合わせてみまっさ、それが無かったら、ほんまにえらいことだす」

叔母の芳子の眼に、騒ぎの大きさを楽しむような波だちがあった。雛子は、黙り込んでいる藤代と千寿の顔をちらりと盗み見し、

「ともかく、雪村のお軸の行き先がはっきりするまで、私は自分の相続を承知せえへんわ」

ぽいと、投げ出すように云うと、座が白けかえった。

不意に、叔母の芳子の隣に坐《すわ》っている叔父の米治郎の鶴《つる》のように瘦《や》せた長い首が、前のめりになったかと思うと、

「雪村の滝山水の軸の出先も大事でっしゃろが、ここで、ああや、こうやと詮索《せんさく》してみても解決がつきまへんし、それにまだ相続問題で、大事なことが残っているはずでおますさかい、雪村のことは、預かりにして、先へ話を進めた方がよろしいやおまへんか」

終始、口を噤んで、三人の姉妹の争いを傍観していた米治郎の発言であっただけに、藤代たちは、驚いたように米治郎の方を見た。米治郎は、律義《りちぎ》そうにきちんと両手を膝の上に置き、

「宇市つぁん、このほかにまだ、どんな問題が残っているのでおます?」

争いの渦中《かちゅう》に入っている者たちが、本末顚倒《てんとう》したり、見落しがちになる問題を、整理するようにいった。宇市は下座から、米治郎の方を用心深く見上げ、

「あとに残っております問題は、共同相続財産の分配でおます、只今《ただいま》、お三人さまがご協議になりましたのは、遺言状で、この者にはこれをやり、あの者にはあれをやってくれと指定された特定相続財産の分配でござりますが、この他《ほか》に御遺言状に『右以外の遺産は、共同相続財産とし相続人全員で協議の上、分割すること』と記されてお

ます、つまり、先の各人に何々をやると指定されて分配する相続財産以外は、共同財産ということになって、相続人が分割して、ご相続になるわけでおます」

「そうすると、その分配の仕方は、どんな工合になるのだす」

米治郎は、出来るだけ三人を刺激しないように声を柔らげた。

「お三人さまなら、三等分に分けるというわけでおます」

「三等分——、何でだす？」

藤代の険しい声がした。

「お父さんの遺言状には相続人全員で協議の上、分割することと書いてはるだけやおまへんか、それなら、特定相続分で取り分の少なかった者は、せめてこの共同相続財産の方の分配で増やしてもらうのが、当り前やおまへんか」

「ところが、遺言状で、誰々には何をいくらやってくれと、特に指定した場合は、たとえ不公平であっても遺言状によるというのが、法律でも定められたことでおますが、共同相続財産の分割で別にその比率を遺言しておまへん場合は、法律で定められている分割の比率、つまり、共同相続人が三人の姉妹の場合は、三等分に分割することになっておます、ご不満でおまっしゃろがさようご承知おきしておくれやす」

宇市は、慇懃《いんぎん》な口調であったが、きめつけるようにいった。藤代の顔に激しい動揺

の色がうかんだが、何時《いつ》もの取りすました冷やかな表情に返り、

「さっきから、三等分、三等分といいはるけど、もし、共同相続財産で三つに分けられへんものが出て来たら、それはどないなるのだす？　たとえば、この奥座敷も共同相続財産の中へ入るはずでおますが、三人ともこの奥座敷を欲しいといい出した時は、どないなるのだす？　まさか、この奥座敷を三つに切って分けるわけにもいきまへんやろし――」

畳み込むようにいいかけると、叔母の芳子が、つと体を乗り出した。

「分配の率をとやかくいう前に、まず、宇市つぁんに、共同相続財産が全部でどれだけあるか、公開して貰《もら》うことだす、それがすまんことには、話が運べしまへんさかい、財産目録を先にお願いしまひょか」

露骨に促すようにいった。

「さようでおますな」

宇市は、妙にゆっくりとした語調で応《こた》え、

「では、遺言執行者に指名されております手前が、財産目録を作る役目になっとりますので、先程、ご協議になりました特定相続財産を除いた共同相続財産の目録を、ご報告させて戴きます」

といい、宇市は、膝の横に置いた厚いハトロン紙の封筒の中から、罫紙《けいし》を綴《と》じた目録を取り出して、無造作に広げた。

「共同相続財産目録――」

一斉に、目録を広げている宇市の手もとに視線が集まった。

「一、不動産

(イ)土地・建物

大阪市東区南本町二丁目二百五十四番地所在、矢島商店の中の間を境とする奥《おく》内《うち》の土地百六十坪、二階建家屋九十七坪分

大阪府北河内郡八尾所在の農地五反歩

(ロ)山林

三重県熊野　四十町歩

奈良県吉野　五町歩

三重県大杉谷　百二十町歩

京都府丹波　十町歩

二、動産

(イ)銀行預金

住友銀行定期預金　千五百万円
　当座預金　七百万円
三和銀行定期預金　六百五十万円
　当座預金　六百万円
㋺有価証券
◇株券
　大日本紡績　二万株
　伊藤忠　一万株
　住友銀行　三万株
　日本セメント　一万五千株
　松下電器　二万株
◇投資信託
　野村信託　三百万
　山一信託　二百五十万

以上が、手前がお調べ致しました共同相続財産の目録でおます」
読み終ると、宇市は、順番に眼通しできるようにまず、藤代の方へ渡した。

藤代は、縦枠《たてわく》の罫紙に書き込まれた目録を見詰め、素早く頭の中で概算した。農地、山林、銀行預金、有価証券の中で、一番地味そうで値嵩《ねがさ》があるのが山林のようであった。山の立木は放《ほ》っておいても年々に育ち、伐採して材木に売り、そのあとまた植林しておけば立木が育つ。山の地床《じどこ》さえ持っておれば、これほど手間のかからぬ手固い財産は無さそうであった。しかも、春秋に自分の持山を見て廻る雄大な楽しみと豪勢さを思い描くと、藤代の胸に激しい欲望が高まった。しかし、それは噯《おくび》にも出さず、藤代は、目録を見終ると、静かに千寿に手渡した。

千寿は、目録を受け取ると、膝をずらせて、良吉の方にも見えるように広げた。不動産、動産ともに、良吉が予め《あらかじめ》計算していた見積りに近かったが、銀行預金の少なさが眼にたった。これだけの現金で矢島商店の商いの資金繰りが出来て行くのか、どうかは解《わか》らなかったが、良吉の見積った額とは、一千万円近い差異があった。ちらっと良吉の方を見ると、良吉も、銀行預金の項に訝しげな視線を当てていた。千寿が大きく眼を瞬かせると、良吉はどう考えたのか、眼で千寿を抑えた。千寿は、頷くように眼を伏せ、目録を雛子の方へ廻した。

雛子は、目録を受け取ると、無造作にさっと眼を通した。丹念に見詰めてみても、どうせ目録の内容や評価は解りそうもなかったし、第一、叔母の芳子が同席しているからには、叔母にじっくりと、眼を通してもらう方が得であった。一通り、項目別に黙読すると、雛子はぐいと手を伸ばし、叔父の向うに坐っている叔母の前へ、目録を置いた。

叔母の芳子は、小物袋から金縁《きんぶち》の老眼鏡を取り出し、形のいい切れ長の眼の上にかけると、目録を手にとって一行一行を計算するような細かさで読んだ。時々、何を思案するのか、金縁の眼鏡の下から、きらりと眼を光らせた。

「宇市つぁん、これだけでおますか」

不意に、叔母の芳子がいった。

「え、何がでおます——」

宇市は、聞きとれなかったように耳に手を当てた。

「矢島家に残っている財産にしては、えらい少ないですなと、いうてますねん」

声高におっかぶせるようにいうと、

「え？　少ない——ええ、ごもっともでおます」

宇市は、合点《がてん》するように大きく頷いた。芳子は、あっ気に取られたように宇市の顔を見た。

「ごもっともとは、まるで人ごとみたいなご挨拶《あいさつ》でおますな、大番頭のあんたが、そんなとぼけた返事をしてくれては困るやおまへんか」

気色ばむようにいうと、藤代の眼にも険しい光を帯びた。

「宇市つぁん、奈良の方に、山林がもうちょっとあったはずでおます」

「へえぇ、さようでおますか、けど、手前がお調べした限りでは、お店の金庫の中にある不動産登記書には載っておりまへん、嬢《とう》さんのおっしゃるのは、奈良のどの辺のことでおますか」

不審そうに聞き返した。

「たしか、奈良の榛原《はいばら》駅から車で半時間程、山の方へ登って行ったところだす、私がお嫁に行く前の年、お母さんと吉野へ桜見に行った帰りに、あれがうちの山だす、南向きで、水捌《みずは》けがええさかい、立木の育ちが他所《よそ》と違うと、いうてはったのを、今でも覚えているのだす」

探るように眼を凝らして宇市の顔を見ると、宇市は、いささかも表情を変えず、訝しげに首をかしげ、

「おかしおますな、それが、とんと手前の心当りがおまへんで、――嬢さんが何か、お聞き違いか、思い違いをしてはるのやおまへんでっしゃろか」

「間違いでは無さそうですわ――」

千寿も口を添えた。

「一カ月程前、宇市つぁんの留守中に、奈良から電話がかかって、山林のことを問い合わせて来ましたわ――」

「え？　何の問い合わせでおます――」

宇市は、また聞き取りにくそうに耳に手を当てた。

千寿は、ちょっと言葉を詰らせかけたが、まともに宇市の顔を見、

「立木の伐出《きりだ》し量と価格について問い合わせたい件があるという電話でおました」

一瞬、宇市の眼が鋭く光った。

「失礼でおますが、なかぁんさんが、そのお電話をお聞きやしたんでおますか」

「いいえ、うちの人が聞いて、私に――」

「ああ、若旦那はんがお聞きやしたんでっか」

そういい、良吉の方へ向き直ると、

「そうでおましたら、もっと早うにいうておくれやしたら、早速に、その方へ連絡して、きちんとした調べをして、今日の目録にも、ちゃんとお間に合わせて戴けましたのに――」

妙に鄭重《ていちょう》な、そのくせ良吉の無連絡を詰《なじ》るようにいい、

「ところで、場所はどちらでおます？」

「たしか、奈良の鷲《わし》——、鷲家《わしか》の登記所からやと、いうてたようだす」

良吉は、ややためらうように応えると、

「鷲家——、奈良県の鷲家というと、こうっと……」

宇市は、見当がつき兼ねるように、暫《しばら》く考え込み、つと顔を上げると、突然、ぽーんと膝《ひざ》を叩いた。

「そうそう、そういえば、四郷《しごう》村の下の方の鷲家という処《ところ》にも、山がおましたな、そう有名なところやおまへんので、つい、うっかりしとりましたわ」

宇市は恐縮したように頭を下げ、床脇《とこわき》の硯《すずり》を取ると、不動産の項に『奈良県鷲家』と書き入れ、

「町歩数はあとで、早速、調べて記載致しておきます、旦那はんがお亡くなりになってから、急に耄碌《もうろく》が来たようでおますわ」

誰にともなくそういい、妙な愛想笑いをした。藤代はにこりともせず、

「もう、ほかに大事なことを書き落したり、いい残したりしてはるようなことはおまへんか」

念を押すようにいうと、宇市は切り出す機会を待っていたように、

「いえ、もう一つ、大事な問題が残っておます、お三人さま方への遺言状とは別の、もう一通の遺言状の始末が残っておます」

「嘉蔵はんが、隠してはった女《おなご》にやる仕分けのことでおますな」

叔母の芳子がねっとりと絡《から》むように云《い》い出し、

「どんな女でおました？　宇市つぁんは前の親族会のあったあと、遺言状を伝えにあの女の家まで行きはったはずでっさかい、よう見て来はりましたやろ」

否応《いやおう》をいわさぬ聞き方であった。

「そうでおますな、おきれいで、慎《つつま》しゅうて、情の深いええ女《おなご》はんでおます」

「そうすると、器量、情合《じょうあい》、心得ともに三拍子揃《そろ》うた女やというわけだすか」

叔母の芳子が、冷笑するようないい方をすると、藤代の口もとに皮肉な笑いがうかんだ。

「情が深いことなど、一回ぐらいの訪問でよう解りはりますねんなぁ、まるで何回も訪ねてはるようないい方やおまへんか」

「それは、手前がお訪ねした時、ちょうどお位牌《いはい》のないお仏壇の前に坐って、まるで大旦那はんが生きておいやすように、ご存命中のものらしいお茶碗《ちゃわん》、お箸《はし》、お酒などのお膳《ぜん》を供え、涙が涸《か》れつくしたような顔でお給仕をしてはったのだす、その上、日那はんの遺言状をお見せすると、何を分けるとも、はっきり書いておまへんのに、自分のことを書きものにしてくれはったというて、今にも泣き死《じに》しはるほど、お泣きやした」

「きれいという話やけど、亡《な》くなりはったお母さんに比べてどうやのん」

雛子の好奇心に燃えた眼が、割り込んだ。

「御寮さんと比べるなど、無茶なことで、御寮さんは、何というても、ご大家の家付き娘さんらしい豪勢で目にたつおきれいさでおましたけど、あの女はんは、ひっそりとした顔だちで、日陰の女らしい哀れさがあって、それが男の心を惹《ひ》くわけでっしゃろ」

「慎しい人やといいはったけど、どない慎しおますのん」

千寿らしい聞き方であった。宇市は、ちょっと考え込むようにしてから、

「実は、旦那はんのご遺言状には、何分よしなに頼むという程度のお書置だすけど、嬢《とう》さん方はお心の温かいお人たちやさかい、きっとあんさんの身のたち行くようにお計らいしてくれはりますやろと、手前が申しましたら、どうぞ、わてのことでご本宅に迷惑をおかけせんようにしてほしいと、いうような女はんでおます」

「けど、それが、同情を買うための芝居やともいえますな」

藤代は、突き放すような冷たさでいい、

「で、女には、どれぐらいのことをしてやったらええのだす？」

乞食《こじき》にものを与えるような侮蔑《ぶべつ》を籠《こ》めたいい方をした。

「それは、ご遺言状には、何分よしなに頼むとだけしか、お書きになっていまへんさかい、おいくらでも、嬢さん方のお心持次第でおます」

「何分よしなに頼むという書き方は、一番いやらしいずるい書き方でおますな、いくらでもええといいながら、その実、私らが仰山やることを期待しているようないい方で、亡くなりはったお父さんの陰険さと狡猾《こうかつ》さが見えるようだす——」

藤代が、刺し通すような冷やかさでいうと、千寿は涼しい眼もとを瞬《しばた》かせ、

「そうかというて、あんまり少ないやり方では、私らの体面というものもおますし、どないしたらええのかしら——」

溜息《ためいき》をつくようないい方をした。

「体面なんか、どうでもええやないのん、私らの取り分から、二号さんにお金を渡すなんか、全く馬鹿馬鹿《ばかばか》しい話やわ、第一、そんな筋合、どこにあるのん、まるで、明治、大正時代の考え方やないのん、阿呆《あほ》らしいわ！」

雛子は、不満そうに顔をふくらませ、

「宇市つぁん、あんた、ほんまに、二通目の遺言状を実行するつもりやの？」

まともに聞いた。宇市は、雛子の気勢にやや驚いたような様子で、

「けど、ちゃんとした御遺言状がある限りは、嬢さん方に対する遺言状と同じように効力を持ってますさかい、もし、何の仕分けもない時は、女はんが遺言状不履行の訴訟でも起しはったら、こっちの不利になりますさかい、たとえ僅《わず》かでも、遺言状通り、何かを仕分けておいた方がよろしおますと思いますが――」

仲を取り捌《さば》くようにいうと、叔母の芳子は、何を思ったのか、ついと膝を前に進め、

「女の仕分けをしてやる、やらんは別にして、ともかく早急に女を本宅へ呼びつけることだす、嘉蔵はんが、なんぼやってくれと、はっきり書きはれへんかったんは、案外、生存中に、女にすることをしてやって、その上にまたやってくれという虫のええ話かもしれまへんな」

そういい、急に好奇心に満ちた眼を光らせ、

「それに、あの女を呼びつけてみたら、案外、雪村《せっそん》のお軸の行き先も解るかもわかりまへんわ、あんたらの相続も、その上のことにすることだす」

叔母の芳子は、巧みに親族会を打ち切った。

宇市は、皺《しわ》だらけの口もとを曲げ、白い眉《まゆ》を気難しげに寄せて、神ノ木の人通りの少ない道を歩いた。

今日であらかたの目処《めど》がつくと思っていた遺産相続が、何の目処もつかず、うやむやに一週間先の第三回目の親族会に持ち越され、その上、浜田文乃が呼びつけられることになり、雪村の軸まで絡《から》んで来ようとは、思いがけない不首尾さであった。財産目録の公開で、山林の持ち山数の操作が危うく表に出そうになり、そこをうまく潜《くぐ》り抜け、ほっと気を緩めた途端、分家の矢島芳子が巧みに親族会を打ち切り、持ち越しにしてしまったのだった。

宇市は歩きながら、皺だらけの口もとで苦い舌打ちをし、目標《めじるし》になっている精米所の角を折れ、門燈《もんとう》がぽつぽつと点《つ》きかけた小路を通り、煙草《たばこ》屋を兼業している薬局の横を入って、浜田文乃の家の前に出た。何時《いつ》もは閉ざされている小さな門が開かれ、玄関の格子戸《こうしど》も細く開かれたままになっている。

誰か来客でもと思い、宇市は門柱のベルを押さず、小開きになった玄関の格子戸の間から、そっと中を覗《のぞ》いた。六時過ぎというのに、電燈を点けず、薄暗い家の中が妙

にひっそりと静まりかえっている。宇市は、暫く、耳をすまして内の様子を窺《うかが》ってい
たが、ふいに戸の間から瘦《や》せた体を辷《すべ》り込ませ、足音を忍ばせて上り框《がまち》へ這《は》いつくば
るようにした。しーんと静まりかえった奥の方から、かすかに湯の滾《たぎ》る音がするだけ
で、人の気配が聞えない。

「ご免やす、おいでておますか」

思いきって、声をかけた。

「どなたはんだす――」

奥の方から低い籠るような声がした、宇市は慌《あわ》てて、上り框から体を起し、

「矢島屋の宇市でおます」

奥で人が起き上るような気配がし、玄関と茶の間を仕切っている襖《ふすま》が開いた。

「まあ、大番頭はん――、何時、お見えやしたんだす、うっかりしてまして――」

身づくろいするように、衿《えり》もとをかき合わせた。

「いえ、門も格子戸も開いてましたさかい、勝手にご案内も乞《こ》わず、玄関まで入って
来ましたけど、よろしおますのでっか」

宇市が、内らの都合を窺うように云った。

「どうぞ、お上りやす――」

文乃は、玄関まで起《た》って来ず、茶の間からそう云い、電燈を点けた。

電燈に照らされた茶の間に、長火鉢の鉄瓶の湯が滾り、火鉢の前で横になっていたらしく、座布団《ざぶとん》が枕《まくら》のように折り畳まれていた。

宇市は、思わず、鋭い眼で辺りを見廻したが、長火鉢の縁には、飲みさしの湯呑《ゆのみ》茶碗がぽつんと、一つあるだけで、ほかに人がいたような気配は見当らない。

「どこか、お工合でも悪うて、臥《ふせ》ってはったのやおまへんか」

明るい電燈の下で、青白んで見える文乃の顔を見詰めると、文乃は狼狽《ろうばい》するように首を振り、

「いいえ、別に、どこて悪いところはおまへんけど、ちょっと風邪を引き込みましたのか、さっき、表のお掃除をしていましたら、急に気分が悪うなりまして――、それで、門も玄関もそのままにして、ちょっと横になっていただけでおます」

そう云い、長火鉢のうしろの茶簞笥《ちゃだんす》から急須《きゅうす》と湯呑茶碗を取り出しかけたが、顔全体がむくんだように顔色が冴《さ》えず、首筋に乾いた毛がほつれ、病い窶《やつ》れのような窶れが見えた。

「ほんまに、大丈夫でおますか」

気懸りそうに云うと、文乃は急須に湯を注《つ》ぎながら、

「ほんとに、たいしたことおまへんさかい、心配せんといておくれやす、それより、ご本宅さまは、皆さん、お変りも無《の》うお過ごしでおますか」

姉妹たちのことを聞いた。文乃には、今日の親族会のことを伝えていなかったから、宇市は、返答に詰りかけたが、

「へえ、おかげさまでお三人さまともお達者で、実は、今日も、第二回目の御親族会を開いて、遺産相続の分配を話し合《お》うたのでおますけど、今日もまだ、話し合いがつきまへん」

そう云い、宇市が太い吐息をつくと、

「話し合いがつきまへんと、申しますと……」

文乃は、解《げ》し兼ねるように云った。

「つまり、世間でいう遺産争いでおます」

「えっ、遺産争い――」

文乃は、眼を見張るように云った。

「内輪のことでお恥ずかしいようでおますけど、三人のご姉妹が、お互いにご自分の相続分を少ない目に評価して、相手を牽制《けんせい》し、少しでも、ご自分を有利に持って行こうとしてはるわけだす」

「けど、家筋のあるごりっぱなご大家の嬢《とう》さん方が、ご姉妹で遺産争いなど、まさか——、御葬儀の時、白い喪服を着てお並びになり、眼が痛うなるほどお美しかった嬢さん方のお姿が、今でもまだ眼にうかぶようで、そんな……」

文乃は、信じられぬ表情をした。宇市は、長火鉢の縁に出されたお茶をごくりと一呑みし、上半身を前屈《まえかが》みにし、

「それが妙なもので、ご大家の嬢さんほど、欲がお強いようでおますな、お幼《ちいさ》い時から、ご自分が欲しいと思われたものは、何でも自分のものになり、人に譲るとか、ものを分けるとかいうようなことをご存知やおまへんので、遺産分けというような相手とものを分けることから始まることには、いささかの譲歩もござりまへん」

「けど、何というても、血を分けたご姉妹の間のことでおますし——」

文乃が、まだ信じられぬ顔をすると、

「ところが、肉親の姉妹同士の間ほど、争いが深うなるようでおます、数億の遺産の分配でありながら、あのお三人の間では、たとえ、一万円、千円、毛筋一本の出入りでも、お譲れになりまへんやろ、いっそ、他人同士ならお譲れになることでも、まるで、血が血を逆らうようにお三人の間に、腥《なまぐさ》い嫉《そね》みとも、憎しみともつかぬ競争心が呼び起されるようでおます、それも、四代も女系《にょけい》を重ねた血の濃さから来るものかと

思うと、何かぞっとするような、因果めいた怖《おそろ》しさが背筋に来るようでおます――」

一言、一言、粘りつくような執拗《しつよう》さを持った宇市の言葉が、文乃の胸を不気味に怯《おび》えさせ、文乃は息を呑むように、宇市の顔を見詰めた。

「その証拠に、雪村のお軸一本の行方にまで、お三人が疑心暗鬼、お互いを疑い合うてはるのだす」

「え、雪村――雪村の滝山水のお軸でおますか」

文乃は、驚くように云った。

「さようでおます、道具蔵の中にあれが無いというので、今日の親族会は大揉《おおも》めになって、流れてしもうたわけでおます」

「あのお軸なら、ここにお預かりしてございますのに――」

訝《いぶか》しげに文乃が云うと、

「今、あのお軸がここにあったと解《わか》ると、亡くなられた旦《だん》那はんにご迷惑がかかるのだす」

「そないあのお軸は、大事なお品でおましたのでっか」

意外そうに云うと、宇市はそれには応《こた》えず、鋭い視線を文乃に当て、

「実は、旦那はんは、ご家族の皆さんに内緒で、あのお軸をこちらへ持って来て飾っ

ていはったわけですさかい、今になって、あんさんがお預かりしてましたと云い出しても、大旦那はんが故意に隠して、妾宅《しょうたく》へものを持ち出してはったということになり、雪村の軸が行ってるぐらいなら、他《ほか》のものも仰山《ぎょうさん》行ってるやろという疑いまでかかってしまうわけだす」

「そんなことになっては、困ると思いましたさかい、旦那はんがお亡くなりになった時、すぐにお軸をお返ししたいと申し上げましたのに、あの時、あんさんが今返さん方がええと云いはったので――」

文乃は、かすかに唇を震わせ、責めるように宇市の顔を見詰めた。宇市は、聞えぬような平然とした表情で、

「ともかく、こうなってしまいましたからには、あのお軸に関しましては、返却の時機を見計ろうて、大旦那はんにも、あんさんにもご迷惑がかかりまへんように、ちゃんと本宅へご返却致しときまっさかい、手前にお任せしておくれやす」

宇市は、責任を取るように云い、ちょっと言葉を跡切《とぎ》らせてから、

「ところで、この二十二日に、本宅の方へお運び願いとうおます」

「えっ、ご本宅へ――」

「さようでおます、その日の午後にということでおます」

そう宇市が応えると、

「やっぱり、とうとう……」

文乃は、何を怖れるのか、涼しい眼もとに怯えとも、妄想ともつかぬ異様な光を帯び、あらぬ方を見据えたまま、肩で大きく息をした。

「何か、えらい気に病んではるご様子でおますけど、どうかご心配無うに——、本宅の方は、お三人のご姉妹と、今橋の分家のご夫婦さまがお出になりますけど、あんさんには、手前が同席して、何かとお味方申し上げまっさかい、まあ、ご安心しておくれやす」

「けど、いろいろと、難しい作法やしきたりがあるようでっさかい、わてには、それが……」

文乃が口ごもるように云うと、

「いや、その点は、戦前と違《ちご》うて、何というても当節のことでっさかい、そんな難しい作法など要りまへん、ただ、旦那はんに、お世話になっていた御礼を鄭重《ていちょう》に申し上げ、雪村のお軸のことは、何と聞かれても、知らぬ存ぜぬでお通しになることだす、よろしおますな」

宇市は、念を押すように云った。文乃は一瞬、考え込むようであったが、かすかに

眼を上げ、

「ほんなら、あんさんに、一切、お任せ致します——」

そう云い、静かに頭を下げた。

「そう云うてくれはったら、手前も運びがよろしおます、それで、お軸の方は、もし、ご本宅から事前に、こちらへお調べにお見えにならんとも限りまへんさかい、手前の方で暫《しばら》くお預かりさせて戴《いただ》きます」

「あんさんの方へ——」

文乃は、腑《ふ》に落ちぬ顔をしたが、納得するように頷《うなず》き、

「うちにお預かりしていながら、知らぬ存ぜぬで通すのも、気遅れしそうですさかい、あんさんの方へお預けする方が気が楽でおます」

と云い、文乃は、ひどくのろのろとした動作で起ち上り、奥の間に入って押入を開け、そこから、細長い桐《きり》の軸箱を運んで来て、宇市の前に置いた。

「どうぞ、お改めしておくれやす」

そう文乃が云うと、宇市はすぐ膝《ひざ》をにじり寄せ、桐箱の蓋《ふた》を開けて軸を出し、軸の掛紐《かけひも》を解《ほど》いて、座敷の真ん中へ広げた。

画面一杯に迸《ほとばし》り落ちる滝水の流れが、大胆な筆使いと墨の濃淡をもって描き出され、

それを取り囲む幽谷の深さと、滝水の轟々《ごうごう》と飛沫《しぶき》を上げて鳴り落ちる音が、部屋中に響くような力強さであった。

宇市は、暫く、搏《う》たれたように眺めていたが、

「では、確かに雪村の滝山水を、お預かりさせて戴きます」

と云《い》い、軸をもと通りに巻き戻し、箱に入れて蓋をすると、文乃が出した八端《はったん》の風《ふ》呂敷《ろしき》に包み込んだ。文乃は、気疲れをしていたのか、宇市が風呂敷包みを結び終えると、ほっと大きな息をつき、

「今からお燗《かん》の用意をしまっさかい、ちょっと待っておくれやす」

と云い、酒の用意をしかけると、

「いや、今日はまだ、これからせんならん用事が残っておますし、それに、大事なお軸をお預かりしていますさかい、お酒はまたの時に戴きまっさ」

と応え、軸の包みを抱えると、気急ぎするように席を起った。

神ノ木の停留所まで出ると、宇市は何時ものように電車を待たず、住吉のガードの方から走って来た七十円タクシーを拾った。

雪村《せっそん》の軸を抱えているところを、人に見られないための用心であった。車に乗り込むと、軸箱を膝の上へ真一文字に置き、運転台のメーターを睨《にら》んだ。カチリカチリ、二十円ずつメーターの針が動く度に、宇市はいまいましげに眼を光らせた。上町線《うえまちせん》二十円、市電十三円で行けるところを、軸箱一つのためにタクシーに乗っているのだった。

阿倍野橋を過ぎ、椎寺町《しいでらちょう》の停留所の辺りまで来ると、宇市は急に車を停めた。

「ちょっと待ってんか、行き先を変えるさかいな」

と云い、宇市は車の中で思案に迷うように首をかしげた。

「どっちへ行きまんねん、早よ定《き》めてくれんと困りまんがな」

バック・ミラーを覗き、運転手がぞんざいな口をきいた。宇市は、じろりとバック・ミラーを見返し、

「石ケ辻町《いしがつじちょう》の方へ行ってんか」

植木屋の離れの自分の家まで、あと一丁半程の近さであったが、宇市は自分の家へ帰るのを止《や》め、君枝の家へ行くことにした。

上本町《うえほんまち》六丁目の手前を右へ折れ、石ケ辻町の君枝の家の前で車を停め、宇市は体を乗り出すようにしてメーターを確かめてから、三百二十円を支払った。

車の音に気付いたのか、声もかけない先に内らから表の戸が開き、君枝が顔を覗かせた。

「お越しやす――」

と云いながら、何時になく、タクシーなどを乗りつけたことに訝しげな眼をし、

「何か、急なことでも――」

心配そうに聞いた。

「いいや、ちょっと荷物があったんでな」

といったが、細長い風呂敷包み一つで、何時もの宇市は、これより大きな荷物を持っていても、市電に乗って来る習慣であった。

「へえ、なんぞ、よっぽど大事なものでおますか」

そう云いながら、宇市の持っている風呂敷包みを受け取りかけると、

「かまへん、わいが持って入るがな」

と云い、自分で抱えて奥へ入った。

「えらい大事そうにして何でおます」

「軸や――」

「え、お軸、上等のお軸でっか」

君枝の眼に、四十女の欲が光った。

「いや、たいしたことあらへん」

「けど、あんさんがタクシーになど乗って、持って来はったものでっさかい、よっぽど値段の高いものでっしゃろ、ちょっと、うちの床の間へかけて、見せておくなはれ」

「あかん――」

宇市は、不機嫌に応えた。

「なんでだすのん、見せてくれはるぐらい、何でもないことやおまへんか、うちには碌《ろく》なものしかおまへんさかい、こんな時、せめて上等なお軸を拝ましておくれやす」

君枝は、宇市が今宮戎《いまみやえびす》の夜店で半値に値切って来た七福神の安ものの軸がかかっている貧相な床の間へ眼を遣《や》り、

「よろしおますやろ、開いて見て――」

厚かましく、風呂敷へ手をかけると、宇市の眉がぴくりと動いた。

「女が見んでもええものや、見せてええ時機になったら、ちゃんと見せたるさかい、わいに逆らわんことや」

威丈高に云うなり、奥の間の押入を開け、軸を包んだ風呂敷包みを、上段の奥へし

まい込み、

「勝手に開けたりなどしたらあかんでぇ、風呂敷包みの結び目を見たら、ちゃんとわいに解るねんさかい——」

と云い、ぴしゃりと押入の襖を閉めた。

君枝は、暫く拗《す》ねたようにぐずぐずしていたが、卓袱台《ちゃぶだい》に向い合うと、すぐ酌をし出した。

「この頃、お越しが少のうおますけど、お忙しおますのでっか」

宇市の足が、ここのところ遠退《とおの》いているのを心配するように云った。

「うん、昨日まで財産目録を作るのに忙しかったし、今日の二回目の親族会も一週間先に持ち越しになり、文乃はんの本宅伺いもあるさかい、それまで、ちょっと忙しいのや」

「え、文乃はんの本宅伺い——」

「そうや、三人の分配も定まってないのに、文乃はんを呼びつけて、よけいややこしいことになるだけやけど、あの女《おなご》はんらは云い出したら聞く人やないし、わいも、そろそろ嫌気がさして来たわ、けど、途中で放り出すわけにも行かず——」

宇市は、やや辟易《へきえき》するように云った。

「へえ、そない揉めて来たら、一体、どないなるのでっしゃろか」

「正直なところ、わいにも解らんようになって来たわ」

そう云い、宇市はぐいと盃《さかずき》を空け、

「と云うて、今さら遺言執行者を止めるわけにもいかん、せっかくここまでやって来て、今になって……」

宇市は、不意に独り言を云うように呟《つぶや》き、自分を見詰めている訝しげな君枝の視線に気付くと、はっとしたように我にかえり、

「あ、そうそう、風呂の湯を加減しといてや、もう二、三杯飲んだら、ちょっと入るさかい、ぬるい目にな」

と云い、君枝が席を起ち、裾《すそ》を端折《はしょ》って風呂場へ入るのを見すますと、腹巻の中から和綴《わとじ》の小さな手帳と、ハトロン紙の封筒を出し、手帳の方を先に開いた。

㋗四十町歩、　△あり（二〇〇万）
㋵五町歩、　△のみ（三〇〇万）
㋔百二十町歩、　△あり（二六〇万）
㋟十町歩、　△あり（二三〇万）

　ⓦ二十町歩、　△なし（九〇〇万）

　宇市は舌舐《したなめず》るような視線で手帳のメモを見、ⓦのところまで来ると、ハトロン紙の封筒から財産目録を出し、さっき、藤代と千寿に云われて書き加えた奈良県鷲《わし》家《か》の下に苦い表情で二十町歩と記入した。故意に財産目録から脱いておいた山林であったが、『△なし』の印であることが、宇市の気持をほっとさせた。他《ほか》にもまだ隠している山があったが、それは書き足さず、宇市はその総計を眼で暗算した。

　風呂場の戸を開ける音がし、縁側へ歩いて来る君枝の足音がした。宇市は素早く、手帳と財産目録を毛糸の腹巻へしまい込み、ちびりと盃の酒を吸い上げた。

「お待っとおさんだす、お湯加減がでけましたわ――」

　君枝は、湯気でほてった紅《あか》い顔をし、うしろへ廻って、宇市の着物を脱がした。風呂場へ入ると、宇市は、さっきまでの不機嫌さとは異なり、君枝に肩を流させながら、急に上機嫌に喋《しゃべ》り出した。

「ああ、ええ按配《あんばい》や、ここで一風呂浴びたら、この間中の肩の凝りがほぐれるようや、今晩は泊りやで」

と云い、手をうしろに廻し、むっちりと肉付いた君枝の股《もも》のあたりを濡手《ぬれて》で触った。

＊

川べりの座敷から手の届きそうな近さに横堀川が流れ、障子越しにひたひたと鳴る水音が聞えた。藤代は、梅村芳三郎と懐石膳《かいせきぜん》に向い合い、昨日の親族会の様子を話していた。

芳三郎は、女のような白いしなやかな手を料理の上に運び、志野蛤形《しののはまぐりがた》の器に載った鯛《たい》の平作《ひらづく》りをひらりと口に運んだ。まるで桜の花びらをつまむようなひらりとしたたおやかさであった。藤代は、思わず、箸《はし》を止めて、その美しい手の動きに見とれた。藍大島《あいおおしま》の対《つい》を着重ね、袖口《そでぐち》から絞り羽二重の長襦袢《ながじゅばん》をのぞかせ、きれいな形に坐《すわ》っている優男《やさおとこ》めいた芳三郎と、つい半月前、藤代の相続分になる貸家の値踏みをするために、周旋屋を引き連れてふてぶてしいほどのあざとい手腕を見せた洋服姿の芳三郎とが、藤代の瞼《まぶた》の中で、奇妙な映像になって重なり合った。

「どないしはったのだす――」

芳三郎は、急に言葉を跡切らせた藤代を訝しげに見た。

「いいえ、別に、ただちょっと――」

し出した。

藤代は、きらりと大きな眼を輝かせて、曖昧《あいまい》に言葉を濁し、すぐ親族会の続きを話

芳三郎は、藤代の言葉を注意深く聞きながら、美食家らしく、選《よ》り好みの強い箸のつけ方をし、藤代がお銚子《ちょうし》をとって、酌をすると、優面《やさおもて》に似合わぬ強さで、無造作に盃を重ねていたが、藤代が一通り、話し終ると、盃をおき、

「そうすると、中の妹さんの相続分は、矢島商店として使用中の店の間《ま》の土地、建物八十坪、商品台帳による在庫品ほか運搬車、金庫、荷台など商い用備品一式、それに暖簾《のれん》営業権をひっくるめて、九千七百六十五万円で、下の妹さんの相続分は、骨董品《こっとうひん》八十六点と株券六万五千株で、九千六百三十万といいはるわけだすな」

酒気を含んだ芳三郎のほの紅い顔の中で、眼だけが酔いに包まれていない。

「ええ、両方とも少な過ぎる評価額やと思いますけど、あの人たちはその額を云い張り、二人とも齢《とし》に似合わぬえげつなさだす——」

藤代が怒りを籠《こ》めた声で云うと、ふうっと芳三郎の唇に笑いがうかんだ。

「その点は、お互いさんのようでおますな、あんさんも、私が紹介したあの周旋屋に実際の評価額とは別に、時価より出来るだけ低うに見積った額を云うてくれと、云いはりましたやおまへんか」

「そら、そうだすけど、それは、あの二人には、私の不動産相続税みたいに、きつい相続税がかかれしまへんさかいだす、私はたとえ、九千七百万円程の不動産があっても、相続税でごっそり半分程持って行かれてしまうやおまへんか」

そう藤代が不平がましく云うと、

「その点は、どういう話し合いになったのだす？」

「若師匠《わか》さんが教えておくれやしたように、ほかの二人に比べて重すぎる私の相続税の額だけ、二人の取り分の中から補うてほしいと云いましたら、逆に私が嫁いだ時に持って行った持参金、衣裳《いしょう》料、茶道具、結婚費用などを、姉さんの取り分から差し引きしてほしいと云われましたのだす」

「へぇ、遺産相続の時に、結婚費用を差し引き勘定してほしいといわれるほど、たんとのお支度で嫁《い》きはりましたのか」

芳三郎の眼が、異様な光を帯びた。

「いいえ、そない云われるほど、たいしたことはおまへんのだすけど――」

藤代が云い濁らせかけると、

「失礼でおますが、おいくらほどでおます？」

芳三郎が、おっかぶせるように云った。藤代は躊躇《ためら》うような表情をしたが、

「持参金五百万円、衣裳料五百万円に、母から譲られた茶道具少々というところでおます」

「たしか、六、七年程前のことでおますな」

藤代が黙って頷《うなず》くと、

「やっぱり、老舗《しにせ》の大嬢《おおいと》はんというのは、大名気分でおますな、それだけの拵《こしら》えで嫁きはって、何が原因《もと》か知りまへんけど、さっさと二、三年で帰って来はったそうでっさかいな」

藤代は、また黙って頷いた。芳三郎は、藤代の不快そうな素っ気ない表情に気付くと、急に賑《にぎ》やかな声で、

「それにしても、中の妹さんが、あんさんが嫁ぐ時に持って行きはった持参金や衣裳料のことまで云い出しはるとは、向うもなかなか手強《てごわ》おますな」

と云い、芳三郎の方から、藤代の盃に注《つ》ぎかけると、

「若師匠さん、もう戴けまへん、ほんまに、私はお酒《しゅ》には弱うおますさかい――」

ほんのり染まった眼もとで拒むように云った。

「独り酒では、せっかくのお酒も美味《おい》しいことおまへんさかい、まあ、ちょび、ちょびでも、つき合うておくれやす」

芳三郎はあやすような甘い語調で、藤代に酒を勧め、

「ところで、さっき云うてはった共同相続財産の内容は、どんなことになってるのです」

藤代は、帯の間から、便箋《びんせん》ようの折り畳んだ紙を出して、芳三郎の前へ広げた。藤代が昨日の親族会の席上で、書き取っておいた矢島家の共同相続財産の目録であった。

芳三郎は、暫く、ペン字でしたためられた細かな財産目録を見詰めていたが、眼を離すと、

「さすがに四代も続いた矢島屋はんでおますな、木綿問屋はもうあかんあかんと云われていても、一人一人に一億近い特定相続分と別に、これだけの共同相続財産を遺《のこ》してはる――」

そう云い、飲みさしの盃をごくりと空け、

「共同相続財産の分配は、誰にはこれを、彼にはあれをというように指定されてないだけに、分配が難しおますけど、あんさんは、このうちで、どれをと云われたら、何が欲しおます？」

芳三郎は、机の上の目録を眼で指した。藤代は、大きな眼を瞬《また》きもせず、暫く黙っていたが、白い手をつと差し伸べると、『山林』としたためられたところを指した。

芳三郎の眼に、笑いがうかんだ。

「やっぱり、あんさんでおますな、銀行預金や株券に眼が眩《くら》まず、山林と来ましたな、しかし、山で大事なのは、伐採権の問題だす」

「え、伐採権？」

藤代は、訝《いぶか》しげに聞いた。

「俗に山師という言葉があるほど、山林の売買や、所有権については、よっぽど気をつけてかからんことには、えらいペテンにかけられてしまうものだす、つまり、一口に山林を何町歩持っているなどと云うても、山の地床《じどこ》だけの場合もあるし、立木の伐採権だけの場合もあるし、地床も伐採権も所有している場合もあるわけで、それによって持ち山の値打が桁違《けたちが》いに開いて来るわけだすが、お宅の場合はどっちでおます」

そう正確に聞かれると、藤代は返事に詰った。

「ところが、まだ、そこまで、はっきりしたことを聞いておまへんのだす」

口ごもるように云うと、芳三郎の顔が急に厳しくなった。

「それはいけまへんな、もともと財産目録を公開する人が、山林の場合は伐採権の有無まで明示しておかんといけまへんのに、さっきからのあんさんのお話を聞いていますと、何かこう、その大番頭はんというのが、なかなか一癖も、二癖もあるようでおますな」

芳三郎の声に、いやな響きがあった。

「若師匠さんも、そうお思いやすか」

藤代は、何かを手探りし、確かめるように云い、

「宇市は、先々代の祖母の時代からの大番頭で、表方《おもてかた》の店の商いだけでなく、奥内《おくうち》の財産管理まで一切、宇市に任され、亡《な》くなった父などは、主人でありながら、代々からの財産管理に関しては大番頭の宇市にものを尋ねたり、相談をかけたりしていたほどでおます、それだけに誰もが、宇市を頭から信用して、妙なことがあっても、これは何かの間違いやろと、宇市を疑おうともしまへんでしたが、今度の私たちの遺産相続の問題が起ってからは、疑い出せば、一つ一つに、妙な疑いが残るのだす」

と云い、宇市が財産目録の山林の項で、奈良県鷲家《わしか》の山林をうっかり書き落していたことと、道具蔵の骨董の中から雪村《せっそん》の軸が一本ぬけ落ちていたことを話すと、芳三郎の眼がぎらりと鋭く光り、

「案外、頭の黒い大鼠《おおねずみ》かもわかれしまへん」

と呟くように云い、

「奈良県鷲家の山林は、最初から故意に書き落しておきながら、全く偶然の出来ごと

で、あんさんと中の妹さんに問い詰められ、露見しそうになったから、急に問い詰めた方が気ぬけするほどあっさりと、書き落しを認めたのやと思いますな、ほかにも何かが、あるようでおますな、そのためにわざと耄碌《もうろく》して、ど忘れしていたような失策を曝《さら》け出し、正直に自分の手落ちを認める実直さを装《よそお》うたのやおまへんやろか、雪村の軸も、その術《て》かも解《わか》りまへん」

「けど、それなら、蔵帳の雪村のところを墨で消しておくはずやと思いますわ」

藤代は、その点が腑《ふ》に落ちぬように云《い》った。

「いや、そんなことしたら、かえって自分で襤褸《ぼろ》を出すようなものやおまへんか、つまり、何時《いつ》の間にか、雪村の軸が無《の》うなり、その上、蔵帳まで墨で消しておましたら、誰が見ても、蔵帳と鍵《かぎ》を預かっている大番頭の仕業と睨《にら》みますやろ、そうなるのを見越して、逆に蔵帳を消さずに素知らん顔をし、うまく解らずにすめばそのまま着服し、知られた時は、おかしおますな、てっきりあるものやとばかり思うてましたので、という工合に空《そら》っ呆《とぼ》けて、すますつもりやとも考えられますけど、あんさんは、どうお思いでおます？」

藤代は、自分ではとても想像つかぬ複雑に屈折した芳三郎の推理に、思わず、胸の動悸《どうき》が昂《たかぶ》り、

「でも、なんぼ何でも、もう齢でっさかい――まさか、そこまで陰険でえげつないでっしゃろか」

信じきれぬ表情をすると、芳三郎は、藤代の甘さを嗤《わら》うように、薄笑いを見せ、

「ともかく、雪村の軸と、山林《やま》が問題のようだすな、ここを探って行ったら、何か思いがけんことが、出て来るようでおますな」

「思いがけんことて、どんな――」

藤代が不安そうに云うと、

「さあ、それは、私にも解りまへんが、初めての舞台で踊りを舞う時の勘のようなものので、何かそんなものを感じるだけだす――」

そう云うと、芳三郎は投げやるように重く黙り込んだ。

座敷の中は、先程からの酒気で生温かくぬくもっていたが、話し声が跡切《とぎ》れると、窓の下を流れる川水の音がひたひたと鳴り、冷やかな夜の静けさが、すうっと座敷を通りぬけて行くようであった。

藤代は、つと手を伸ばして、座敷の隅の呼びリンを押した。用談があるからと退《さが》ってもらっていた女中の声が聞え、襖《ふすま》が開いた。

「お銚子をもう少し――」

と云うと、空になったお銚子と、料理を食べ終えた器を手際《てぎわ》よく片付けて引き退って行き、五分とたたないうちに、すぐお銚子と椀《わん》ものを運んで来た。蓋《ふた》を取ると、鱒《ます》の葛《くず》たきに枝蕨《えだわらび》、木《こ》の芽をあえて薄口醬油《しょうゆ》で煮た季節のものであった。藤代はお銚子を取って、芳三郎に酌をすると、

「いよいよ、神ノ木のが、この二十二日にうちへ挨拶《あいさつ》に来るのでおます」

浜田文乃のことを云った。芳三郎には、既に文乃のことも話してあったから、別に驚く様子もなく、

「始めての本宅伺いというわけだすが、神ノ木の二号さんは、どうしてほしいと云うてますねん」

芳三郎は、興味深げに聞いた。

「ところが、本宅へは出来るだけ迷惑をおかけしとうないと、そない云うているそうだす」

「へえ、おかしおますな、日陰の女《おなご》で急に旦那《だんな》に死なれたら、ちょっとでも余計に貰《もら》いたいと思うのが、普通の人情やと思いますのにな」

そう云い、芳三郎は怪訝《けげん》そうに首をかしげ、

「うちの母などのように、ちゃんとした梅村流の師匠という職業を持ち、稽古場《けいこば》と沢

山の弟子を抱え、その上、私という大きな息子まで持ちながら、まだその上に、家元が死にはる時には自分にも何かが——と、正直なところ、さもしい皮算用までしているようだす、それに、何の職も持ってはれへん人が、そんなきっぱりしたきれいなことが、本気でいえますすやろか」

詮索《せんさく》するように云った。

「そういわれたら、私もおかしいと思いますねんけど、宇市に云わせると、全くの本気で云うているのやそうだす」

「そうすると、ちゃんと生前贈与を受け取ってしもうているのか解りまへんな」

「え、生前贈与——」

「そうだす、自分が死んでから陰の女に贈与することは難しおますし、その上、せっかく残してやっても、死んでからでは遺贈ということになって、贈与税がかかりまっさかい、生前にちゃんと家を買ってやっているとか、保険金の受取人を二号さんの名義にしておくとか、また自分が死んだら、この金は何の某《それがし》に渡してくれという特約付金銭信託をこっそりしておいたりして、とっくの昔にすることをして貰うているから、そんなきれいなことを云えるのかも知れまへん」

そう云われれば、一億に近い相続分を既に指定されている自分でさえ、あるが上にもなお欲しいと願うのであるから、これという身寄りも職業もなく、独りで生きて行かねばならない日陰の女の身の上を考えると、芳三郎の言葉が、急になまなましく藤代の胸に響いた。

「もし、父から生前贈与を受けていたとしても、遺言状に、何分よしなにしてやってくれと書き遺されていましたら、やっぱりその上にも、ちゃんと仕分けしてやらんといけまへんのかしら——」

「そこのところが難しいところだす、生前贈与を受けたことが明らかに立証されたら、仕分けんでもよろしおますけど、それが立証されんことには、こちらが、いくら勘ぐってみても、どうにもなりまへん」

「どないしたらよろしおますかしら——」

藤代は、暗澹《あんたん》とした疲れた表情で云った。

「どうしたらて、そこまでは、私にも先の見通しがききまへんが、ただそうなってくると、今まで損をするとばかり思うていた人が得をし、得をすると思うていた人が案外、損をし、まるで底無しの泥沼に陥《おちこ》んで足掻《あが》き合うような泥塗《どろまみ》れの争いになりそうで、人ごとながら、ぞっとするような気がしますな」

そう云い、満たされたばかりの盃《さかずき》を空けると、芳三郎は急に蒼《そう》けたような冷たい表情をした。

藤代は、ふと昨日の親族会の席上で、自分だけが孤立した時の冷やかな不安と淋《さび》しさを覚えた。藤代は、ほのかに染まった瞳《ひとみ》を潤《うる》ませ、芳三郎の顔を見詰めると、

「若師匠《わか》さん、力になっておくれやす、私、心細うおます——」

訴えるように云った。

「あんさんのような気強いお人が、心細いやなど——」

「いいえ、ほんとうに心細うおます、最初のうちは、何というても総領娘の立場を主張さえすれば、二人の妹は私に譲り、叔母や養子《ようし》婿《むこ》の良吉、宇市などの周囲の者も、一も二もなく、それに賛同するものと思うて来ましたけど、現実はそれとは全く反対に、曾《かつ》て認められていたはずの私の権利をみんなで毟《むし》り取って行くようだす、私は父の葬儀に矢島家の筆頭喪主として利休橘《りきゅうたちばな》の家紋を背負うて焼香にたち、小さい時から矢島家の家紋を、二人の妹より長く、度多《たびおお》く背負うて来ましただけに、どんなことがあっても、総領娘である私が、あの二人より、たとえ竈《かまど》の灰の一掬《すく》いでも少ない相続は出来まへん、それはもう、現実の損得勘定を離れた気違いじみた執念のようなものかもしれまへんけど、私は昔通りの女系《にょけい》の家の総領としての誇りと力を失いとうないのだす——」

そこに相手がいるかのように眼を据え、肩で大きく息をし、

「まして、使用人の宇市や、父の隠し女などに騙《だま》されたり、勝手なことをされるなど、そんなこと誰が許しますものか――、そんなこと許すぐらいなら、いっそ、家に火をつけて、何もかも灰にしてしまいたい――」

狂ったような激しさで云うと、藤代の眼から涙が溢《あふ》れ、上体がかたむくように揺れたかと思うと、崩れ折れるように畳へ手をついた。

「どうしはったのでおます――」

芳三郎の妙に優しい声がしたが、藤代は悲しみとも、怒りとも、いいようのない絶望感ともつかぬ思いに襲われ、体ごと押し流されて行くような激しい疲労を覚えていた。

顔を俯《うつむ》けたまま、応《こた》えずにいると、不意に席を起つ芳三郎の気配がし、

「きっと、この間からのことで疲れていはりますのでっしゃろ、ちょっと楽にしはったら――」

耳の傍《そば》でぬめるような芳三郎の声がした。はっとして顔を上げると、思いがけない近さに芳三郎の体があり、染まりつきそうな藍大島の対を重ねた羽織の肩先が、緩くずり落ちそうになり、女のように華奢《きゃしゃ》な首筋が匂《にお》いたっていた。

「お役にたつことなら、何でも云うておくれやす――」

そう云うなり、芳三郎の羽織が肩先からずり落ち、酔うような艶《なま》めかしさが、藤代の体を抱いた。

*

文乃は、一越《ひとこし》の無地一つ紋の着物の上に単衣《ひとえ》の黒紋付を羽織ってから、もう一度、鏡を覗《のぞ》き込んだ。青磁色の無地が目だたぬ地味な装いになっていたが、その澄んだ糸の冴《さ》えが、文乃の顔色を鈍く冴えないものにしていた。文乃は、鏡台の上の紅刷毛《べにはけ》を取って、もう一度、頬から顎《あご》へかけて、ぽうっと紅《あか》らむように朱を刷《は》き、涼しい一重瞼《ひとえまぶた》に、濃い目の墨を入れ、顔色がくっきり引きたつのを確かめてから、大儀そうに鏡の前を離れた。

今朝まで胸を締めつけられるような気の重さであった本宅伺いも、否応《いやおう》なしに時間が迫って来てみれば、怯《おび》えていた心の乱れも、次第に諦《あきら》めに似た落着きが出来かけていた。文乃は、奥座敷の襖を開け、床の間の上に置いた経机《きょうづくえ》の前に坐《すわ》ると、位牌《いはい》の代りに祀《まつ》っている嘉蔵の写真に向って、燈明《とうみょう》と線香を点《つ》け、話しかけるように嘉蔵の顔を見詰めた。

嘉蔵が亡くなってから二カ月近くの間、どう暮して来たのか、思い返してみると、古ぼけた写真のような影の薄さで、宇市以外に訪ねて来る人もない家の中に、独りじっと居竦《いすく》まるように坐り、嘉蔵の写真と向い合っている文乃の傍を、音もなく時間が流れていってしまったようであった。それは非常に短かった時間のようでもあり、ひどく長い時間のようでもあったが、何《いず》れにしても、今日の本宅伺いの結果が、文乃の今後の生活を決める或《あ》る一つの鍵になっているようであった。それを思うと、また文乃の胸に激しい動悸が打ち、唇がかすかに痙攣《けいれん》しかけたが、文乃はそれに打ち克《か》つように静かに起ち上った。

玄関まで来て、文乃は履物に迷った。昔のしきたりならば、妾《めかけ》の本宅伺いは、草履を許されず、下駄《げた》履きと定《き》められていたが、文乃は宇市の云った言葉通り、難しい作法にとらわれず、普通に草履を履いた。

表の戸締りをし、外へ出ると、文乃は顔を俯け、人目にたたぬように歩いた。旦那を失った二号さんという好奇心に満ちた視線が、隣近所から一斉に、文乃に向けられているのだった。今までもそうであったが、嘉蔵の死によって、文乃が船場《せんば》の老舗《しにせ》、矢島商店の店主の陰の女であったことが解ってからは、さらに好奇の眼が多くなった。

文乃が喪服を着て葬儀に出かけた日も、二号の立場にある女が旦那の葬儀に出かけて行くことへの物見高い興味と嫉妬《しっと》に似た熱っぽい興奮が、文乃を取り巻き、煙草《たばこ》屋を兼業している薬局の主婦は、文乃の姿を見つけるなり割烹着《かっぽうぎ》のまま表へ飛び出して来、

「まあ、今から旦那はんのお弔いでおますか、寺町の光法寺やそうで、ご大家のご葬儀というのは、お身内からご親戚《しんせき》、ご別家《べっけ》衆、お取引筋の重だった方々まで、ずらりとお揃《そろ》いになって、気骨の折れる難しいことやそうだすけど、そこへあんさんもお加わりになるわけで――、それは結構でおますわ」

新聞の死亡広告を見たらしく、葬儀を行なう寺の名前まで挙げ、妙に持って廻った云い方をし、文乃の着ている別染の重目《おもめ》一越《ひとこし》の喪服へ、嫉妬をまじえた物見高い視線をじろりと向けたのだった。

今日も、その店の前を通らねばならないかと思うと、足が重くなりかけたが、一方道であったから道を変えるわけにも行かず、昼過ぎの閑散な時とも思い、文乃は足早に、すうっと店先を通り過ぎかけると、

「まあ、お珍しいこと、お出かけでおますか」

奥から大きな声がし、割烹着をかけた主婦が顔を覗かせた。

「ええ、ちょっと――」

曖昧《あいまい》に言葉を濁すと、

「ほんまに、あんさんは、よう出来てはりまんな、あれからもずっと、ひっそりとお独りで、何かと大へんでおまっしゃろ、今日はまた何かのお集まりごとでも?」

一つ紋の紋付を羽織った文乃の姿に、詮索がましい眼を当てた。文乃は、黙って会《え》釈《しゃく》をし、小腰を屈《かが》めて、そのまま通り過ぎた。

電車道まで出ると、文乃は人目を避けるように、すぐタクシーを拾った。車に乗って、南本町《みなみほんまち》までと、行き先を告げ、大阪市内に向って車が走り出すと、文乃は嘉蔵の死んだ日のことを思い出した。

その日も、今日と同じように一つ紋の紋付を羽織り、人目を避けるようにして車に乗ったのだった。宇市から突然、電話がかかって、嘉蔵の急変を告げられ、三人の姉妹たちが京都から帰って来ないうちにという言葉通り、常着《つねぎ》の上に紋付だけを羽織って駈《か》けつけたのだった。宇市の指示通り、勝手口の前で車を降りると、そこに宇市が待っていて、挨拶も交わさず、すうっと通庭《とおりにわ》から中前栽《なかせんざい》の植込みの間をぬけて、奥座敷へ案内した。

枕屛風《まくらびょうぶ》に囲まれた嘉蔵は、文乃の顔を見るなり、宇市の前も憚《はばか》らず、痩《や》せ細った手

で文乃の膝《ひざ》を摑《つか》み、

「寝たままで、長いこと行かれへんかった……体はどうや……くれぐれも達者に、体だけは大事にな……あとのことは心配ない、みんなちゃんと出来てるさかい……」

ぜいぜい、咽喉《のど》を鳴らしながら、二人だけに通じる眼で云った。文乃は、膝頭の上に載っている嘉蔵の皺《しわ》枯れた手を取り、自分の掌《たなごころ》の間に挟み込み、撫《な》でさするように柔らかく揉《も》むと、嘉蔵の頰に快げな笑いがうかび、文乃の手にすべてを託すような安らかな表情をしたが、廊下に慌《あわただ》しい足音がし、姉妹たちが帰ってきたことを知らせる女中の声がすると、文乃の掌に預けていた嘉蔵の手が、病人とは思えぬほどの力で、文乃の体を押した。

「見つかったらあかん! 早う帰《い》にぃ」

追いたてるように云った。文乃は、縁側から庭先へ飛び降り、泥棒猫のように植込みの陰へ蹲《うずくま》ると、眼の先の拭《ふ》き磨かれた廊下の上を、真っ白な足袋を履きしめた三人の足もとが滑るような早さで歩き、嘉蔵が寝ている奥座敷へ渡って行ったのだった。

文乃は、車のクッションに背をもたせかけ、窓から吹き込む雨催《あめもよ》いの蒸せるような風にじっとりと汗ばみ、首筋にほつれた髪をかき上げると、自分を追いたてた嘉蔵の言葉を、もう一度、呟《つぶや》くように繰り返した。

見つかったらあかん！　早う帰にぃ《い》——、三人の父親でありながら、絶えず、養子旦那であることの遠慮と気兼ねばかりをして来た男の隠忍な生活と哀れさが、文乃の胸に来た。そうした中でも、嘉蔵は、これは店の売上金やない、わいの思惑で出来た金やと云って、月々五万円程の手当を手渡してくれていたのだった。その中に生活費も衣裳《いしょう》代も、その他一切の費用が含まれていたから、世間並の常識では十分な手当とはいえなかったが、七年前に白浜温泉で芸者をしていた文乃を、木綿卸業者の集まりで白浜へ宴会に来た嘉蔵が、宴席に不似合な陰気な文乃の姿に眼を止め、身寄りのない身の上を同情して、ひっそりと落籍《ひか》せてくれたのであるから、手当の額など文乃は勘定してみようともしなかった。七年間、ただ、本宅へ知れぬようにという慎重な用心と気配りだけが、文乃と嘉蔵の間にある無言の固い契約であった。

それだけに、嘉蔵は、業界の会合や宴会の後《あと》、文乃の家へ寄って憩《やす》むことがあっても、用をすませると、すぐ自宅へ帰って行った。御寮人《ごりょうん》の松子が生きている時も、亡《な》くなってからも、この習慣は変らず、嘉蔵は七年間、文乃を囲いながら、ただの一泊もしなかった。松子が死んでから、たった一度、文乃の方から、

「もう、遠慮しはるお方も無《の》うなりましたさかい、お泊りやしたら――」

と引き止めかけると、

「あれが死んでも、わいの立場は、ちっとも変らへん」

と云い、嘉蔵は、養子旦那らしい気弱な笑いを見せ、それまでと同じように泊らずに帰って行ったのだった。そんな嘉蔵の立場の弱さと、文乃の身の薄さが、七年間、人目にふれず、ひっそりと二人を結びつけて来たのであるかもしれない。

車の外を見ると、何時《いつ》の間にか阿倍野橋を通り過ぎ、松坂屋のあたりを走っていた。あと十五、六分走れば、矢島商店のある南本町だと思うと、文乃は胸の動悸が高まり、宇市の云《い》った言葉が、ふいに胸を衝《つ》いて来た。

――血を分けたご姉妹仲でありながら、まるで、血が血を逆らうようにお三人の間に腥《なまぐさ》い嫉《そね》みとも、憎しみともつかぬ争いが呼び起されるのでおますが、それも四代、女系を重ねた血の濃さから来るものかと思うと、何かぞっとするような因果めいた思いがして――と、粘りつくような声で云った宇市の言葉が、文乃の耳にまざまざと甦《よみがえ》り、文乃は不意にその三人の姉妹が、自分に向って挑みかかって来るような腥さと凄《すさま》じさを覚え、不吉な予感に襲われた。

藤代は、くるくると綴帯《つづれおび》を二重に廻し、右肩に帯の端を取って、きゅっと固い目に締め、手早くおたいこに結び終えると、うしろ姿をちらっと鏡に映しただけで、縁側寄りの文机《ふづくえ》の前に倚《よ》りかかった。

頬杖《ほおづえ》をつき、小開きになったガラス障子の間から、所在なげに中前栽へ眼を遣《や》ると、雨催いに生ぬるんだ風に、木の葉が重く揺れ、着物を着付けたばかりの藤代の肌まで、湿《し》けて来るようであった。ひどく懶《もの》い気怠《けだる》さが藤代の体を包み、その気怠さの中で、藤代は、六日前の夜のことを思い出した。

汗ばむような酔いと、押し流されて行くような気怠い疲れの中で、取り縋《すが》るように梅村芳三郎の胸に縋りついた自分の姿を思い浮べると、藤代は苦い後悔とも、自分に対する怒りともつかぬ腹だたしさを覚えたが、あの川べりの座敷で芳三郎から、藤代が想像も出来なかった遺産分配の複雑さと、それを巧みに操る宇市、さらに父の妾である文乃の微妙な沈黙を一つ一つ、解きほぐすように説明され、文乃に至っては、父から生前贈与を受けているかもしれないと云われた時は、暗澹とした思いの中に投げ込まれてしまったのだった。

二人の妹より少ない相続をしなければならないかもしれない上に、使用人の宇市や、父の妾にまで利得されてしまうかもしれないという怖《おそ》れが、狂おしいような激しさで芳三郎に助けを求め、縋りつきたい欲望に奔《はし》らせてしまったのだった。

芳三郎は、藤代の不安と怖れを抱き取るような優しさで藤代の唇に、生温かく濡《ぬ》れた唇を捺《お》しつけた。藤代は酔うような艶《つや》めきの中で、芳三郎に傾いて行く欲望と、芳三郎を利用する打算が、麻糸のように絡《から》まり、縺《もつ》れて行くのを感じ取った。

藤代はつと、弾《はじ》くような強さで庭先から眼を離した。斜め向いの千寿の部屋に人の気配がしたからであった。

その方へ眼を向けると、ガラス戸の内側の障子をするすると音もなく閉め、店へ出ているはずの良吉が部屋へ帰って来たらしい様子であった。第二回目の親族会の後、千寿と良吉は、表見《おもてみ》には平静を装《よそお》っていたが、今日の文乃の本宅伺いが気になるらしく、千寿は廊下で出会った藤代に、神ノ木て、どんなところかしらんと、わざと何気ない調子で聞いたり、良吉も昼食と三時のお茶の時間以外にも、頻繁に部屋へ帰り、千寿とひそひそと話し合っていることが多かった。次女でありながら、姉よりも多い相続分を指定され、矢島商店の暖簾《のれん》さえ受け継ごうとしているのに、なおその上、父の遺言状で、よしなにしてやってくれとしたためられた文乃の分配が、二人の気に懸っているのかと思うと、藤代は、千寿と良吉の勘定高さに憎悪《ぞうお》を覚えた。

藤代は、大きな眼をきらりと光らせると、眼の位置を変え、雛子の部屋へ眼を向けた。縁側のガラス障子を開け放ち、籐椅子《とういす》に坐ってレース編みをしている屈託のない雛子の姿が、植込みの葉越しに見て取られた。そうした雛子の姿も、今までなら、雛子らしいのんびりとした姿と思われたが、この間の親族会での自分の相続分の評価や、雪村《せっそん》の軸のことをかまえて異議を唱える駈引《かけひき》の巧みさから見ると、わざわざ縁側へ椅子を持ち出し、気軽な服装でレース編みをしているのも、裏を返せば、雛子もまた、文乃の来宅に気を昂《たかぶ》らせていながら、そうと見せないための作為のようであった。

雛子の部屋から眼を離すと、藤代は思いついたようにつと起ち上り、廊下を伝って中の間へ出、中の間と店の間を仕切ってあるくぐり暖簾から顔を覗かせると、宇市が独り勘定場に坐り、帳簿の上に背中を屈めるようにして算盤《そろばん》を弾いていた。

「宇市つぁん――」

うしろから声をかけると、宇市は、驚いたように顔を上げ、藤代だと知ると、急に用心深い表情で、

「へぇ、何ぞご用でおますか」

何時になく、店へなど出て来た藤代を訝《いぶか》しげに見た。

「良吉さんは――」

千寿の部屋へ帰っているのを知っていながら、素知らぬ体《てい》で聞いた。

「へえ、今まで、ここにいてはったのだすけど、どこへ行きはりましたのでっしゃろ、若旦那はんに、お急ぎのご用でも――」

「いえ、ちょっと――」

そう云い、何気なく、算盤の上へ目を遣ると、まるで子供の珠遊《たまあそ》びのように算盤珠が、無秩序に置き並べられ、宇市が、算盤を弾いているような振《ふり》をしながら、ほかの思案ごとをしていた様子が明らかであった。

「神ノ木のは、二時の約束でおましたな」

藤代が念を押すように云うと、勘定場の前で、送り状を書いている若い店員たちが聴き耳をたてるように手を止めた。宇市はそんな気配に鋭く目を配り、

「何をしてるねん、送り伝票は早う書いてしまわんと、あとがつかえるでぇ」

叱《しか》りつけるように云い、藤代の方へ向き直り、

「見えましたら、お知らせしまっさかい、奥でお待ちやしておくれやす」

と云い、藤代を促すようにしたが、藤代は、店の者たちも、奥の女中たちから今日

のことを聞き知っているらしく、綿布の荷積みや仕入客の応対をしながら、始終、表の方へばかり目を向けている妙に上ずった気配を感じ取った。

何時ものようにひっそりと静まり返っている奥内《おくうち》も、商いの賑《にぎ》わっている店の間も、表面は平常通りの平静を保ちながら、その実、みんなが文乃の来宅に異様に神経を昂らせ、落着きのない好奇な視線を向けているようであった。

藤代の顔に、薄い笑いがうかんだ。もし、文乃が、芳三郎のいうように父から相当な家屋や、特約付金銭信託などの生前贈与を受けていたなら、千寿、雛子、良吉、叔母、宇市たちは、どんな驚愕《きょうがく》と狼狽《ろうばい》を示すだろうか。しかも、それを藤代の問いによって引き出すことに成功すれば、失われている総領娘の威信も見事に回復することが出来るかもしれない。

そう思うと、藤代は自分と同じ齢《とし》をし、自分が結婚した年と同じ年に、父の妾になった女、宇市の言葉を借りれば、きれいで慎《つつま》しゅうて情が深いという女の本宅伺いに残忍な期待が湧《わ》き上って来た。

賑やかな声がしたかと思うと、叔母の芳子の顔が店先に見えた。藤代は店になど出ている自分の姿が見られぬよう、さっと、くぐり暖簾の内側へ姿を隠し、中の間から小走りに内玄関へ廻って、叔母を迎えた。

「今日は、えらいお早うおますこと」

文乃が現われる時間より、三十分も早く訪れた叔母にそう云うと、

「ちょっと早すぎると思うたのやけど、ほかならん妾の本宅伺いの日やさかい、亡くなりはった姉さんに代って、わてがしっかり挨拶《あいさつ》を受けよう思うて、遅れんように早い目に来たんだす、最初の挨拶から仔細《しさい》に拝見せんなりまへんよって、気忙《きぜわ》しいことや」

わざと大儀そうに云う叔母の芳子の声に、妙に昂った響きがあり、叔母も、藤代と同じように、父の妾に対する異様な好奇心に駈られているようであった。

文乃は、堺筋《さかいすじ》の南本町の角まで来ると、車を停め、そこから矢島商店までの三丁程の距離は歩いて行くことにした。昼下りの繁華な問屋街は荷物を運び出す店員や、地方からの買付け客で雑沓《ざっとう》し、人と車の往来が激しかったが、文乃のように髪をきれいに梳《す》き上げ、黒紋付を羽織り、一目で玄人《くろうと》あがりと解《わか》るような女の姿は、見当らなかった。文乃は人目にたたぬように顔を俯《うつむ》け、人の肩の間をすりぬけるようにして歩き、

矢島商店の近くまで来た時、ふと軽い眩暈《めまい》を覚えた。そばの電信柱に背をもたせかけ、肩で大きく息をした。この一週間、いろいろと思い迷ったあげくに平静な気持になって、家を出て来たはずであるのに、今になって軽い眩暈をするなど、雨催いの生温かさのためかとも思ってみたが、自分の気弱さが情けなく、文乃は、きゅっと小さな口を引きしぼるようにして、気持を鎮《しず》め、眼を上げると、間近に矢島商店の大屋根が深い庇《ひさし》をおろしていた。

昔ながらの軒下の深い大庇が表通りに迫るように重く垂れ落ち、紅殻塗《べんがらぬり》の大阪格子《ごうし》がはまった表構えに㊚印の暖簾が真一文字にかかり、綿布を積み上げた店先に屋号入りの厚司《あつし》を着た店員たちが、忙しげにたち働いている。嘉蔵が健在でいた時には、一度も正面から見ることのなかった矢島商店を、はじめて文乃はしっかり見ることが出来たのだった。

嘉蔵の臨終の日には、勝手口からであったが、今日の本宅伺いは表の入口から通庭を通って内玄関へということであった。

文乃は、怯《ひる》みがちになる思いを引きたたせ、肩で大きく息を吸うようにして気持を落ち着けると、静かな足どりで、矢島商店の表口へ近付いて行った。

障子の外に足音が聞え、女中のお政の声がした。

「お見えでおます――」

誰が見えたともいわず、お見えでおますとだけ、伝えるお政の声に、微妙な憚《はばか》りがあった。

藤代は、叔母の芳子と座敷机を挟んで向い合いながら、思わず、身ゆるぎを覚えたが、叔母は待ち構えていたような気負いで、

「宇市つぁんの案内で、通っておもらいやす」

と云い、藤代の隣に坐《すわ》っている千寿と良吉、良吉の向いに坐っている雛子の顔を素早く見廻し、

「今日みたいな呑《の》み込んだ計らいのいることは、わてに任しておきなはれ」

と云い、お政が障子を閉めて引き退《さが》りかけると、

「そこは閉めんと、そのままにしときなはれ、その方がよう見えまっさかい――」

お政は、ちょっと、戸惑うような顔をしたが、障子を開けておいた方が、渡り廊下を通って奥座敷へ歩いて来る文乃の姿を見届けられるという意味が解ると、閉めかけた障子を元通りに開いて、席を起った。

小走りに内玄関へ引っ返して行ったお政と入れ代りに、廊下を歩いて来る宇市と文乃の姿が、奥座敷の開け放した障子の間から、見て取られた。

背を屈《かが》め、気難しげな表情で先にたって歩く宇市に遅れて、青磁色の無地の着物に黒紋付を羽織った文乃の小柄な体が、影のような静かさと小ささで廊下を歩んで来ていた。白い細面《ほそおもて》を俯け気味にし、藤代たちが凝視していることにも気付かず、何か必死な面持で歩んでいる。鉤《かぎ》の手に折れ曲った長い廊下を渡り、植込みの常磐木《ときわぎ》に見えかくれしながら、音もたてずに奥座敷に近付いて来る文乃の姿は、一幅の絵のように静かな、涼しい美しさであった。

藤代は、瞬《また》きもせず、文乃の姿に眼を凝らした。父の愛撫《あいぶ》を受けた女、自分たちの相続分を脅《おびや》かすかも知れぬ女という憎悪と軽侮を籠《こ》めた思いが、藤代の眼をじりじりと灼《や》きたたせ、残忍な敵意が噴き上げて来た。千寿と雛子の方を見ると、千寿は白い富士額を青白ませ、良吉の方へやや体を寄せるようにして、張り詰めた強い眼《まな》ざしで文乃を見詰めている。雛子も、座敷机に倚りかかりながら、叔母の芳子と並んで、硬《こわ》ばった表情で文乃の姿を見詰めていた。

中前栽《なかせんざい》を通り過ぎ、奥前栽へかかる曲り角まで来た時、ふいに文乃の足が止まった。奥座敷の障子を開け、そこから一斉に文乃を見詰めている視線に気付いたのだった。はっとたち突っ張るように体を硬くし、躊躇《ためら》うように廊下の端へ身を寄せたが、袂《たもと》から白いハンケチを出し、そっと額を拭《ぬぐ》い、気持を鎮めるように肩で大きく息をつくと、思い決めるような静かな足どりで奥座敷へ近付いて来た。

奥座敷の前まで来ると、文乃は、宇市のうしろに随《つ》いて座敷へ入り、敷居際《しきいぎわ》の下座《しもざ》へ、宇市と並んで坐った。

「本日、お呼び越しの神ノ木の、浜田文乃はんでおます」

宇市が改まった語調でそう伝えると、文乃は、膝前《ひざまえ》に置かれた座布団《ざぶとん》は敷かず、横に寄せ、形を改めて、両手を前についた。

「神ノ木の文乃でございます、ご本宅さまには、この度は、思いがけぬご不幸でございまして、陰ながらお悔み申し上げさせて戴《いただ》いておりました、旦那《だんな》さまの御存命中には、何かとお世話を頂戴《ちようだい》致しながら、ご本宅へのお伺いが遅れまして、不調法なことでおます」

細い張り詰めた声で、挨拶した。一瞬、何の応答もなく、氷のような冷やかさが文乃を迎えた。三人の姉妹の顔に突き放すような冷然とした傲慢《ごうまん》さがうかび、儀礼的に頭をかすかに前へ振った。

文乃は言葉の継ぎ穂もなく、顔を青白ませたまま、さらに深く俯きかけると、上座《かみざ》に坐っている叔母の芳子が口を開いた。

「ご苦労さんだす、今日はわてが、ご挨拶を承ります、主人の米治郎も出るはずでおましたが、商いの方の取りこみごとで出られまへんので、わてが亡くなった姉と、この人たちに代って、あんさんの挨拶を受けることになっておます、何というても、この人たちは、世間知らずの奥内《おくうち》育ちで、本宅伺いなどという下世話《げせわ》なことは、何一つ知らず、妙な苦労をさせるのも可哀そうでおますさかい、分家のわてが代りになったわけでおます、これぱかりは、酸《す》いも甘いも嚙《か》み分けられる齢と、昔のしきたりや作法を知ってないことには、勤まりまへん」

藤代に似た権高《けんだか》な顔で、高飛車に云った。文乃は、はっとした視線で、上座の芳子の方へ向き直り、

「不束《ふつつか》な者でございますが、ご分家さまにも、何分、よろしゅうにお願い申しとうおます」

両手をついて挨拶すると、それには応《こた》えず、

「あんた、お幾つでおます」

「はい、三十二でおます」

「ほんなら、うちの藤代さんと同い齢というわけでおますな」

藤代と文乃の、どちらへともなく、いや味な云い方をし、

「それで、体は、お達者でっか」

そう云い、じろりと文乃の体を眺め廻した。文乃は、怯《おび》えるように、膝の上に袂を重ね合せ、

「へえ、おかげさまで、達者に過ごさせて戴いております」

「そうでっか、それやったらよろしおますけど、お顔の色が、もう一つ冴《さ》えまへんよって、どこか工合でもお悪いのかと思いましてな」

そう云い、もう一度、じろりと文乃の体を眺めてから、

「お身寄りは、どちらだす」

「丹波《たんば》でおますけど、両親も、たった一人の姉も、先だってしもうて、独り身でおます」

「独り身――」

芳子は、咽喉《のど》もとで妙なふくみ笑いをし、

「嘉蔵はんとのお出会いはどちらでおます？」

「白浜で芸者に出ておりました時、お見えになりはりまして――」

「へえ、白浜温泉で――」

温泉芸者の出であることを侮蔑《ぶべつ》するように、おんせんと声高に云った。

「そいで、嘉蔵はんとは何年ほどでおます」

「まる七年でおます」

「へえ、そうすると、姉の松子が生きている時からでおますな」

文乃は、黙って顔を俯けた。

「まさかと思うてましたら、やっぱり、そうでおましたか、男て解らんものでおますな、姉さんの生きてはる時から、女気の気振《けぶり》も見せず、もの固い養子旦那はんで通し、姉さんが死にはってからも男鰥夫《おとこやもめ》でもの固いよう出来《でけ》た人で通した人が、陰ではちゃんと、あんさんと……」

ねっちりとからむように云い、

「それで、あと始末は、どんな仕儀になってるのだす？」

「始末と申しますと――」

文乃が訝しげに問い返すと、

「あんたの身の始末やおまへんか、つまり嘉蔵はんが自分の万一の時のことを考えて、あんたにどんな仕分けを考えておきはったか、それを聞きたいのだす」

ぴしゃりと、おっかぶせるように云った。文乃は暫く黙っていたが、顔を上げ、

「私は陰の女でおます、ご相続人の嬢《とう》さん方などと違うて、仕分けなど……それに、私は何も……」

そう云《い》いかけると、藤代が遮るように口を挟んだ。

「仕分けというのは、死んでから分ける仕分分《しわけぶん》だけを云うてるのやおまへん、お父さんが生前に、あんたにどんなことをしておきはったのか、それをお伺いしとおますねん」

「別に、これというて……」

文乃が口ごもりかけると、

「そんなことおまへんでっしゃろ、お父さんの葬儀後、二カ月近くも経《た》ってるのに、一向に慌《あわ》てる様子も、もの欲しげな顔を見せはれへんあんたの様子から見て、何かまとまった仕分けがちゃんとあるはずでっしゃろ」

きめつけるように云うと、文乃は瞼《まぶた》のくっきりとした涼しい眼もとで、

「只今《ただいま》、住いさせて戴いておりますます神ノ木の家だけは、お頂戴致しとります、おかげさまで有難うございます」

と、感謝するように頭を下げた。藤代は瞬《またた》きもせず、

「それだけでおますか」

重ねて聞いた。

「へえ、さようでおます」

文乃は、はっきりと応えた。藤代はちょっと言葉を跡切《とぎ》らせたが、

「そのほかにも、生前贈与が、あるはずでおますが――」

「生前贈与――」

文乃は、耳馴《みみな》れぬ言葉を聞き返した。

「たとえば、父が死ぬ前に、あんたを受取人名義にした特約付金銭信託や、保険金などをかけて、生前贈与にしてはるのやおまへんか」

藤代の言葉に、文乃より千寿、雛子、芳子の顔に動揺の色がうかんだ。

「なるほど、藤代さんのいいはるような仕分けがおましたな、これはうっかりしてましたわ」

叔母の芳子は、感心したように云い、

「文乃はん、その点は、どないでおます、こんなことをお聞きしても決して悪いようには致しまへん、ただ、一応の筋目として、この人たちの仕分け分が幾ら、あんさんへの仕分け分が幾らという風に、はっきりとした数字だけは、知っておきたいのだす」

文乃の気を惹《ひ》くように、優しい声で云うと、文乃は、両手を膝の上に揃《そろ》え、改まった姿勢で、

「お亡《な》くなりになりました旦那さんは、ご養子のご身分をお考えになり、私の費用《かかり》にも、お店のお金で無《の》う、わいが算段したお金やさかい、節約《しまつ》に使うてやと、口癖のようにおっしゃり、住むに必要な神ノ木の家以外には、お金のかかることは何一つなさりまへんでした」

「ほんまかしら――」

藤代の隣に控え目な姿で坐っている千寿が、口を挟んだ。

「あの気の細かい、小心過ぎるほど用心深いお父さんが、三カ月も寝込んではる間に、あんたに、何も仕置きをしておきはれへんかしらん――」

ゆっくり、呟《つぶや》くように云い、まじまじと文乃の顔を見詰めた。文乃は眩《まばゆ》げに眼を瞬《しばたた》き、惑うような表情をしたが、

「私などには、嬢さん方のようにおりっぱな身の振舞はいりまへんし、それに、旦那さんは、お三人の嬢さん方のお身の振り方ばかりを、ご心配しておいでやしたご様子でおます」

「ふうん、そうかしらん」

雛子の声がし、下膨れの頰をぷうっとふくらませると、

「遺言状にあんたのことよろしく頼むと、書いてあったやないの」

投げつけるように云い、未婚の娘らしい潔癖さで、文乃とは顔を合わさず、そっぽを向いた。

俄《にわ》かに、座が白け、文乃に対する猜疑《さいぎ》が藤代、千寿、雛子、芳子のそれぞれの胸を昂《たかぶ》らせ、一匹の獣を追いつめるようななまなましい残忍さが、部屋の中に腥《なまぐさ》く澱《よど》んで来るようであった。

宇市の膝が、不意に前へ出た。

「先程から承っておりますと、文乃はんへの生前贈与のことが問題になっているようでおますが、手前が、今日までいろいろとお調べ致しましたところでは、神ノ木の家以外には、嬢さんが云いはりましたような特約付金銭信託も、保険金の贈与もございまへん、その証拠にそれの受取りに必要な死亡証明書を、文乃はんから求められておりまへん」

そう宇市が報告すると、

「えらい手廻しのええことでおますな」

叔母の芳子が、皮肉るように云った。

「え、何でおます——」

宇市は、聞き取りにくそうに声高に聞き返した。

「聞えまへんか、文乃はんのこと、えらい先手を打って、手廻しように調べはりましたなと、云うてますねん」

区切るようにはっきり云うと、宇市は白髪《しらが》まじりの眉《まゆ》をぴくりと動かし、

「遺言執行者に指名されておりますさかい、お三人さんの相続分の財産目録から、文乃はんの財産目録までお調べするのが当然でおます」

「さよか、そうすると、文乃はんには、家一軒以外には、何も無いと云いはるわけだすな」

念を押すように云った。

「手前の見ましたところ、まずさようでおます」

「そうでっか、ほんなら、一つだけ、文乃はんにお伺いしまっけど、お宅の一番奥のお座敷は何畳でおます」

間取りを聞くように云った。

「八畳でおます」

「お床は、一間床《いっけんどこ》でおますな」

「へえ、床脇付《とこわきつき》の一間床でおます」

「掛物は、何のお軸でおます？」

「お軸は――」

そう云い、文乃は、詰りかけ、

「お軸ははずし、旦那さんのお写真を飾って、お燈明《とうみよう》とお線香を……」

そう応えると、芳子は、おぞまし気に眉を寄せた。

「姪《めい》たちには聞かせとうないお話だすな、で、以前は、山水の墨絵でも掛けてはったんやおまへんか」

そう云い、じっと文乃の眼を覗《のぞ》き込むようにした。

「いえ、季節柄、寒梅のお軸を掛けておりました」

「雪村《せっそん》の滝山水のお軸、そっちへ行ってまへんか」

いきなり、おっかぶせるように云った。

「雪村の滝山水――」

文乃は、訝《いぶか》しげに云い、

「せっかくでございますが、拝見したこともございまへん」

はっきり、そう応えると、

「へえぇ、さよか、私はまた、心あたりの親類や別家《べっけ》中に問い合わしても、ありまへんさかい、てっきり、嘉蔵はんがあんたのところへ運びはってたのやとばかり思うてましてん、養子の身分で、姉の目を掠《かす》めて、隠し女をこしらえるような抜け目のない人でっさかいにな」

　針を含むような棘々《とげとげ》しさで云った。文乃は、きっと眼を上げ、

「旦那さんは、ご本宅の目を掠めて、ものを運びになるようなお人やおまへん、たとえ、何かの拍子で持っておいでになっても――」

「えっ、持って行っても」

　芳子の声が、険しくかぶさり、宇市の細い眼が鋭く光った。

「もし、そういうことがあっても、決してそのまま、私に与えるようなことをなさるお人ではないと、申し上げているのでおます」

　昂った声でそう云い終えると、文乃は、宇市の方へは眼も向けず、形を改め、

「ほかにお申しつけのことが、ございまへんようでしたら、これで失礼させて戴きとうおます」

　そう云い、両手をついて挨拶《あいさつ》をしかけると、芳子は何を思ったのか、

「文乃はん、お仏壇に詣《まい》ってお帰りやす」

　いたわるような優しい声で云った。

「えっ、お仏壇を――」

文乃は、妾《めかけ》は本宅の仏壇を拝めぬものという昔のしきたりを心得て、諦《あきら》めていたのか、気おくれするような表情をしたが、ふうっと、眼に涙を滲《にじ》ませた。

「ほんなら、お言葉に甘えまして、お詣りさせて戴きとうおます」

と云い、文乃は、藤代と千寿のうしろを通り、正面の仏壇の前に坐った。始めて見る嘉蔵の位牌《いはい》に食い入るような眼《まな》ざしを向け、かすかに頬を震わせると、悲しみに耐えるように身動きもせず、顔を伏せ、やがて静かに手を合わせかけた時、

「お待ちやす！」

鋭い声が、遮った。仏壇へ詣ることを勧めた芳子の声であった。

「お仏壇を拝みはる限りは、その羽織をお脱ぎやす」

文乃の顔に、激しい狼狽《ろうばい》の色がうかんだ。

「昔なら、本宅伺いには最初から羽織を許されず、羽織って来ても、店先で脱いで入って来るのが、本宅伺いの作法でおます、けど、当節のことと思うて、そんな難しいことは云わんと、そのまま座敷へ通ってもらいましたが、お仏壇の中は、嘉蔵はんのお位牌だけやおまへん、矢島家の先祖代々のお位牌が祀《まつ》っておますさかい、昔の作法通り、羽織なしの居ずまいで、お詣りやす」

みるみる文乃の首筋から血の気が引き、がくりと首を折るようにうな垂れた。藤代、

千寿、雛子も、叔母の言葉に気圧《けお》されたように、息を呑《の》んで文乃を見詰めている。文乃は、仏壇の前に蹲《うずくま》るように坐《すわ》り、うしろ背をみせたまま、頑《かたくな》に羽織を脱ぎ取る気配もない。

「どうしはったのだす？　そない脱ぐのがお嫌でおますか」

と云い、不意に芳子の手が伸びたかと思うと、いきなり、文乃の羽織の端を摑《つか》んで、引き剝《は》がした。

「あっ、そんな――」

叫ぶような文乃の声がし、脱がされまいと体を屈《かが》めて避ける文乃の背中で、びりっと縫糸の切れる音がし、ずるずると肩から辷《すべ》り落ちた。羽織を失った文乃は、不様《ぶざま》に畳へ手をつきながら、両袖《りようそで》で体をかばった。

「何カ月でおます――」

刺し通すような鋭い冷やかさで、芳子が云った。文乃の肩が小刻みに震えた。

「お腹《なか》の赤子《やや》は、何カ月でおますかと、お伺いしてますねん」

文乃の肩が大きく揺れ、崩れ折れるようにうつ伏したかと思うと、

「四カ月のかかりでおます――」

低い透き通るような声で応え、引き剝がされた羽織の前に、文乃の体が不様に崩れ

折れた。

驚愕《きょうがく》とも、憎悪《ぞうお》ともつかぬ視線が、文乃の体に集まった。羽織を脱がされ、剝出《むきだ》しになった帯の下に子供を孕《はら》んだ膨らみが、波打ち、文乃は怖《おそ》れるように両手でかばった。叔母の芳子の眼がじわりとそれを見遣《みや》り、文乃の傍《そば》へ躙《にじ》り寄るように膝を寄せた。

「この人たちの眼は騙《だま》せても、わての眼は騙されまへん、この座敷へ入って来た時から、あんたは羽織の着方ばかりを気にして、そのくせ、本宅伺いの作法らしく、羽織を脱ぐ様子もなく、おかしいと思うてたら、案の定――」

そう云い、うつ伏すように畳へ手をついている文乃の体を覗き込み、

「ところで、誰の子でおます?」

「えっ、誰の子――」

俯《うつむ》いていた文乃の顔が、仰向いた。

「お腹の赤子《やや》の父親は、どなたはんだすかと、お聞きしてますねん」

文乃の眼に、怒りとも、屈辱ともつかぬ激しい光が揺れ、仏壇の中の嘉蔵の位牌を訴えるように見上げた。

「亡くなられた旦《だん》那さんの、お子でおます」

低い、強い声で応えた。

「へえ、嘉蔵さんのお子――おかしおますな」

芳子の口もとに、揶揄《やゆ》するような薄い湿った笑いがうかんだ。

「嘉蔵はんの亡くなったのが、二月の二十七日で、今日は、それから一ヵ月と二十三日目でおます、しかも、嘉蔵はんは、亡くなりはる三ヵ月前から患《わずろ》うて、寝込んではったわけでっさかい、四ヵ月と二十三日も前から、あんたとは交渉がなかったはず――、そうすると、妊娠四ヵ月というのは、ちょっと、おかしおますな――」

五本の指で、日を折り数え、産婆《さんば》のような露骨さで、文乃の腹部の膨れを確かめた。文乃の顔から、みるみる血の気がひき、蒼白《そうはく》な顔の中で、眼だけが怒りに燃え、きっと芳子を見詰めた。

「では、どうした子供やと、お云いやすのでおます？」

「さあ、そこまでは、わての知ったことやおまへんが、ただ嘉蔵はんの子供にしては、日が合いまへんと云うてるわけでおます」

吐き捨てるように云い、眼に獲物《えもの》をいたぶるような残忍さを帯びた。文乃は、怖《おじ》けるような瞬《まばた》きをし、顔を硬《こわ》ばらせたが、くっきりした瞼を見張り、

「旦那さんは、ご本宅でお臥《ふ》せになりはりましてからも、一週間に一度、住吉の大阪病院へご診察を受けに行ってはりましたが、そのお帰り途《みち》に、いつもお寄りになりは

りまして、それで……」

あとは、口ごもり、顔を俯けた。

「へぇぇ、肝臓の長患いのご病人が、病院の帰りに必ず、一週間に一回、――へぇぇ、そうでっか、肝臓が悪うても、その方だけは死ぬまで達者、その種が、お腹の赤子《やや》やと云いはりまんのか、とんだ生前贈与でおますな」

芳子の顔に、卑猥《ひわい》な笑いがにじんだ。

「けど、俗に死人に口なしと云いまっさかい、お腹の赤子《やや》が、嘉蔵はんの種に違いないという、なんぞ証拠でもおますか」

「証拠――」

文乃の声が震え、一瞬、言葉に詰りかけたが、

「お腹の子が産まれて参りましたら、解《わか》ることでおます」

「そうすると、産むつもりをしてはりますのか」

不意に険しい藤代の声がし、憎悪と侮蔑を含んだ眼が、文乃を見据えた。

「はい、旦那さんもお喜びでおましたさかい、産ませて戴《いただ》きます」

伏目がちに応《こた》えた。

「え！　産む――」

藤代の顔に、動揺の色がうかび、千寿と雛子は、息を呑むように文乃を見た。藤代は、動揺を抑えるように、じっと眼を凝らして相手を見詰め、

「無理矢理にでも産みはるというわけでおますな、産まれた子供を出しにして取れるものを、取るつもりしてはったさかい、今まで別にもの欲しそうな顔もせず、きれいごとにすまして来たわけでおますな、一体、いくらの仕分けが欲しいのだす？」

「子供を出しになど、私は、そんな……ただ、御遺言状にございましたように、お取り計らいして、おくれやす」

　耐《こら》えるように云うと、

「よしなに取り計ろうてほしいと、云いはるのだすか、そんな無欲な素直なことを云える人が、なんで今まで、身ごもっていることを、黙って隠してはったのだす？　何かほかに企《たくら》んでいる魂胆があればこそ、私らの眼を騙していたわけでおますやろ」

「いいえ、隠していたのやございまへん、身ごもっていることなど、黙っておりましても、或《あ》る時期が参りましたら、自然に解るものでおますさかい——」

「或る時期——つまり、お腹の中の子供が十分に育って、もう、どうしようもない時期という意味らしゅうおますが、幸い、今なら、どうにでもなりそうでおますな」

　妙に持って廻った云い方をした。

「と、お云いやす意味は？」

文乃は、藤代の言葉の意味を取り兼ねるように云った。

「お解りやおまへんか、あんたのお腹の赤子《やや》が、亡くなった父の子供に間違いないというはっきりした証拠でもない限り、せっかく、えらい目をして産みはっても、その産み甲斐《がい》がないと、云うてるのだす、そんな要らん苦労をしはるより、いっそ、堕《おろ》しはった方が、あんさんのお為《ため》にもなるという意味でおます」

文乃の瞼が震え、ぱっと朱が散るように充血したと思うと、両眼から涙が噴き上げた。

「お腹の子を育てるか、育てないかは、お腹の子の母がきめることでおます、いくら、お世話になりました旦那さんの嬢《とう》さん方のお言葉と申しましても、お腹の子の始末までお指図しはりますのは、お言葉が過ぎるようでおます――」

涙で声をくぐもらせながら、眼だけは、ひたと藤代を見詰めた。

「言葉が過ぎる――へえ、どこのところが、過ぎてるのでおます？」

藤代の声に、あしらいきってしまうような酷薄な響きがあった。文乃は、怯《ひる》むような表情をしたが、つと思い決めるように口を開いた。

「氏素姓《うじすじよう》の通った旧家にお生まれになった嬢さん方と、貧しい農家の娘から温泉芸者に出て、やっとここまで生きて参りました私などとを、同じようにしてものを云《い》うことが間違っているとお云いやすかも解りまへんが、今、私のお腹の中にいて、産まれて来る子供は、嬢さん方のお父さんと同じ血を分けた、嬢さん方の弟か、妹になるかもしれぬ子供でおます、それを、頭から無慈悲に堕してしまう方がと、おっしゃるのは、あんまりむごい云い方でおます」

そう文乃が云い終えた時、

「止《や》めておくれやす！」

藤代が遮った。

「あんたの産む子供が、私らの弟妹《きようだい》――、矢島家の子女だとお云いやすのか、思い違いもいい加減にしておくれやす、矢島家は、代々、その家の家付き娘が婿養子《むこようし》を取って、子供を伝えている女系《によけい》家族でおます、家付き娘の母の血を受けている女系の私たちと、婿養子の父とあんたの血しか受けていない子供とを、一緒にして姉妹弟《きようだい》呼ばわりなど、口の端にもせんといておくれやす！」

ぴしりと鳴るような烈《はげ》しさで云った。文乃は、衝《つ》かれたように眼を伏せ、千寿と雛子も、藤代の烈しさに搏《う》たれたように眼をこらし、座敷一杯に気を呑まれるような沈黙と、女系の家の中にある異様に濃厚な気配が、重くたち籠《こ》めた。

不意に席をたつ人の気配がした。宇市であった。縁側へ出ると、ガラス戸に手をかけ、がらりと大きく引き開けた。

植込みの間から、さっと一陣の涼しい風が吹き込んだ。座敷を埋めていた重苦しい雰囲気が破れ、眼を奪われるように、庭を見詰めた。よほど前から降り出していたのか、本降りになり、繁《しげ》った樹々《きぎ》の葉末まで濡《ぬ》れそぼれ、庭石の青苔《あおごけ》が、たっぷり水を吸い、真ん中の池のほとりから塀際《へいぎわ》の築山《つきやま》まで水々しい緑に濡れていた。急に風を孕んだ雨脚が、植込みの落葉を池の中へ吹き落し、木の葉の波紋をつくったかと思うと、遠くの方で、雷の鳴る音が聞えた。

「春雷でおますな――」

宇市は、縁側の端に突ったったまま、見惚《みほ》れるように庭先を眺め、つい先程までの座敷の雰囲気とはかけ離れた、ひどくのんびりした語調で云った。全く自然のようにも、重苦しい気配をはぐらかすための、巧妙な作為のようにもとれた。

「よう聞えはりますねんなぁ、あんたの耳、あんな遠い雷まで聞えて――」

叔母の芳子が云った。宇市はひょいと振り返り、

「全くさようで――、手前の耳は、その日のお天気と体の工合で、よう聞えたり遠うなったりするようでおますな」

他人《ひと》ごとのように云い、もとの席に戻ると、

「ところで、本宅伺いの仕儀は、だいたいおすみのようなご様子でおますが――」

伺いたてるように云いながら、今日のところはこの辺で打ち切ろうとしている宇市の様子が窺《うかが》えた。

「いいや、まだ、大事なことがすんでまへんねん」

芳子は、わざとゆっくりとした口調で云い、

「宇市つぁん、あんたは、ほんまに気付いてはれしまへんでしたのか」

「ええ？　私が、何をでおます？」

解《げ》し兼ねるように呆《とぼ》けた返事をした。

「きまってるやおまへんか、あちらのお腹の赤子《やや》のこと――」

そう云い、仏壇の前に顔を俯けて坐っている文乃を眼で指した。宇市は、ちらっと文乃の方へ眼を向け、

「それが、ええ齢《とし》をしてて、そこのところは、とんと気が付かず、手ぬかりなことでおます、ほかのことなら、めったに目こぼし致しまへんが、その方のことは、もう十五年も切れておりまっさかいな」

わざと皺《しわ》めるように、皺だらけの口で苦笑いした。

「宇市つぁん、それ、ほんまかしら？」

千寿が口を挟んだ。

「宇市つぁんみたいに目端のきく人が、お父さんの遺言状や本宅伺いのことで、神ノ木まで足を運んでいながら、何にも気が付きはれへんなど、信じられへんみたいやわ、あんさんも、そう思いはりまっしゃろ」

千寿は、夫の良吉に同意を促すように云った。養子婿らしく、三人の家付き娘と、自分と同じ立場にあった舅《しゅうと》の女との間に入ることを避けるように、終始、用心深い沈黙を守っていた良吉は、当惑するような表情をし、

「他《ほか》のことと違うて、女の人の体のことやさかい、宇市つぁんも、そこまでは気付きまへんでっしゃろ、まさか、お腹のあたりばかり、じろじろ見てるわけにも行かず――、それより、文乃はんの子が、ほんまにお父さんの子やったら、三カ月も長患いしてはったのでっさかい、せめて宇市つぁんに、ちゃんと云い遺《のこ》しを、しておきはるはずやと思いますねんけどな、そこのところが解せまへん」

「さようだす、手前も、そこのところが、とんと腑《ふ》に落ちまへんが、ただ、ご臨終の席で、それらしいことを――」

「え！　それらしいこと――」

白刃のように研ぎ澄ました視線が、宇市に集まった。宇市は、皺だらけの口もとに唾《つば》を溜《た》め、窺うようにじろりと見廻し、

「何か、それらしいことを口にしはったような、気も致しますねん」

藤代の体がついと、前に出た。

「宇市つぁん、あんた、それは確かなことでおますか、私らが駈《か》けつけた時は、お父さんは、もう、私らのことも云えんぐらいになってはったのに、私らのことをさしおいて、他《ほか》のことなど云い遺しはりますやろか、遺言の相続問題が絡《から》んでいる時でおますさかい、あんたも、よっぽど考えた上で、ものを云うておくれやす、まさか、あんたは、私らよりあの女《ひと》の方に為《ため》しようと考えてはるわけでは、おまへんやろな」

刳《えぐ》るような冷やかさで云い、瞬きもせず、宇市の眼を覗き込んだ。宇市は、細い眼をぴかりと光らせると、

「めっそうもござりまへん、手前は、亡《な》くなられた旦那はんのご遺志通りにさせて戴くだけでおます、さっきのご臨終の時のお言葉も、それらしいことを口にしはったような気もするし、そうでない気もするという風に申し上げとりましただけでおますさかい、このことにつきましては、日を改めて、もう一度、ゆっくりお話し合いになったら、いかがでおます」

「話し合う必要などおまへん、お父さんの子でない子供のことを、何で日を改めてまで話し合わんなりまへんか」

撥《は》ねつけるように云い、

「あんたの思案は、いかがでおます」

文乃の方に向いて、最後の答えを聞き糺《ただ》すように云った。文乃は、眼を上げると、

「先程、申し上げましたように、私はもう産ませて戴くことに定《き》めておますので――」

もの静かであったが、芯《しん》の強い動かない言葉であった。

「まあ、しぶとい女《ひと》――、まるで私らに嫌がらせをするために、強引に産みはるのでおますか」

藤代の顔に、猛々《たけだけ》しい怒りが奔《はし》った。

「いいえ、旦那さんのお子でおますさかい――」

そう云い、あとは口を噤《つぐ》んだ。藤代の咽喉《のど》が、笛のように鳴った。

「ふうっ、ふうっ、ふうぅ、父の子でもないものを、父の子と云い、あんたは、一体何を企んでるのだす、こちらの方では、父の子に違いないという、はっきりした証拠でもない限り、あんたの産んだ子供は、矢島家とは、一切、無関係でおます、それか

ら、父のよしなに頼むと遺言したあんたへの仕分け分については、あんたが保険金や、特約付金銭信託、ひょっとしたら、雪村のお軸も隠してはれへんか、よう調べさせて戴いた上で、定めさせてもらいます」

きめつけるように叔母の方を向き、

「今日のところは、これでおしまいにして、おくれやす」

総領娘らしく、裁量した。叔母の芳子は、くるりとうしろ向きになり、起ち上って、床脇《とこわき》の違い棚に載った袱紗包《ふくさづつ》みを取ると、改まった形になり、

「本日の本宅伺い、ご苦労はんでおます、これは、本日のお為だす」

袱紗を開いて、紅白の水引のかかった金包みを出した。

「昔なら、本宅伺いのお為は、桐箱《きりばこ》入りの絹一疋《ぴき》と定まったものでおますが、当節は形ばかりの大仰山《おおぎょうさん》な絹一疋より、お金の方が使い手《で》がよろしおますやろ」

と云い、水引の結びを文乃の方へ向け、畳の上にじかに置いた。お盆を使わず、無盆で出すお為は、下目《しため》なものに遣わす駄賃代りのものという意味であった。文乃はそれを知っているのか、はっと表情を動かしたが、畳へ手をつくと、

「お心遣いのほど、喜んでお頂戴《ちょうだい》させて戴きます」

頭を下げ、畳の上の金包みを受け取った。

「まあ、お茶でも飲んで行きなはれ」

妾《めかけ》の本宅伺《ぶう》いの出しものは、お番茶一杯に限られていたから、そう労《いたわ》りながらも、芳子の顔に軽侮の色が出ていた。

「へえ、有難うさんでおますが、これで失礼させて戴きます」

そう云い、文乃はためらうように、

「お仏壇に、帰りのご挨拶《あいさつ》をさせて戴きとうおます」

と云い、仏壇の前へ躙《にじ》り寄った。背中に冷やかな視線を感じ取っているのか、文乃は、嘉蔵の位牌《いはい》を見上げ、憚《はばか》るように手を合わせた。

拝み終ると、叔母と藤代たちの方へ向き直り、

「何かと有難うございました」

もう一度、深々と頭を下げ、起ちかけると、

「へえ、あんさんのお羽織——、着てお帰りやす」

芳子が、文乃の羽織を押しやった。背筋と袖付《そでつけ》のところが綻《ほころ》びていたが、文乃は、黙ってそれを羽織った。そうすることが、せめてもの抵抗のように、綻びた羽織を羽織って、静かに席を起った。

「手前が、内玄関までお送りして来まっさ」

宇市は、入って来た時と同じように、文乃の先にたって廊下を渡って行った。

雨脚は衰えかけていたが、風に吹かれた飛沫《しぶき》のような小雨が前栽と、渡り廊下の端を濡らしていた。文乃は、お腹《なか》の子の大事を取って、濡れ縁に足を滑らせぬように、ゆるゆると足を運んだ。時々、遠くの空で雷が鳴り、雨風が綻びた背筋と袖付をかすかにはためかせた。

文乃の胸に、今あった女たちの酷薄さと驕慢《きょうまん》さが、荊《いばら》のような鋭さで食い入り、不意にのめるような眼の暗《くら》みを覚えた。思わず、足を止め、廊下の柱に手をかけると、

「どうしはったのだす？」

宇市が振り向いて聞いた。

「いいえ、ちょっと――」

かすかに頭を振ると、

「綻びたお羽織はもうお脱ぎやす、お座敷から見えまへん」

そう云い、背後《うしろ》に廻って文乃の羽織を脱がせ、くるくるとまるめて、文乃の手に渡し、

「まっすぐ、帰りはらず、光法寺の庫裡《くり》で休憩しながら、待っていておくれやす、取り急いで、お話ししとかなならんことがおます――」

口早に云い、女中の眼にたたぬようにすうっと、文乃から離れた。

文乃の姿が見えなくなると、白刃のように鋭く研ぎ澄まされていた座敷の緊張が崩れ、文乃の坐《すわ》っていた一枚の座布団《ざぶとん》が、今あったことのなまなましさを伝えるように取り残されていた。

誰からともなく、ふうっと息をつくような吐息が流れ、文乃の妊娠四ヵ月が、まだ座敷に坐っている者たちの激しい衝撃になって残っている。藤代、千寿、雛子、それぞれの立場で、手ぬかりなく周到に計算したはずの相続分が、文乃の妊娠によって意外な変動を齎《もたら》すかもしれないのだった。しかも、遺言状で指定された特定相続分も、このほかに遺されている共同相続財産の分配も定《き》まっていない時だけに、文乃の妊娠の事実は、突然、投げ込まれた脅迫状のようなものであった。

「ほんまに、嘉蔵はんの子やという確かな証拠を持ってしまへんのやろか」

叔母の芳子が、重苦しい沈黙を破った。そのことが、藤代、千寿、雛子、良吉の胸に重苦しいしこりになっていたのだった。

「確かな証拠はおまへんと云いながら、一方では、旦那さんのお子でおますさかい産ませて戴きますという、あの頑《かたくな》な芯の強さは、何でっしゃろ」

芳子は考えあぐねたように、肩で大きな息をついた。誰の眼にも、肩をつぼめ、顔を俯《うつむ》けながら、何か心の中に強い支えを持っているらしい文乃の姿が眼に映り、一抹《まつ》の懸《け》念《ねん》と不安が心の底にわだかまっているのだった。叔母の芳子が云う数え方では、受胎日と、妊娠日数が合わなかったが、文乃のいうように、もし、矢島嘉蔵が、本宅で病床に臥《ふ》してしまってからも、週一回の病院の診察日の帰りに、妾宅《しょうたく》へ足を運んで、体の交渉を持っていたのなら、嘉蔵の子供であり得ることもあるのだった。

藤代は、心の中の懸念と闘うように、小雨に濡れている庭を見詰めていたが、ふと視線を叔母の方へ向け、

「もし、お父さんの子に違いないという証拠が出て来て、矢島嘉蔵の妾《てかけ》の子という場合は、遺産の方はどうなるのかしら――」

「そうだす、そこが問題でおます、さっきは、ともかく、頭から強引に、矢島嘉蔵の子やないと突っ撥ねて、追い払うてしもうたけど、嘉蔵はんの子でないという証拠も、いうてみたら、何もないわけだす、それだけに、あんたの云うような心配も、十分あるわけだす」

と頷《うなず》き、文乃を玄関まで送って座敷へ戻って来ている宇市を見、

「あんた、ご存知おまへんか、妾の子は、本宅の遺産を取れるか、どうか——」

宇市は、ちょっと考え込むように頭をかしげたが、

「たしか、妾の産んだ子でも、その子が、父親に当る者から認知さえ受けておれば、父親に当る者の遺産を相続出来るはずでおます」

「えっ、相続出来る——」

「へえ、ちゃんと認知さえ受けておりましたら、非嫡出子《ひちゃくしゅつし》として、たしか、嫡出子の二分の一の相続分が法律で認められておます、つまり、嬢《とう》さん方のような嫡出子が、たとえば、一億の相続をする時には、妾腹の子は、その半分の五千万円ということでおますな」

「へえぇ、妾の子が、私たちの半分も——」

藤代の顔が引き吊《つ》れ、千寿、雛子も唇を引きしぼった。

千寿の横に坐っている良吉が、何かを思いついたように、膝《ひざ》の上においた手を動かした。

「宇市つぁんの云いはるそれは、妾の産んだ子供を、その父親に当る者が認知した場合のことを云うてるのだすさかい、今の場合のように、お舅《とう》さんが既に死亡してしも

うてはる場合とは、問題が別でおますやろ、まさか、死んでしもうた人が、今から六カ月先に産まれる子供を認知するわけにもいきまへんよってな」

「ほんなら、もし、お父さんの子供や云い出しても、応分の仕分けなど、してやらんでもよろしいわけでおますな」

千寿が、ほっと救われるような表情で云うと、宇市は、

「いや、それは、亡くなられた旦那《だん》はんの遺言状に、浜田文乃のことはよしなに願い上げ候と、おしたためになっていはりまっさかい、たとえ、お腹の中の子供について何の遺言もしてはれしまへんでも、文乃はんの方から、産まれて来た子供の仕分け分について、申し出がありましたら、やっぱり、或《あ》る程度の仕分けはせんなりまへんでっしゃろ」

「けど、子供の認知をしてなかったら、矢島嘉蔵の子供やないから、仕分けなどする必要がおまへんでっしゃろ」

千寿は、日頃のおとなしさと打って変った強さで云った。

「認知状が無《の》うても、旦那はんの子であるという、何かそれらしい証拠——、たとえば手紙や書付などがおましたら、さっき申しましたような法律で定められているような相続はできまへんけど、幾分は、分けんなりまへん」

遺言執行者らしい云い方をした。藤代の大きい眼がきらりと光り、冷やかに宇市の方を向いた。

「それでは、もし、こちらが向うの申し出を断わったら、どうなるわけでおます?」

宇市は、一瞬、返事に詰りかけたが、

「そうなると、文乃はんの考え一つで、弁護士に頼み、訴訟に持ち込みはるかも解《わか》りまへんな」

「え? 訴訟に――」

藤代の眼が、険しさを帯びた。

「へえ、もともと、遺言者が自分の家の財産や相続人同士の関係など、家の事情をよう知っている人を指名するのが普通でおまして、法律でも遺言者が、直接、遺言執行者を指名することを認められておますが、ことが揉《も》めて来て争いごとが起ったら、その解決は、弁護士さんに頼むのが常識でおます」

「あの女《ひと》、そんなこと、ようするかしらん」

藤代は、相手を見縊《みくび》るように云《い》った。

「それは解りまへん、しかし、お腹の子供のことさえ、分家の御寮《ごりよう》さんがお見ぬきになるまで黙って、隠してはったお人でおまっさかい、芯が知れまへん」

宇市の言葉に、強い響きがあった。

「そうかしらん――」

藤代は相手の力量を見定めるように遠い処《ところ》へ眼を遣《や》った。自分と同い齢《どし》の、父の囲い者であった女、ひっそりとした美しさと撓《たわ》まない芯の強さを持ち、ちょっとした運命の運びで、自分たちの相続分を削減するかもしれない立場にいる女であったが、文乃には相談することの出来る身寄りがないはずであった。しかし弁護士に話を持ち込むとなると、どうなるのだろうか、身寄りのない女の一途《いちず》さで、訴訟を起してしまい兼ねない虞《おそ》れもあった。

「訴訟なんか、嫌やわ」

雛子が、甲高い声で云った。

「それで無うても、私のお友達の間で、うちの遺産相続が噂《うわさ》になっているのに、妾の子供など挟んで裁判沙汰《ざた》など起されたら、恰好《かっこう》が悪うて、ようお稽古《けいこ》に行かんわ、それに、私は姉さんと違うてこれから結婚するのやから、そんな世間体の悪いことにならんようにして欲しいわ！」

気色《けしき》ばんだ表情を、藤代と千寿に向けた。千寿は雛子の語気に圧《お》されるようにかすかに眼を瞬《しばたた》かせ、

「裁判沙汰などになるのは、こいさんだけで無うても、私かて嫌やわ、第一、老舗《しにせ》の名前に傷がつくやないの」

藤代は、はっと搏《う》たれるような思いがした。老舗の名前に傷がつく――、雛子よりも、千寿よりも、矢島家の家名の暖簾《のれん》に執着し、それが傷つき、損われることを怖《おそ》れているのは藤代自身であった。矢島家の遺産が、矢島家以外の者によって損われることとも我慢ならないことであったが、それ以上に矢島家の家名と暖簾が損われることの方が、かけがえのない怖しさであった。

「出来るだけ、早う分けることだす――」

不意に、叔母の芳子が云った。

「面倒な問題が起らんうちに分けておしまいやす、子供の産まれるのは、五カ月ちょっと先のことでっさかい、先に分けてしもうたら、問題が起っても、もうあとの祭りで済むやおまへんか」

気負うような叔母の言葉であったが、三人にとっては、その分配の仕方が問題であった。千寿はともかく、雛子は、高価な雪村《せっそん》の滝山水の軸の行方が問題であったし、藤代は、二人の妹に比べて、藤代の相続分である不動産相続税の額が、過大でありすぎた。

「どないお思いだす？　あんたらのおつもりは――」

千寿は、もの静かに叔母の方を向き、切れ長の眼を見開くようにし、

「私は、それでおよろしおますけど――」

藤代と雛子の気を兼ねるように云った。

「私も、雪村のお軸のことさえ、はっきりしたら、ほかに何も頑張ることあらへんわ」

雛子も、そう応《こた》え、藤代の方を見たが、藤代は応えずに、自分の立場と、ことの損得を測った。叔母の芳子がいうように、何《いず》れにしても文乃が子供を産んでしまわない先に遺産分配の処理をつけてしまうことが、面倒な問題を事前に防ぐ巧みな方法であるかもしれなかったが、特定相続分で不利な立場にたっている藤代は、千寿や雛子のように、安易に応えることは出来なかった。藤代の胸に、一週間前の親族会の席上で、宇市が公表した共同相続財産の目録が、思い起された。農地、銀行預金、有価証券と列《なら》んで書き記された山林の町歩数と所在が藤代の目に明確にうかび、地床《じどこ》のしっかりした山林を取ることによって、特定相続分で失われた損失を補えそうであった。

「私は山を見に行ってから、定めとうおます」

「え、やまを――」

叔母の芳子は、訝《いぶか》しげに聞いた。

「そうだす、矢島家の持ち山の山林だす」

そう云い、宇市の方を向き、

「宇市つぁん、共同相続財産の目録にあるあの山林へ案内しておくれやす」

「えぇ？　共同相続財産の目録でおますか、へえ、では今すぐ、お持ちしまっさ」

耳に手を当て、大きな声で云った。

「財産目録のことやおまへん、うちの持ち山を案内してほしいというてますのだす」

宇市の方へ顔を寄せ、声高に云うと、

「山へ、へえ、それは何でおます？」

「同じことなら、共同財産のうちで、私は山林をほしいと思うてまっさかい、叔母さんのいいはるように出来るだけ早い時期に遺産分配出来るように、その下見に行きたいと思うてますねん」

藤代は、さりげない云い方をした。

「なるほど、大嬢《おおいと》さんらしいおっしゃり方でおます、ほかに北河内《きたかわち》の土地や有価証券、銀行預金などもおますのに、そのほうには眼もくれはらず、いきなり山林とは、まるで玄人《くろうと》のようなお眼のつけ方でおますな」

そう云い、じろりと探るような眼を当て、

「けど、山奥の山林など、とても、嬢さんのおみ足《や》では無理でおまっさかい、何かご用のことがおましたら、手前にお申しつけしておくれやす、早速に行って参じまっさかい」

宇市は、取り仕切るように云った。

「いいえ、山廻りなど一回もしたことがないから、奈良の吉野か、鷲家《わしか》の山林へでも行ってみたいのだす、それに、一口に山林というても、立木の伐採権のあるのや、伐採権のない地床だけの山林があったりして、それによって持ち山の値打がうんと違うて来るそうでっさかい、それもこの眼で確かめかたがた、足を運びたいと思うてますねん」

つい六日前、梅村芳三郎から聞いたばかりのことであった。

「これはまた、大嬢さんの方が、手前どもより山にお詳しいようでおますな、ほんなら、一つ、大嬢さんに山のことをお教え戴《いただ》きかたがた、お伴《とも》させて戴くことにしまっさ」

皮肉を籠《こ》めた慇懃《いんぎん》な云い方をした。

「ほんなら、私も一緒に行きたいわ」

雛子が飛びつくように云うと、千寿も、

「私も、ご一緒させておくれやす、お父さんが亡くなりはってから二ヵ月近くになるけど、それからこっち、私らで何処《どこ》へも出かけてないし、ここ二、三日のうちなら、吉野の桜はまだ見頃ですさかい、久しぶりで三人揃《そろ》うて出かけとうおます」

遺産相続の問題がはじまってから、始めてのような和やかさで云った。藤代は、心の中でこだわるものがあったが、昨日まで憎悪《ぞうお》と嫉妬《しっと》を燃やして啀《いが》み合っていた姉妹が、文乃の妊娠という思いがけない出来事を前にして、急速に近づき、文乃に対して共同の策をめぐらそうという気配が読みとれたが、山林を望む藤代を牽制《けんせい》しようとする千寿と雛子の気持も読みとれた。しかし、一緒に行きたいというのを無下《むげ》に断わるのも大人気なかった。

「ほんなら、三人で出かけまひょ」

藤代がそう云うと、

「早い方がええやないの、明後日《あさって》にでも――」

雛子が急《せ》かせるように云った。

「え、明後日、えらい気忙《きぜわ》しおますな」

宇市は、狼狽《ろうばい》するような気配を見せた。

「明後日やったら、いかんの？」

雛子が怪訝《けげん》そうな顔をすると、

「いや、別に何もおまへんけど、あんまり急な話で——、それにまるで、物見遊山《ゆさん》のような山行きで、まあ、吉野の桜見にでも行くようなつもりで出かけまひょか」

宇市は、皺《しわ》だらけの口もとに、薄笑いをうかべた。


文乃は、光法寺の庫裡《くり》の縁側に坐り、雨上りになった空を見上げながら、宇市がなぜ自分に、光法寺で待っているように云ったのか、その真意のほどを測り兼ねた。身重な体を懸念して、矢島家の菩提寺《ぼだいじ》であり、神ノ木の家へ帰る道筋にある光法寺の庫裡で憩《やす》んでから帰るようにと気遣ったのか、それとも、ほんとうに何か取り急ぐ用事があるのだろうか——。文乃は、さっき、寺男が運んで来てくれた番茶を呑《の》み干すと、ゆっくり起《た》ち上って、敷石の上に脱いだ草履を履き、本堂の裏にある広い墓地の方へ歩いて行った。

雨上りの墓地は、雨に濡《ぬ》れた石畳と墓土が、じっとりと黒ずんでいたが、枝を広げた樹々《きぎ》は、街中《まちなか》の寺院の境内とは思えぬほど深い枝を繁《しげ》らせ、眼にしみ入るような青々とした緑を見せていた。文乃は、寺男に聞いた矢島家の墓所《はかしょ》に向って、人気《ひとけ》のない墓碑の間を縫って行った。

墓地の一番奥まで行くと、『矢島家墓所』と記した石標がたち、御影石《みかげいし》で大きく取り囲まれた墓所の中に、四基の石碑が並び、右端の一番新しい石碑に、『智温院本然嘉道居士』と朱塗の戒名が記されていた。さっきの寺男の話では、矢島家の慣例によって建てられた生前墓碑で、まだ百箇日の墓供養《はかくよう》を迎えていなかったから、生前墓碑のままの朱塗の戒名になっているのだということであった。

文乃は、まだ生前の墓碑の形のままである嘉蔵の石碑の前にたつと、七年間、ただ、本宅へ知られぬようにという慎重な用心と、まるで、夫婦のようにひっそりと寄り添い合って来た二人の生活が思い出された。大商家の主人であり、三人の姉妹の父親でありながら、絶えず、養子旦那《だんな》である遠慮と気兼ねばかりをしていた嘉蔵に対して、文乃はただの一言も不平がましいことを云わず、それより、隠忍をしなければならない嘉蔵の立場の哀れさが先にたち、影のように嘉蔵に随《つ》き従い、人並の女が男に願う一切の欲望を捨てて、ただ、嘉蔵のためにだけ尽した生活であった。

そうした深い情合《じょうあい》で嘉蔵と繋《つな》がって来ながら、氏素姓のない日陰の女であるということだけで、氏素姓に恵まれた本宅の女から、あれほど驕慢《きょうまん》なあしらいと残忍な仕打をなぜ、受けなければならないのだろうか——。文乃は、不意に体の奥から、ふつふつと噴き上げて来る憤《いきどお》りと、自分に対する救いのない悲しみを覚えた。

嘉蔵の墓所の前に蹲《うずくま》り、訴えるように石碑を見上げると、樹々の枝に溜《たま》っている雫《しずく》が、文乃の肩に降り落ちた。

宇市は、ともすれば、文乃に対する腹だちが、手の甲の深い皺にまで噴き出しそうになるのを抑えながら、矢島家の墓所のある方に向って歩いていた。文乃が妊娠を隠していたことから、三人の姉妹が俄《にわ》かに遺産分けを急ぎ、それが全く思いもかけない三人の山行きにまで発展し、一つ間違えば、宇市のこれまでの企《たく》らみが、露見し兼ねなかった。他《ほか》のことはともかく、山林だけはと思い、用心深く企み、仕組んでおいたことが明後日の山行きで、どう覆《くつがえ》るかもしれないと思うと、文乃に対する憤懣《ふんまん》がさらに大きく膨れ上って来た。しかし、それを押し隠し、親切めかした猫撫《ねこな》で声で、文乃を自身の方へ引き寄せておくことが、この際、禍《わざわい》を転じて福となす方法のようであった。そのために、ちょうど、文乃の家への帰り途《みち》になるこの寺を、待ち合わせ場所にしたのは、とっさの思いつきとはいいながら、いかにも自然で、しかも今の文乃にとって、一番足を向けたいところに違いなかった。たち止まって、矢島家の墓所の方を見ると、石碑の前に蹋るように体を屈《かが》めている女の姿が見えた。

「文乃はん！」

声をかけると、文乃は、体を起して振り向いた。

「庫裡の方かと思いまして、その方へ参じましたら、こちらやということでおました、えらいお待っとうさんでおます」

と云いながら、矢島家の墓所の前まで来ると、まず念仏を唱えて、四基の石碑にお詣《まい》りし、いかにも疲れきったような表情で文乃の方を見た。

「あれから奥座敷へ引っ返して、分家の御寮《ごりよう》さんにご挨拶《あいさつ》だけして、すぐこっちへと思うてましたのが、あんさんのおかげでえらいことになりましてん」

「え、私のために——」

文乃の驚くような声が、静かな墓地に透き通るように響いた。宇市は、素早く、あたりを見廻し、人影がないのを見定めると、

「実はあんさんのお腹《なか》の赤子《やや》の問題で、旦那さんのお子に間違いがないという証拠のあるなしにかかわらず、あんさんが子供を産みはる前に、遺産分けを片付けてしまお

うということになり、早速、明後日、奈良の山奥の山林まで、あのお三人方《がた》を案内せんなりまへん」

「それが、何か宇市つぁんのお為《ため》に悪うなるようなことでおますか」

そう云われると、宇市は、慌《あわ》てて、

「いや、それは別に——、それより、あんさんのお腹の赤子《やや》、ほんまに旦那はんのお子やという証拠がおまへんのだすか、もし、何かそれらしいものでもおありやったら、隠しはらんと、手前にだけは正直なところを云うておくれやす」

そう云い、宇市は、文乃のかすかな表情の動きも見逃さぬ鋭い視線を当てた。文乃は、躊躇《ためら》うように曖昧《あいまい》な気配を見せた。宇市は、目敏《めざと》くその気配を捉《とら》え、

「悪いようには致しまへんよって、ほんとうのところを云うて欲しおます、手前は、さっきの本宅伺いの席で、亡《な》くなりはった旦那はんが、あんさんに生前贈与として、特約付金銭信託や保険金をかけてはるかも解りまへんのに、そんなことおまへんと、あんさんをお庇《かば》い致したり、あんさんのお腹の赤子《やや》のことについても、ご臨終の席で、旦那はんから何も伺うてまへんのに、そういえば、それらしいことがあったようでおますなどと、あんさんのお為になるようなことばかりを、申し上げたはずでおます」

恩着せがましい云い方をし、

「それに、こないして、旦那はんの石碑のある前でお聞きしてるのでおますさかい、ほんとうのところを、お聞かせしておくれやす」

粘り着くような執拗《しつよう》さで云った。文乃は、何を思案するのか、暫《しばら》く、重なり合うようにたち並んだ墓碑の列へ眼を向けていたが、やがて宇市の方へ視線を向けると、

「いいえ、何も戴いておりまへん――」

石碑のように固い表情で応えた。

「そうでっか――、ほかならぬこうした旦那はんのお墓所でお聞きしても、そうおっしゃるなら、ほんまにそれらしいものをお持ちやないご様子でおますな」

宇市の顔に、明らかな失望の色がうかんだ。

「それだけのご用事でおますか、ほかに、何かご用でも――」

文乃は、それだけのことでわざわざ、ここで待ち合わせをするようにした宇市の気持を計り兼ねるように云うと、

「いや、それだけを取り急いでお伺いしておきたかったのでおます、万一、あんさんが手前の知らぬような遺言状か、書付でも持ってはったら、手前のえらい手ぬかりでおますさかいな」

「手ぬかり？　あんさんの――」

訝しげに聞き返した。

「さようでおます、それによって、遺産の分配ががらりと変り、手前の立場も変ってしまいまっさかいな」

宇市は、そう云うと、凄《すさま》じい物欲に漲《みなぎ》った視線で文乃を見詰め、何かを企むような脂《あぶら》ぎった陰険な光を漂わせた。

第五章

中千本《なかの》から上り坂になった山道を歩き上千本《かみの》の花矢倉《はなやぐら》のあたりまで来ると、ふいに眼の前が開け、吉野の峰々が一望のうちに見渡せた。幾重にも重なった台高山脈《だいこう》の山々のみずみずしい緑が、満開の桜にほの白く包まれ、真下の中千本の桜の群がりの間に、如意輪堂《にょいりんどう》と蔵王堂《ざおうどう》の塔屋が浮き彫られるような美しさで捉《とら》えられた。

「まあ、きれいやわ！　眼が痛うなるみたい——」

雛子の弾んだ声がし、藤代と千寿も、桜に掩《おお》われた吉野の山の美しさに見惚《みほ》れている。父の葬儀以来、始めて遠くへ出、毎日のように繰り返されて来た家内《いえうち》の陰湿な争いも、思わず忘れそうになるほど、快い解放感を覚えていた。

「ここまでお出《い》でになったら、水分《みくまり》神社へお詣《まい》りしはりますか」

宇市が、うしろから声をかけた。花矢倉から水分神社まで、三丁程の距離であった。三人は頷《うなず》いて、人気《ひとけ》のない上り坂をさらに上って行った。このあたりまで来ると、花見時の吉野の山の喧噪《けんそう》な賑《にぎ》わいが失《な》くなり、人気のない道の両側から、鶯《うぐいす》や目白の鳴声が聞えた。

石段を上り、朱塗の楼門をくぐると、境内は鬱蒼《うつそう》とした杉の大樹に囲まれ、昼間もなお薄暗い陰になり、社殿の前のしだれ桜が一本、眼にしみ入るような白さで咲き開き、あたりをほの白い明るさに染めている。

本殿の前にたつと、四月中旬過ぎというのに、ひやりとした冷気が体を包み、三人は、森閑としたたたずまいの中で、静かに拍手《かしわで》をうって、頭を垂れ、宇市も同じように拍手をうった。

「嬢《とう》さん方は、何をお祈りやしたのでおます？」

頭を上げると、宇市が冗談とも、真面目《まじめ》ともつかぬ表情で聞いた。

「宇市つぁんこそ、大きな拍手を打って、何を長いこと祈ってはったの？」

雛子が、悪戯《いたずら》っぽく聞き返した。

「手前は無病息災に長生きして、お店のお為《ため》になりたいと、そう祈りましたんだす」

「ふうん、私は、早う、ええ結婚の相手が見つかるようにと、祈っておいたわ、なかあんさんは何を祈りはりましたん？」

千寿は、やや眩《まぶ》しげな眼をし、

「私は、早う赤ちゃんが出来るようにお願いしときましてん」

と云い、かすかに頰を染めると、宇市はぽんと手を打ち、

「そうそう、水分神社《みくまりさん》は、子守《こもり》の宮ともいうて、子授けや安産の神さんでもおますな、そいで、大嬢《おおいと》さんは、何をお願いになったんでおます」

「私——、私は何も祈ることなんかあらへんわ」

素っ気なく応《こた》え、藤代は、くるりと踵《きびす》を返して、楼門の方へ歩き出した。

藤代の胸に、大阪を発《た》って吉野へ着くまでの車の中の千寿と雛子のはしゃぎ方や、何時《いつ》にない宇市の愛想のよさが、次第に煩《わずら》わしいものになりかけていた。出入りのハイヤーを傭《やと》い、まるで物見遊山《ゆさん》に出かけるように着飾り、五重《いつかさ》ねのお重箱に堺卯《さかう》の花見料理を詰め合わせて出かけては来ていたが、藤代にとっては、どこまでも杉林の山見が大事な目的であった。吉野の桜は下千本のあたりの桜を眺めて、すぐ矢島家の山林がある鷲家《わしか》の方へ行きたかったのを、雛子と千寿が、中千本の天皇橋に車を待たせ、そこから十六、七町の道を歩いて、上千本まで桜見に行こうというので一緒に、上って来てしまったのだった。

「大嬢さん、お昼は、そこの茶店ですまして参じまひょ」

宇市が、追いついて来て、声をかけた。振り返ると、千寿と雛子が、左側の茶店の

前にたって、手で招いていた。

「お昼はまだ早いやおまへんか、それに鷲家へ着いてからでよろしおますやないの」

藤代は不機嫌な表情をし、

「宇市つぁん、あんたが勧めはったのやおまへんか」

「めっそうもおまへん、なかぁんさんもこいさんも、同じお弁当を戴《いただ》くのなら、見晴しのきくここで桜の花を眺めながら戴きたいと、申してはりますので——、もっとも、手前も、このお重箱を早う空《から》にして戴いた方が楽でおますが——」

と云《い》い、手にぶら提《さ》げたお重箱の包みを重そうにした。そう云われると、それでもとはいえず、藤代は黙って、茶店の方へ足を帰した。

三人の姉妹が揃《そろ》って茶店の中へ入ると、一斉に人の視線が集まった。雛子は軽快なツーピースを着ていたが、藤代と千寿は、結城《ゆうき》の着物の上に、単衣《ひとえ》の草染《くさぞめ》小紋の道行《みちゆき》コートを着重ね、手に道行コートと対《つい》の小物袋を提げた上方《かみがた》風の凝った装《よそお》いをし、大番頭らしい年寄りを伴った姉妹の姿は、一目で老舗《しにせ》の娘たちという印象を与えていた。

「おいでやす、こっちの方がええお席でございますよって、どうぞ」

茶店の主婦が、目敏《めざと》く藤代たちの姿に目をつけ、中千本の桜を下に見下ろす桟敷《さじき》を取って、赤い毛氈《もうせん》の上に、座布団《ざぶとん》を敷いた。

「ご注文は、何にさせて戴きまひょか」

早速、注文を受けにかかると、宇市は、

「いや、お弁当は手持ちでおまっさかい、嬢さん方には名物の桜菓子とお茶を、手前《ぶう》には、一本つけて貰《もら》いまっさ、その代り、店先のあの桜団子をお土産に、二十折《おり》ほど包んでおくれやす」

巧みに取り仕切り、提げて来た蒔絵《まきえ》の重箱の包みを広げて、丁寧に蓋《ふた》を取り、取り皿を並べると、

「さあ、どうぞ、ごゆっくり、おあがりやす、手前もお相伴《しようばん》させて戴きまっさ」

と云い、箸《はし》を取った。雛子は、桟敷の手摺《てすり》から体を乗り出し、春霞《はるがすみ》に淡くかすんでいる遠くの山を眺めていたが、膝《ひざ》の前に並べられたお重箱を見ると、

「まあ、お花見らしいわ、赤い毛氈を敷いた茶店の桟敷で、蒔絵のお重箱を広げて、吉野の桜を堪能《たんのう》するほど見られるのやもの――」

はなやいだ声で云った。千寿も、お重箱の中を覗《のぞ》き込み、

「まあ、きれいなお花見料理やこと、桜鯛《さくらだい》の塩焼に若鶏《わかどり》の浅月まき、鶉卵《うずらたまご》のうに焼、それに車海老《くるまえび》と独活《うど》の煮合せ、筍御飯《たけのこごはん》のおにぎりと菜種の胡麻和《ごまあ》え、まるでお雛祭《ひなまつ》りのお料理みたいに、ちまちまして、きれいやわ」

一つ一つを、取り皿に移しながら、千寿は料理の彩《いろど》りの美しさを楽しむように、お箸の先につまんだ料理をひらひらさせた。

「ほんまにさよでおますな、嬢さん方がこうして、お睦《むつま》じゅうにお揃いでおましたら、お幼《ちいさ》い時のお雛祭りを思い出すようでおます、奥座敷の御寮《ごりよう》さんのお部屋の床の間に飾られたお雛さんの前に、今日と同じように赤い毛氈を敷き、おきれいなお着物《べべ》を着た嬢さん方がお集まりになって、この日ばかりは御寮さんのお手でお作りになった御《お》節《せち》料理をお召しあがりになってはりましたが、そのお可愛らしさと、はんなりとした奥内《おくうち》のご様子が、今でも眼に浮んで来るようでおます」

宇市は、運ばれて来た酒をちびり、ちびり、手酌しながら、三人の幼い頃のことを話し出した。

「そうやったわ、何時もお雛祭りになったら、お正月と同じように新調《さら》のお着物《べべ》を着せてもらえるのが、きつう楽しみでおましたわ」

千寿も、幼い頃を想《おも》い出すように云った。

「それで御寮さんは、毎年のお雛祭りの嬢さん方のお衣裳《いしよう》作りの選び方に困られて、何時でおましたか、呉服屋にもこれという智恵《ちえ》がうかばず、嬢さん方の生まれ月とお名前に因《ちな》んで、五月生まれの大嬢さんは藤《ふじ》の花、一月生まれのなかぁんさんは鶴亀《つるかめ》、三月生まれのこいさんはお雛さんに因んで御所人形の柄のお着物を、お作りになったことがおましたが、それがまた大そう柄変《がらがわ》りして、おきれいな上《あが》りでおまして……」

ほろ酔い気味になっているのか、宇市は何時になく饒舌《じょうぜつ》に喋《しゃべ》っていたが、藤代は、次第に苛立《いらだ》って来る気持を抑えながら、黙って、お箸を動かしていた。これからまだ、車で一時間程かかる山間《やまあい》の村まで行かねばならぬというのに、長々と喋りながら食事をする千寿、雛子、宇市の三人は、それぞれの立場で藤代の山行きを焦《じら》せているのであるかもしれなかった。

宇市は、藤代が吉野の鷲家へ行きたいと云った時から、ずっと用心深い表情をし、何かを警戒するような気配を見せたが、千寿と雛子は、文乃の妊娠という思いがけない出来事に対して、本能的な肉親愛と孤立することの心細さを感じ、山林を見てからの遺産分けの時期を定めるという藤代に同調して、花見かたがた藤代と行を共にしたのだった。しかし、それも考えようによっては、山林を望む藤代を牽制《けんせい》するための見せかけであるかもしれない——。そう思うと、先程からの千寿と雛子のいやにのんびりした花見気分と、宇市の何時にない饒舌さが、藤代の癇《かん》にむうっと障《さわ》って来た。

「宇市つぁん、うちの山林《やま》は、どのあたりだす」

藤代は、手摺の方へ腰を浮かせ、鷲家の方を臨み見るようにした。

「へえ、山林――」

宇市は、戸惑うように藤代の顔を見詰めた。同じように宇市の話の中へ入っているものと思っていた藤代が、ふいに山林のことを云い出したのが驚きであったらしい。

「ああ、鷲家の山林でおましたら、ここからは谷間《たにあい》になって見えまへんが、中千本へ下りて、待たせてある車に乗りましたら、一時間ほどで行けまっさかい、そないお急ぎになりはらんかて大丈夫でおます、まあ、ゆっくりおしやす」

と云い、腰を落ちつけかけるのを、

「今日の一番の目的は、うちの持ち山の山見だす、こんなところで花見酒みたいなものを飲んでゆっくりされたんでは、肝腎《かんじん》のことが運びまへん」

咎《とが》めるように云い、千寿と雛子に、

「あんたらも、こんな処《ところ》でゆっくりしてたら、見たい山も、見られへんようになるやないの、吉野の山は、ええお天気やと思うてても、うっかりしてたら雲の往《ゆ》き来が激しゅうなって、霧になるらしいから――」

促すように云うと、宇市は、やっと腰を上げ、千寿と雛子も席をたつ用意をしかけた。

吉野川沿いに車が宮滝《みやたき》のあたりに来ると、三船山を背景にして吉野山の連峰が重畳《ちょうじょう》と連なり、川も谿流《けいりゅう》の趣をもって激しさを加え、山伏姿をした修験者《しゅげんじゃ》が吉野川沿いに峻厳《しゅんげん》な山岳地帯へ攀登《よじのぼ》って行くらしく、草鞋《わらじ》履きに脚絆《きゃはん》をつけ、太い杖《つえ》をついて山道を分け入る姿が見えた。

新子《あたらし》の村へ入ると、急に材木を積み上げた貯木場や、杉皮を整えて一束の束にしたくくりをたてかけた製材所が多くなり、鄙《ひな》びた道を往き交うオート三輪やトラックの上にも木材の積荷が目だち、ようやく木材の村に入った気配がした。

さらに鷲家口《わしかぐち》から鷲家の方へ入ると、峰々が嶮《けわ》しく迫り、杉の巨木に覆《おお》われた山頂に雲が絶えず去来し、昔、鷲の棲家《すみか》であったと伝えられている村らしい、山間《やまあい》の小村であった。

藤代は瞬《また》きもせず、山々を見詰め、亭々と空に向って聳《そび》える杉の巨木を見詰めていた。今まで風景としてしか見ていなかった山の樹木が、一つの価格を持って、自分の財産になって来るかもしれない昂《たかぶ》りと、豪奢《ごうしゃ》な欲望が藤代の胸を騒がせていたが、藤代は強《し》いて平静な表情を保ち、次第に近付いて来る鷲家の山林に熱っぽい期待を抱いていた。

「嬢《とう》さん、鷲家の山林でおます、あれが、うちの山林でおます」

宇市が助手台から、大きな声で指《ゆびさ》した。

車の窓の外に、杉材に覆われた濃緑色の山が見え、谷間から湧《わ》きたっているのか、煙のように白い霧が、流れ出ていた。

「車で、すぐそばまで行けるのかしら」

藤代が聞くと、

「へえ、この峠の角をくるりと廻ると、案外、山の際《きわ》まで行けるのでおます」

「いよいよ、うちの持ち山やわ」

雛子が興奮したように云い、

「宇市つぁん、どの辺まで登って行けるかしらん？」

気負いたつように聞いた。

「それは、嬢さん方のおみ足次第《や》でおますな」

そう云いうしろを向いて、じろりと藤代たちのいでたちを見た。

「それやったらよかったわ、私は踵《かかと》の低い靴を履いて来たさかい――、けど、姉さんとなかぁんさん、どないしはる？」

「困ったわ、どないしたら、ええかしら？」

千寿は、藤代と同じ華奢《きやしや》な草履を履いた足もとを見、戸惑うような顔をした。藤代は、千寿の方よりも利休下駄《りきゆうげた》を履いている宇市の足もとへちらりと眼を遣《や》り、

「宇市つぁん、あんたはその足もとで、どないしはりますのん？」

「へえ、手前でございますか、手前はちゃんと地下足袋を用意しとります」

と云い、宇市は助手台の席から、自分だけは用意して来た山行きの地下足袋を見せた。

「へぇぇ、自分の用意だけは充分に出来ておますな」

藤代は皮肉を籠《こ》めた云い方をし、

「私も地下足袋か、草鞋に履きかえさしてもらいます」

「けど、山守《やまもり》の道案内でおますさかい、随《つ》いてお歩けになれまっしゃろか」

「え、山守？　山守って、何だす」

山守という古風な聞き馴《な》れぬ言葉を聞き返した。

「山守といいますのは、山林の所有者の山主《やまぬし》から山林を預かって管理している人のことで、山主は山奥の山林までしょっちゅう、見廻りが出来まへんさかい、山守が杉の植林から育ち工合、下枝の刈込みから伐採、それに盗伐、盗木の監視から山の境目の争いごとまで、すべて山主に代って、山林のことを取り仕切るわけでおます」

「ほんなら、うちにも定《き》まった山守がいるわけでおますな」

藤代は、確かめるように云った。

「さよでおます、戸塚太郎吉という親子二代の山守で、先々代の時からずっと、矢島家の山林を預かっている山守だす、この人は山守の中でも、特に山林に、詳しゅうて、鷲家の山ではこの人の歩いたことのない道はないというぐらいでっさかい、この人に任しておきさえすれば、まず間違いはないというわけでおます、今から、ちょっと、そこへ寄って、道案内を頼む段取りをして来ますねん」

宇市は妙に熱を入れた云い方をし、運転手へ、

「あの段々畑の上にある山守はんの家へ寄ってんか」

と云い、車の前ガラスの向うに見えている山守の家を指《さ》した。石垣を積んだ段々畑の上に、藁葺《わらぶき》の平家が見え、表に向って山行きの作業衣らしい洗濯ものが、ずらりと干し並べられていた。

通りからやっと車が通れるだけの細い坂道を入り、山守の家の一丁半ほど手前で、車を停めた。

「ここからは車が入られしまへんよって、嬢さん方は、ここでお待ちやしておくれやす、手前がちょっと、呼びに行って参じまっさかい」

そう云うなり、宇市は年寄りとも思えぬ素早さで車を降り、坂道になった細い畦道《あぜみち》を前屈《まえかが》みにとっとと、上って行った。背をまるめた体が、畦道の中で躍るように撥《は》ね、その度に足もとから砂煙が勢いよく舞い上った。

三十分を過ぎても、宇市は山守の家から出て来なかった。

「どないしたんでっしゃろか、えらい遅うおますな、山守はんがお留守なんかしらん――」

千寿が心配そうに云うと、

「そんなことあらへんわ、昨日、今日の午後行くという電報を打っておいたと、宇市つぁんが、さっき、云うてたもの」

「ほんなら、もうすぐ出て来はりますねんやろ」

そう云い、千寿と雛子は、子供が山登りをするようなのんびりした表情を山の方へ向けた。藤代は、ちょっと呼び出して来ますさかいと云いおきながら、三十分を過ぎても出て来ない宇市に、ふと妙な疑惑を覚えた。

昨日、わざわざ電報で、今日の午後に行くと連絡してあるのなら、山守が留守であるとは考えられなかったし、それに藤代たちを車の中に待たせておいて、山守と宇市が二人きりで特に長話をしなければならないことがあるというのは、おかしなことであった。

藤代の頭に、宇市が共同相続財産目録を公開した第二回目の親族会の席上で、全く偶然の出来事から藤代と千寿に鷲家の山林のことを問い詰められ、「そうそう、そういえば吉野山の近くの鷲家という処にも山林がおましたな、あんまり有名な処やおまへんのでうっかりしとりましたわ、それにこの節とんと耄碌《もうろく》致しとりましてな」と云い、山林の項に『奈良県鷲家』と書き加えた宇市の空《そら》っ呆《とぼ》けた表情が思い起された。あれは、ほんとうにうっかり失念していたのか、それとも、梅村芳三郎が云うように最初から故意に書き落しておきながら、耄碌して失念したように見せかけ、その実、藤代と千寿が気付かなければ、一山をごっそり着服してしまおうという図太い魂胆であったのか、今日の山見でまず確かめねばならぬことは、それであった。そのために藤代はわざと他《ほか》の山林を選ばず、鷲家の山行きを選んだのであった。しかし、相手が何かといえば勝手聾を構える腹の知れぬ宇市であり、道案内をする山守も、今日初めて会う気心の知れぬ者であってみれば、今から行く山見は、山守をまじえた宇市と藤代の一騎打ちであるかもしれなかった。

「あっ、出て来はったわ」

雛子の声に眼を向けると、宇市の横に地下足袋を履きしめ、首に手拭《てぬぐい》を巻きつけ、腰に鎌《かま》をぶち込んだ山守の精悍《せいかん》な姿が見えた。

山守の背後《うしろ》に随いて、藤代たちは、もう三十分以上も山道を登り続けていた。鬱蒼《うつそう》とした木立に囲まれ、朽ち果てた落葉に埋まった山道はじめじめと濡《ぬ》れ、うっかりすれば足を滑らせそうであったが、ところどころ、杉の丸太がレールの枕木《まくらぎ》のように置き並べられていた。

雛子は踵の低い靴であったから登りやすかったが、藤代と千寿は、山守が用意した履き馴れぬ草鞋《わらじ》を履いて登っていた。昼間もなお陽の目を見ない山道の湿りが草鞋の底を通じて、じくじくと足袋の裏にしんで来、短く端折《はしょ》った着物の裾《すそ》まで、湿りを帯びて来るようであった。

藤代は足もとの心地悪さを気にしながら、五、六歩先を歩いている山守の姿に眼を向けた。右腰に鎌をぶち込み、左腰に鎌を砥《と》ぐ砥石を入れた布袋を提げ、ゲートルと地下足袋で足を固めた精悍な姿で、一歩、一歩、土を踏みしめるように歩いている。山守の家の前で始めて顔を合わせた時から、むっつりと無愛想に押し黙り、山裾へ来るまでの車の中で、藤代が気さくに話しかけても、無愛想に言葉短かに応《こた》え、日焼けした褐色の顔の中で、眼だけがぎょろりと鋭かった。

ふいに人声がしたかと思うと、背中に鉈《なた》と鋸《のこぎり》を入れた負籠《おいご》を背負った四、五人の樵《きこ》夫《り》たちであった。山守とすれ違いながら、

「ええ天気だんな、山林へ行きなはんのけ」

「そうだんねん、大阪から来た山主さんの案内だんねんげよう」

山守がそう応えると、

「そら、ご苦労はんでんな、ほな、お先いに」

と云《い》い、通り過ぎていった。藤代は、樵夫たちを見やりながら、ちらっと宇市の方を見ると、着物の裾を尻《しり》からげにし、足に地下足袋を履きしめ、年寄りと思えぬ山馴れた足つきで、遅れがちになる千寿と雛子を追い上げるようにして、一番、殿《しんがり》から登って来ている。

「ああ、しんどう、ちょっと一服せんとかなわんわ」

雛子の高い声が響き、立ち止まる気配がした。振り向くと、山道の真ん中にしゃがみ込み、汗ばんで上気した顔を火照《ほて》らせ、

「まだ、どれぐらいあるのん、さっきから、もうちょっと、もうちょっと云うて、な

かなかやないの、山守さんのもうちょっとは、どれぐらいやの」

怒ったように云うと、

「もう、半分ほどでんねがなあ」

山守は太い声で、ぶっきら棒に応えた。

「へぇ、まだ、この半分も――」

千寿も、眼の前に連なる杉の巨木に掩《おお》われた山を見上げ、悲鳴を上げるように云った。宇市は、しゃがみ込んでいる雛子の傍《そば》へ寄り、

「お疲れでおましたら、まだ半分もおますし、嬢《とう》さん方のおみ足《や》では、ご無理でおまっさかい、ここで太郎吉つぁんからだいたいの話を聞いて、引っ返した方がおよろしいやおまへんか」

そう云い、山守の方を見、

「どないだす、ここからでも山林《やま》の説明ができまっしゃろか」

と云うと、山守は、

「おたくの山林は、この前に見える山林だっさかい、ここからでも説明出来まんがな」

と相槌《あいづち》を打つように頷《うなず》いた。藤代の眼に、さっと険しい光が走った。

「宇市つぁん、あんたは、なかぁんさんらを連れて先に下りてておくれやす、私だけは、山守はんとうちの山林を見に行って来まっさかい――」

そう云い、山守の方を向き、

「ご足労でおますが、私の道案内をしておくれやす」

もの柔らかに云いながら、否《いな》を云わせぬ激しさがあった。山守は黙って、先にたって歩き出した。藤代は、鼻緒ずれにならぬように草鞋の左右を履きかえて、すぐそのあとを追った。

「私らも行くわ、姉さんが行きはるのやったら、何も置き去りにしはらんかて、ええやないの」

癇高《かんだか》い雛子の声がし、藤代のあとを随いて来た。

木立に掩われた狭い単調な山道が蜿蜒《えんえん》と続き、密林のような雑木林の中から目白や鶯《うぐいす》の清澄《せいちょう》な声が聞えて来たが、藤代の胸は、険しく波だっていた。さっきの宇市と山守の言葉の中に、藤代たちを山頂の方へ行かせまいとする気配が感じ取られ、この蜿蜒と続く山道も、わざと遠廻りをしているのではないかという思いに襲われた。

「この道しか、ありまへんのだすか」

背後《うしろ》から、山守に声をかけた。

「これが一番ええ道だんねん、樵夫の歩く道はもっと嶮《けわ》しいものだっけどな」

と応え、山守は振り返りもせず、腰から足を運ぶように大きな歩幅で登って行った。

突然、眼の前が開けたと思うと、右側に急峻《きゅうしゅん》な尾根が見え、背後の峰々に絶えず雲が去来し、濃密な杉林に掩われた谿谷《けいこく》から霧が煙のように白く湧きたち、深くかき合わされた谷間を吉野川の支流らしい小さな流れが銀色にうねりながら流れている。

「もう、そこが、おたくの山林だんねん」

山守は、二丁程先の杉林を指した。北側に截《き》りたった嶮しい谷を持ち、南側に緩やかな傾斜をもって広がる南向きの杉林であった。

熊笹《くまざさ》を分けて杉林の中へ入ると、ひやりとした山の冷気が体を包み、生い茂った雑草で膝《ひざ》まで埋まった。山守は、腰の鎌で雑草を払いながら、奥へ入って行った。

「蛇が出て来えへんかしらん？」

千寿が、おじけづくように云った。

「大丈夫だす、わしの鎌のあとから来なはったら――」

と云い、山守は左右に大きく鎌を振った。近くの山林で伐採が始まっているのか、木《き》を伐る音と枝を薙《な》ぎ倒す音が聞え、時々、地響きをたてるような倒木の音が、静まりかえった山林の中に大きく谺《こだま》した。

山林の奥へ入るにつれ、足もとの雑草が深くなり、朽ち果てた落葉が湿ったまま埋もれ、杉の巨木が矢来《やらい》の囲いのように立ち繁《しげ》っている。

藤代は、ひょっとしたらこの山林全部を自分の持物にすることが出来るかもしれないと思うと、思わず、眼を輝かせ、振り仰ぐように空を見上げた。暗緑色の枝を広げた杉の木の頂のかすかな合間から青い空が覗《のぞ》き見られた。藤代は、ふうっと熱い息を吐き、幹の成長を確かめるように、杉の木の頂から次第に視線を下に移すと、見馴れぬ妙なものが眼に止まった。

杉の木の地上から六、七尺の高さの樹皮が、四角に削り取られ、そこに何か字が焼き込まれている。藤代は裾にからまる熊笹に構わずその木の傍へ寄り、眼を近付けると、風雨に曝《さら》されて黒ずんだ木肌に、昭和三十二年三月改と記された字は読み取られたが、その右上の字は木肌と共に黒ずんで判読出来ない。

「この木のしるしは、何でおますか」

藤代は、山守に向って云った。山守は、驚いたように振り返り、藤代の指した杉の幹へ鋭い視線を向けると、

「それは、持ち山の標《しるし》だして、矢島所有林、昭和三十二年三月改《あらため》と、焼き込まれているのだすが、肝腎《かんじん》の名前の方が読みにくなっとりまんな」

そう云い、節くれだった手で杉の幹を撫《な》でた。

「改というのは、何の意味でおます――」

千寿が、うしろから声をかけた。

「ああ、改だっか、それはその年月日に山守が、この山林を見廻りに来て、境目《さいめ》を改めたという意味だんねん」

「え、境目《さいめ》？」

「へい、自分の山と他人《ひと》の山の境界《けいかい》のことだすが、山の争いごとはみな、この境目の争いだしてな、普通は四尺間《あいだ》を空けんといかんことになっとるんだすけど、厚かましい、こす狡《ずる》い奴《やつ》らは、四尺の間空《まあ》けどころか、他人の山の境目を侵して植林し、その上、他人の山の木まで盗伐し、見付かったら境目が分らへんやないけと、云いぬけをしよりまっさかい、こないして、境目のところどころの木に持主の名前と、見廻った年月日を焼き入れておきまんねん」

「そうすると、うちの持ち山は、この境目から何処《どこ》まででおます？」

「え、何処までと云われますとな――」

山守は、やや戸惑うように、

「そうそう、ずっと、この向うの端の方に左へ枝の出た木が見えますやろ、あこまでだすわ」

と云い、境目標《さいめじるし》に沿った北の端を指したが鬱蒼と生い茂った木立に隔てられ、到底、端までは見通せない。

「これで、どのぐらいの広さでおます」

「さいでんな、ざっと十町歩ほどでっしゃろか」

山守は、眼で測るように云った。

「十町歩？　おかしいわ、鷲家《わしか》の山林は、確か、二十町歩ほどあると、宇市つぁんも云うていたはずでおます」

と云い、藤代は宇市の方を振り向き、

「宇市つぁん、確か、そうでおましたな」

「ええ？　何がそうでおますのでっか」

宇市は、右手を耳に当てて聞き返した。

「聞えまへんのんか、この鷲家の山林は二十町歩程あるはずですなと、聞いてますねん」

「えっ、十町歩、へえ、さようでおます」

また耳に手を当てて、応えた。

「十町歩やおまへん！　二十町歩というてますのだす」

宇市の方へ体を寄せ、苛《いら》だった高い声で云うと、

「二十町歩──、へえ、そない仰山おましたやろか」

素っ呆《とぼ》けた表情で、首をかしげた。

「宇市つぁん、姉さんの云いはる通りやわ、第二回目の親族会の翌日、あんたは、私にも、二十町歩程あると云いはったやないの」

千寿が証拠を突きつけるように云うと、宇市は、白髪《しらが》まじりの眉《まゆ》を寄せ、暫《しばら》く、何かを想《おも》い出すように細い眼を瞬《しばた》かせていたが、急にぽんと手を打ち、

「そうそう、二十町歩というのは、この山と別に、もう一つの山を合わせて──」

「えっ、別にもう一つ山が──」

藤代が、すかさず、問い返すと、

「太郎吉つぁん、あの十町歩程の山林があるのは、どこの山でおましたかいな」

宇市は、山守に向って、妙にまったりとした甘い云い方をした。

「へい、あの十町歩の山林だっか、あれだしたら、この山林の合間から見える、ほれ、向うの峰の北側の傾斜のその横にある山林だすわ」

解《わか》りにくい説明で、指《ゆび》さしかけると、突然、宇市が頓狂《とんきょう》な声を上げた。

「うわっ、よう生えとります！　生えとります！　あの、えらいよう茂った杉の木の山がうちのでおますわ」

額に手をかざし、雀躍《こおどり》するような恰好《かっこう》で、左側の峰の斜面を指した。その方を見ると、遠目にも空に向って高く生い茂った杉林が広々と連なっていたが、藤代はにこりともせず、

「立木の伐採権は、どうなっておますのだす？」

不意を衝《つ》くように云った。

「はあぁ、伐採――」

山守は、驚いたように聞き返し、

「立木の伐採権は、両方の山林ともおたくの所有だすわ」

「それに、きっと間違いおまへんでっしゃろか」

藤代は、確かめるように云った。

「へい、そら、もう間違いあらしまへん、わしが山守だっさかいな」

「ほんなら、石幾《こく》らでおます？」

「えっ、立木の石当りの値《ね》だっか」

山守は、たじろぐように藤代の顔を見詰めたが、

「一石、千五百円というのが相場だんねんけど、これも小切《こぎ》りや空洞《うど》の入り工合で、大きな値幅が出まんな」

「で、一町歩当りの杉の出来高は、どれぐらいでおます」

「さいだんな、それも土地によって、水捌《みずは》けが良うて日当りがあり、傾斜の度合が緩い地床《じどこ》と、その逆の地床では出来高がうんと開きますやろ、そやさかい、まあ一町歩当り四百石というところだっしゃろな」

「そうしますと、石当り千五百円として、一町歩が四百石の出来高とすると、二十町歩で約千二百万円の材木が採れるというわけでおますな」

藤代がそう計算すると、山守の眼が、ぎょろり鋭く光った。

「あんたはんは、えらい山林にお詳しいでんな、立木の伐採権から石当りの立木の値段まで、まるで玄人《くろうと》みたいな眼のきき方で、大阪の山主さんの数は沢山《たんと》ありまっけど、あんたはんみたいに詳しい人はありまへん、しかも、女《おなご》の方でな」

そう云い、宇市の方を向き、

「わしは、ここまで来たついでに下枝の様子を見て来ますさかい、あんたはん方は、ちょっと、一服しとっておくんなはるか」

と云い、腰に差した鎌を取ると、熊笹を払いながら、奥の窪《くぼ》みへ入って行った。山

守の姿が見えなくなると、雛子はまるい眼を見張り、
「姉さんのもの知りにはびっくりしたわ、こんな山林のことなんか、なんで知っては
ったの」
「なんでて――」
藤代は、口ごもりかけたが、
「三田村へ嫁いでいた時、あの人が山林を持っていたさかい、その時の聞きかじりや
わ」
と三田村にこじつけると、宇市はじろりと藤代の顔を見、
「三田村はんは、和歌山の加太《かだ》のご出身で、網元の株はお持ちやそうだすが、山林は
お持ちやないはずでおますが――」
詮索《せんさく》するような云い方をした。藤代は内心どきりとしたが、
「けど、先代の御寮《ごりよう》さんが丹波のご出身やから、山林を持ってはったかておかしいこ
とおまへんでっしゃろ」
さらりと受け流すように云い、
「宇市つぁん、うちのこの山林は何時頃《いつ》の買いものでおます」
「さようでおますな、これは、先々代の時のお買いものやったと思いますねん」

「へえぇ、先々代も前からやったの」

藤代はさり気なく頷きながら、杉は植林してから二、三十年目が、節のない良木になり、価格も高くなると云った梅村芳三郎の言葉を思い出した。宇市が、この鷲家の山林を出来るだけ隠そうとするのは、この山林が先々代からちょうど三十年余りを経ている成木林で、伐り時を迎えていたからであることが読み取れた。しかしそれは顔に出さず、

「この山林の伐り時は、何時ごろかしら――」

何気ない聞き方をすると、宇市は急に用心深い表情で、

「それは、山守はんに聞いてみんことには解りまへん」

と応え、千寿と雛子の方を向き、

「嬢《とう》さん方は、失礼でおますが、お下《しも》の方はどないでおます？」

まじめくさった顔で厠《かわや》の用を聞いた。

「いややわ、そんなこと聞かんかてええやないのん、いやらしいわ」

雛子が怒ったように云うと、

「これは、えらいご無礼でおました、ほんなら、手前だけちょっと小便《しし》をさせて戴《いただ》きまっさ」

と云い、宇市はそそくさと叢《くさむら》の中へ入り、いきなり、不躾《ぶしつけ》な音をたてて立小便をはじめた。その長々とした不躾な音の中に、先刻来の宇市の藤代に対する憤懣《ふんまん》と当てつけが籠《こ》められているようであった。

さわさわと熊笹の鳴る音がし、宇市が戻って来たのかと思うと、山守であった。頭から枯葉を被《かむ》り額に汗をにじませ、

「大番頭はんは、どちらで？」

と宇市の姿を探した。眼でその方を指すと、にやりと白い頑丈そうな歯を見せ、

「そろそろ、山を下りまひょうか、霧が出て来そうだっさかいな」

と云い、鎌《かま》を差し込んだ皮バンドをきゅうっと締め直した。藤代は今いる杉林の左側に見える矢島家のもう一つの持ち山へ眼を遣《や》り、

「あのうちの山林、ここから遠いかしら？」

「そら、遠いでんな、さいやな、まず、山道で二里はありまっしゃろ」

藤代は、自分の腕時計を見た。三時半を過ぎかけていた。

「そう、二里もあるのやったら、どう考えても今日は無理だすな」

残念そうに云うと、

「そら、無理だんな、あれ見なはれ、向うの峰は、霧が出はじめてまっしゃろ」

と云い、指した方を見ると、遠くの峰から、白い霧が湧《わ》き上り、たちまち薄暮のように峰々の姿を消し始めていた。

「さあ、あんたはん方も霧に巻かれんうちに早う下っとくんなはれ」

と云うなり、山守は大声で宇市を呼び、鎌で雑草を払いながら、もと来た道を先にたって歩いた。

山裾《やますそ》まで下りて来ると、もうあたり一面夕闇《ゆうやみ》に掩《おお》われ、今下りて来たばかりの背後の山々も、薄暮の中に包まれようとしていた。

待たせておいた車に乗ると、藤代と千寿は真っ先に草鞋《わらじ》を脱ぎ、蜥蜴《とかげ》の皮草履に履きかえ、汚れた草鞋をぽいと道端に投げ捨てて、着物の裾を払った。宇市も地下足袋を脱ぎ、利休下駄《りきゅうげた》に履きかえて、裾の尻《しり》からげを下ろすと、山守《やまもり》の傍《そば》へ寄り、

「今日は、えらいご苦労はんだす、おかげで段取りように山見をさして貰《もら》いました」

と挨拶《あいさつ》すると、藤代も車の窓から、ちらっと顔を出し、

「何かとお世話さんでおました、あと山林のお守りを按配《あんばい》にしておくれやす」

つい今、草鞋履きの形振《なりふり》かまわぬ姿で山見に行って来た者と思えぬとりすました鷹《おう》

揚《よう》さで、かすかに頭を下げた。

「へい、山林のことなら、安心して任しといておくんなはれ、昨日や今日に山守さしてもろたんと違いまっさかい、責任もって預からしてもらいます」

山守は、首に巻いた手拭《てぬぐい》をとって挨拶し、

「大番頭はんも、ご一緒にお帰りだっか」

と、云《い》い、宇市の方を見た。助手台の扉《ドア》を開けかけていた宇市は、急に手を止め、

「ああ、これはうっかりしてましたな、太郎吉つぁんに一日、山案内を頼み、一献《いっこん》を差し上げげんのは、不粋《ぶすい》に過ぎるというものでおますな、それにあんたは、これだけが楽しみやということでしたなあ」

右手でちょこを持つ振《ふり》をした。

「えっへへっへっ、こらぁ、どうも、えらいことを知ってはりまんな」

山守は、頭に手をあて、あて込むような卑屈な笑い方をした。

「そうなると、手前はこのまま、はい、失礼というわけにも行きまへんな」

と云い、藤代たちの方を向き、

「嬢《とう》さん方は、この車で先にお帰りやしておくれやす、手前は、ちょっと太郎吉つぁんと一杯やってから、電車で帰りまっさ」

宇市は、藤代たちの返事も聞かず、

「運転手さん、嬢さん方をちゃんと家までお送りしておくれやす」

山守と並んで、慇懃《いんぎん》に腰を曲げた。

宇市と太郎吉は、鷲家口《わしかぐち》までバスで出、そこに一軒だけある田舎の小料理屋の暖簾《のれん》をくぐった。

「まあ、ようお見えなはったよ」

顔見知りの仲居が、何時ものように二階の小座敷へ案内し、酒と料理を運んで来ると、すぐ心得顔に引き退《さが》った。

山守の戸塚太郎吉は、さっきまでの口数の少ない無愛想さとは打って変った愛想のよさで、

「まあ、一杯、いきまひょか」

と云い、盃《さかずき》をとって、きゅっと一杯あけると、

「大番頭はん、さいぜんは、ほんまにあの女《おなご》はんらと一緒に帰るつもりだしたんか」

探るように宇市の顔を見た。

「めっそうもない、わてが一杯、やらんと帰りまっかいな、あない見せかけておかんと、太郎吉つぁんとわいの仲を見て取られるやおまへんか、あの三人は、あれでなかなか、その方の勘が強うおますさかいな」

と云い、銚子《ちょうし》をとって太郎吉に酒を勧めると、

「さいな、さいな、だいたい、女が山改《やまあらため》をすることからして出しゃばったことだんのに、山の境目《さいめ》、町歩数から立木の伐採権まで聞き出し、もう十町あるはずやと頑張られた時は、正直なところ、どきりとしましたでぇ」

そう云い、太郎吉はちびりと盃を舐《な》め、

「なんし、つい一月《ひとつき》前、大番頭はんに頼まれて、立木を丸坊主《まるぼうず》に伐って売ってしもうた矢先だっさかいな、山で猪《いのしし》や熊《くま》に出会うてもびくともしまへんわしが、どだい、まごついてしもうて、へい、ここから見える向うの峰の北側の斜面の、その横にある山林《やま》だすと、云うてる本人がさっぱり、何が何やら解らんような返事をしたら、いきなり、うしろからどえらい声で、うわっ！　よう生えとる！　よう生えとる！　あのえらいよう茂った杉山がうちのでっかと、あかの他人の山を指《ゆびさ》しはったのには、ほんまにど胆《ぎも》をぬかれましたわ、あれで、もし、あの女はんらがあそこまで山林を見に行く云うたら、どないしなはるつもりだしてん」

「そんなことにならんように、ちゃんと、吉野の上千本《かみの》まで弁当持ちをし、のんべんだらりと昔話をこね廻して桜見し、時間をつぶして来ましたんだすわ」

「なるほど、こらあ、大番頭はんも、なかなかの役者だんねんな、じゃらじゃら、女三人の桜見のお伴《とも》をして、わしとこの家の前まで来たら、山守を呼び出す振して、その実、こちょこちょと、あの女はんらの眼を胡麻化《ごまか》す打ち合わせをして、あとは何食わん顔をして、嬢《とう》さん何々でおますとか、何やらおしやすとか、歯の浮くようなべんちゃらを云いながら、嘘《うそ》の皮の山見をして、巧《うま》いものだんな、この調子で、うっかり、わしも騙《だま》されるのと違いまっか」

太郎吉は疑い深そうに、ぎょろりと眼を光らせた。

「とんでもおまへん、山林で金をこしらえようと思うたら、女房を騙しても山守だけは騙したらあかんという昔からの諺《ことわざ》がおまっさかいな、それに山守を騙したつもりが、案外、こっちが騙されておったりしましてな」

宇市は逆に、じろりと太郎吉の方を見返し、

「ところで、丸坊主に伐った立木の一町歩当りの出来高は、なんぼだす？　まさか、さっき、あの三人にいうたような少ない出来高やおまへんやろな」

山守に委託している立木の伐採量と伐り出した材木の市場価格を、油断のない眼で

聞いた。

「あたり前だんがな、さっきの女はんらにいうたのは、あらぁ、叩《たた》き値だすわ、正直な話、一町歩当りが五百石の割で、石当り二千円というところだんねん」

「そうすると、一町歩当りの水揚げが百万、それが十町歩で一千万円の総水揚ということで、そのうち山守に三分乃至《ないし》五分というのが相場だっけど、太郎吉つぁんには、格別の世話になってまっさかい、七分で七十万円の手数料ということになりまんなぁ、どうだす、それで――」

ぽんと太郎吉の背中を叩き、勢い付いた云い方をすると、太郎吉はぷかりと煙草《たばこ》の煙を吐き、

「三十五万円ほど足りまへんな」

「えっ？　何だす、何が足りまへんねん」

宇市は、耳に手をあてて、大きな声で聞き返した。太郎吉は酒気に染まった赤黒い顔を宇市の方に寄せ、

「あのな、あの山林は役場の登記簿には十町歩の記載になってまっけど、実際は十五町歩余りありまんねん」

「えっ、十五町歩？　そないおますかいな」

宇市が首をかしげかけると、

「大番頭はん、今になって空《そら》っ呆《とぼ》けはるのはやめとくなはれ、昨日や今日に山いじりしなはったのやあるまいし、山林の面積は、登記簿に載っとる広さより、実際の方が広いのが常識だっしゃないか、吉野や熊野の山奥みたいとこは、役場の方かて一々、確かな調べようもあらへんさかい、だいたい、山主《やまぬし》の云い分通りに記載して、実際の広さの方が、登記簿より二倍も広いという話がありますやないか、おたくの今度、伐採した山林も、登記簿は十町歩やけど、実際は十五町歩余りだっさかい、一町歩百万として十五町歩で一千五百万、その七分の百五万がわしの取り分ということだすわ、山守は実際の広さで立木の下刈から枝打ち、伐採をやってまんのんだっさかい、山守への手数料は、実際の町歩数で計算するのが当り前のことだっせぇ」

太郎吉は、酒の勢いをかりて、まくしたてるように喋《しゃべ》った。宇市は山菜を盛った器に箸《はし》をつけ、ちびりちびり盃を舐めながら、無表情な顔をして聞いていたが、

「百五万、ええ値でおますな」

ぽつりとそう云い、盃に残った酒をきゅっと空けると、

「まるで山林ブローカーなみやおまへんか、まあええとこ、登記簿に載ってる通りの十町歩は七分の手数料で七十万、あとの出目《でめ》の五町歩は五分で二十五万、合わせて九

十五万というところで手を打とうやおまへんか、こっちも、立木の水揚が、ごっそり懐《ふところ》に入るのと違うて、これまでの経費や山林所得税も払わんなりまへんさかいな」
「そうすると、十万値切りはるわけだっか」
太郎吉の眼がぎょろりと光り、
「百万の、百五十万のというても、わしらの場合は、大番頭はんのように毎日の、物の売り買いで金が取れるのやあらしまへん、杉苗が一人前になるのに平地《ひらち》で三年かかって、それを山の地床へ植林して、毎年下刈や枝打ちをして十六年目ぐらいから手がぬけ、二十年目ぐらいになってやっと伐れるんだっさかい、それを勘定に入れたら、ほんまに薄い儲《もう》けや」
「その代り、毎年の立木の下刈から枝打ち、伐採あとの根株の処分まで、見て見ん振をして、あんたに任せてるやおまへんか、下刈や枝打ちの小材《こ》木は、薪《まき》・葡萄棚《ぶどうだな》の支え木に売れ、伐採あとの太い根株は、便所やつっかけに使う荒下駄《あらげた》の材料、荒下駄を採ったあとの根株は、さらに楊子《ようじ》と飯しゃもじの材料に売れて、実際、山の立木には取り残しがないやおまへんか、それに、あんたが山で使う樵夫《きこり》の日当かて、山守任せやさかい、あんたのやり方一つで、ええ収入《みいり》になってますやないか」
ずばりと図星を指すように云うと、太郎吉は俄《にわ》かに卑屈な愛想笑いをし、

「大番頭はんにはかないまへんな、そこまで細かい勘定で来られたら負けだすわ、ほんなら、今度の山林は、あんたはんの云いはる通りということにして、その代り、近いうちに何かまた、ええおすそ分けを——」

節くれだった手で宇市に酌をした。

「そう、そう、そない出てくれはらんと、うまい話になりまへんがな」

と云い、宇市は、太郎吉の注《つ》いだ盃をあけると、着物の懐をはだけて、腹巻の中から小さな手帳を取り出して、ぱらぱらとめくった。

㋗四十町歩、　△あり
㋵五町歩、　△のみ
㋔百二十町歩、　△あり
㋟十町歩、　△あり
㋻二十町歩、　△なし

趺坐《あぐら》を組んでいる太郎吉の膝《ひざ》が浮き、

「その帳面は一体、何だんねん」

無作法に宇市の手もとを覗《のぞ》き込んだ。

「これでっか、これはわての大事なお宝帳でおますわ」

と云い、宇市は、㋻二十町歩　△なし　と記した下に、手早く何かを書き込むと、すぐ隠すように手帳を閉じた。太郎吉は一瞬、怪訝《けげん》そうな顔をしたが、

「あっ、さよか、△は立木のしるしで、△ありは、山の地床《じどこ》と立木の伐採権が両方ありで、△なしは地床だけで伐採権なし、△のみは地床なしで伐採権のみという意味だんな」

　判じ文を判じるように云うと、宇市はそれに応《こた》えず、

「ところで、鷲家の山林《やま》の二十町歩のうち半分は伐採済みで、あとの半分は、今日行ったあの山林というわけやけど、あそこの伐採権の件は、大丈夫でっしゃろな」

急に声を細め、探るように太郎吉の顔を見た。太郎吉は、日焼けした褐色の顎《あご》を突き出し、

「へい、大丈夫だんねん、立木の伐採権を人に売り渡したのと違うて、伐採権を担保にして地元の信用金庫から金を借りただけでっさかい、登記簿の上では名義変更も何もありまへんし、それに判は、ちゃんと大番頭はんの方から預かった実印だすし、心配は要りまへんわ、第一、素人《しろうと》は立木と、地床の権利が別々になってる場合があるな

ど、知りまへんさかいな、地床が自分とこのものやったら、その上の立木は当然、自分とこの所有やと思うてる者ばかりで、そんなことを知っとるのは、おたくのあの女はんぐらいのものだすわ」

鼻の横に皺《しわ》を寄せ、揶揄《やゆ》するように笑った。

「ところが、それやから心配してるのや、実はこの鷲家へ山見に来ることになったのも、あの一番上と中の嬢さんが云い出したことで、わての留守中に鷲家の役場の登記係から電話がかかって来たことから、ここがくさいと睨《にら》まれたわけや」

宇市が、突然、鷲家へ山見に来ることになったいきさつを話すと、

「ああ、それやったら、あれは信用金庫から、担保物件として二重担保に入ってないか、どうか登記所へ照会して来たさかい、ほら、何時《いつ》も顔見知りのお人よしの登記係が、お先っ走りにあんたに電話かけよりましてん、あとで聞いてびっくりしてな、これからは何でも一応、山守のわしに連絡して貰うようにしときましたさかい、もう大丈夫だすわ」

太郎吉は趺坐を組んだ膝を叩き、確信を持った云い方をした。

「けど、さっき、妙な境目標《さいめじるし》があったやおまへんか、あれは何だすねん」

宇市が不安そうに聞くと、

「大番頭はんは案外、気が細《こんま》いですねんな、あれはもし、伐採権を担保に入れたことが解《わか》った時に、どないでもいい逃れがつくように、肝腎《かんじん》なところを解らんように消してますのや」

「ふうん、さすがは太郎吉つぁんやな、ほんなら大船《おおぶね》に乗った気でおるさかい、按配《あんばい》に頼むでぇ、旦《だん》那はんの生存中に知られずにすんで、小娘の代になって露見したんでは阿呆《あほ》らしいて、それこそ、死んでも死に切れんさかいな」

宇市は、急にぞんざいな口のきき方をし、年寄りとは思えぬふてぶてしさを見せた。

太郎吉も勢い付き、

「そうだすとも、せっかく、ここまでうまいこと嚙《か》んで来て、あんなくそ威張りかえった女風情《おなごふぜい》にやられてたまりまっかいな、ここの山林は、わしが預かってる限り大丈夫だっけど、ほかの山林はどないなっとりますねん」

「ほかの山は、太郎吉つぁんみたいにもの解りのええ山守はんがいてくれんと、融通のきかん固いばっかりの山守やさかい、うまい工合にはいかんのや」

「それやったら、わしがまた、その道のつてを考えときまっさ、その代り、わしにおこぼれを頼みまっせ」

太郎吉は、阿《おもね》るような小狡《こずる》い云い方をした。

「そう頼めたら結構やな、できたら、熊野や大杉谷の女の足では、とても登って行けんようなところを頼みまっさ」

宇市がほっとしたように云うと、

「大番頭はん、あんたはん、ほんまに旦那はんから何の仕分けも、遺言してもろうてはらしまへんのか」

何を思ったのか、太郎吉は腑《ふ》に落ちかねるように聞いた。宇市が黙って頷《うなず》くと、

「先々代から長の勤めをしてはる大番頭はんに仕分けがないのは、おかしおまんな、お宅のような老舗《しにせ》では旦那はんの仕分けが、大番頭の退職金みたいなものだっしゃろ、それに何の仕分けもないというのは、先代はあんたはんの横領を知ってはったんとちがいまっしゃろか」

「人聞きの悪いことといいなや、何が横領だすねん、養子旦那の甲斐性《かいしょう》なしの旦那に代って、ご先祖からの財産を、先々代と先代の二代にわたって、お守りをして来た二代分のお守り料だすがな」

そう嘯《うそぶ》きながら、宇市の胸に、矢島嘉蔵は宇市の長年の着服を知っていたのではないかという疑惑が、不意に首を擡《もた》げた。それは今まで考えてもみなかったことだが、太郎吉に云われてみると、嘉蔵が先々代からの大番頭である宇市に仕分けを残してく

れなかったのは、養子根性の気の狭さや、隠し女にやることに夢中で行き届かなかったのではなく、嘉蔵を侮《あなど》り、嘉蔵を謀《たばか》って私腹を肥やしていた自分に対する痛烈な報復であったかもしれない。何《いず》れにしても、自分にいささかの仕分けも残してくれなかった不満が、酔いの廻って来た宇市の胸の中で、火玉のような熱い固まりになって膨れ上って来た。

急に不機嫌に黙り込んだ宇市に、太郎吉は手持無沙汰《ぶさた》になり、

「どないしはったんだす、さあ、もっと景気ように飲みまひょうな」

と云い階下に向って酒を云いかけると、

「いいや、もうそろそろ帰らんと、あんまり遅うなると、またあの三人に、妙に勘ぐられまっさかいな」

と云うと、宇市はよろよろと起《た》ち上った。

大和上市《やまとかみいち》から阿倍野駅に着くと、もう十時を廻っていた。宇市は近鉄の構内から阿倍野橋の交叉点《こうさてん》の方へ出ながら、鷲家口《わしかぐち》の小料理屋での太郎吉の言葉を思い出してい

た。

案外、旦那はあんたはんのやり口を知って仕分けを残しはれへんかったのかも解りまへんでぇと、云った太郎吉の言葉が、次第に真実感をもって宇市に迫り、もし、それがほんとうであるなら、嘉蔵は、宇市の着服をそのまま見過ごしにして死んで行くとは思えなかった。何らかの形で誰かにそれを伝え、何時かの機会にそれを第三者に伝える方法を取っているかもしれないとも思えた。そう思うと、宇市は思わず、血圧が上って来るような胸苦しい動悸《どうき》を覚え、交叉点のところで、足を止めて息をついた。

眼の前に上町線《うえまちせん》の小さな停留所が見え、住吉公園行の電車が停っていた。宇市はふと、神ノ木の浜田文乃の家へ寄ることを思いたった。今から本町《ほんまち》の矢島商店まで行っても十一時を過ぎて、藤代たちは昼間の疲れでとっくに寝込んでいるであろうし、それより今、眼の前に停っている住吉公園行の電車に乗れば十五分ほどで神ノ木に着き、文乃の家へ行って、嘉蔵が自分にどんな考えを抱いていたか、それとなく探ってみたかった。

信号が変ると、宇市は急いで交叉点を渡り、発車しかけている電車に飛び乗った。

「おっさん、危ないやないか!」

うしろで、大声で怒鳴る駅員の声がしたが、宇市は電車に乗り込むと、奈良の鷲家の山から帰ったその足ですぐ、文乃の家を訪ねる自分の思いつきの速さに、にんまりとした満足を覚えていた。

神ノ木の停留所で降りると、宇市は何時ものように目標《めじるし》になっている精米所の角を折れ、暗い門燈《もんとう》がぽつぽつと点《つ》いている小路を通り、煙草屋を兼業している薬局の横を入って、文乃の家の寸前まで来て、足を止めた。

文乃の家の前に、中型の車が停っているのだった。隣家の前と見違えたのかと思い、思近付いて行くと、やはり文乃の家の前であった。小さな門が開かれ、タクシーかと思いった車は、タクシーではなく、白ナンバーをつけた自動車で、車の中には人影がなかった。

宇市は、足音をしのばせて、玄関の格子戸《こうしど》の前まで行き、音をたてずにそっと格子戸を開いた。僅《わず》かな隙間《すきま》が出来、そこから中を覗《のぞ》くと、玄関の灯《あか》りに照らされた沓脱《くつぬぎ》石《いし》の上に、汚点《しみ》一つなく磨きたてられた男物の黒い靴が、脱ぎ揃《そろ》えられていた。忽《たちま》ち、宇市の眼に疑惑の色が籠《こも》り、誰の子か解りまへんと、きめつけた分家の芳子の声が、目の前の磨きたてられた靴の中から響いて来るようであった。

「ご免やす!」

宇市は、いきなり、大きな声を上げて、がらりと格子戸を引き開けた。

「はい、ただ今――」

聞き馴《な》れぬ女の声がし、襖《ふすま》が開いた。割烹《かっぽう》前掛をつけた中年の女であった。返事も待たず、玄関の中へ入っている不作法な男を咎《とが》めるように見、

「どなたでっか」

むうっとした表情で云《い》った。

「本宅からの者だす!」

宇市は、また奥へ聞えるような大きな声で応えた。

「あっ、本宅の人でっか、それやったら、ちょうどよろしおます、さあ、すぐ上っておくなはれ」

俄《にわ》かに急《せ》きたてるように云い、

「今、お医者はんが来てはりますねん」

「えっ、お医者はんが――」

驚いて聞き直すと、

「へぇ、文乃はんが急に工合が悪うなって、ともかく早うお上りやす」

宇市は、慌《あわ》てて埃《ほこり》だらけの下駄《げた》を脱いだ。

茶の間を通って、奥座敷の襖を開けると、ぷんと消毒薬の臭《にお》いがし、床の間を枕《まくら》に

して、臥《ふせ》っている文乃の姿が見えた。

電燈の灯りの下で、文乃の体が力なく仰向けになり、眼を閉じた小作りな顔が青黯《あおぐろ》くむくみ、唇のあたりが紫色に乾いている。

「大丈夫でおますか――」

宇市は、医者の背後《うしろ》から声をかけた。注射をし終えたらしく、注射器をしまいかけていた中年の医者は、怪訝そうに宇市の方を見た。

「この人は、ご本宅から――」

宇市を案内した中年の主婦が云いかけると、

「いえ、こっちの身寄りの者でおまして、夜分にご往診戴《いただ》きまして恐縮でおます、どんな工合でおまっしゃろか」

近親者らしく、引き取った挨拶《あいさつ》をした。

「ああ、お身寄りの方ですか、それは好都合です、さっきはお身寄りがないとかおっしゃって困ってたんですが、実は妊娠初期のかなり激しい悪阻《つわり》に加えて、腎臓《じんぞう》のむくみが出ていますな」

「え、腎臓のむくみ――」

「そうです、妊娠腎というやつで、相当、注意して戴かんと、分娩の時に子《し》癇《かん》を引き起して、母子ともに死亡する場合がありますから、経過が悪い時は、妊娠中絶も考えなければなりませんが、今はともかく、安静にして、食べものは水分を多く摂《と》らないこと、塩分を少なくすることを守って、早期に癒《なお》すことです、早急にどなたか、看病をする人が必要ですな」

「専門の看護婦でのうても、よろしおますやろか」

「ええ、家事と病人の看護がこまめにできる人なら、看護婦でなくてよろしいですよ、ともかく、今まで一人暮しで大分、無理を通しておられるようですから、安静が第一です、薬はどなたか、すぐ取りに来て下さい」

と云い、洗面器で手をすすいで席を起ちかけると、割烹前掛をつけた中年の主婦は、すぐ医者の鞄《かばん》を持ち、

「ほんなら、私は先生と一緒に行って、お薬を戴いて来まっさかい、あとをお頼みしまっさ」

医者のうしろに随《つ》いて、起ち上った。

文乃と二人になると、宇市は、文乃の方へ膝を寄せ、

「お工合の方はどないでおます」

気遣うように云った。文乃は薄く眼を開き、

「宇市つぁん、今日は、また、なんで、こんな夜遅うに――」

弱々しい声で云った。

「それが全く偶然で、今日は朝から嬢《とう》さん方のお伴《とも》をして吉野へ参り、その帰り、ひょこっと、お寄りしましたら、この騒ぎで、ほんまに折がよろしおました、付添の方も、明日、早速、心当りを探してみまっさかい、もう心配せんとゆっくり養生しておくれやす」

気を憩《やす》めるように云うと、文乃は何を思ったか一重瞼《ひとえまぶた》の涼しい眼をきらりと光らせ、

「吉野――、吉野のお花見でおましたら、今がちょうど見頃でっしゃろ、上千本《かみの》の桜茶屋のあたりで、きれいなお衣裳《いしょう》をお召しになった嬢さん方が、緋毛氈《ひもうせん》の上にお坐《すわ》りになり、お花見の蒔絵《まきえ》のお重《じゅう》をお広げになって、ほんまに絵のようにおきれいで、おましたやろ」

譫言《うわごと》のようにぬるんだ声で云い、ふと声を沈ませて、口を噤《つぐ》んだ。

「いや、お花見やおまへんねん、ご相続分の持ち山の山見に行きはったんだす」

華やかな物見遊山《ゆさん》を打ち消すように、慌てて手を振ると、

「嬢さん方のご相続分には、山林までおありでおますか、あのお三人の嬢さん方なら、お揃いで山見にお行きやしても、山主《やまぬし》さんらしゅうに鷹揚《おうよう》なお振舞でおましたでっし

やろ」

青黯くむくんだ顔の中で、涼しい眼が日頃の控え目な静かさを失い、眼の前にその光景を思い描くような異様に昂《たかぶ》った光を帯びていた。宇市はとっさに話題を変え、

「ところで、さっきのいやに甲斐甲斐《かいがい》しいに動いてくれはるあの女《おなご》はんは、どなたはんだす」

薬を取りに出かけた主婦のことを聞いた。

「あの人は、この角の煙草《たばこ》屋を兼業している薬局の奥さんだす、何時もあそこでお薬を買いますので、今日は親切にもお医者さんを呼びに行ってくれはったのだす――」

と云うと、文乃は話し疲れたのか、あとは黙って、眼を閉じた。

宇市は、文乃の枕もとに坐ったまま、静まりかえった家の中を見廻した。医者の話では大分前から病気が出ているというのに、つい二、三時間前まで甲斐甲斐しくたち働いていたらしく、隅々まで掃除が行き届き、床の間に矢島嘉蔵の写真が飾られていた。文乃はその写真の前に頭をおき、嘉蔵に見守られるように静かに眼を閉じていた。面窶《おもやつ》れした顔の中で、白い額と小作りな薄い鼻筋が、ひっそりと翳《かげ》るような文乃の性格を現わしていたが、つい今、藤代たちのことを話した時の、ものに憑《つ》かれたような異様な昂りを思い返すと、この一見、おとなしそうに見える文乃の心にも、何が棲《す》み、

何を企《たくら》んでいるのか解ったものでないという思いが、宇市の心に広がった。

玄関の戸を開ける音がし、声もかけずに入って来る人の気配がしたかと思うと、さっきの薬局の主婦であった。医院の処方箋《しょほうせん》の薬袋を文乃の枕もとに置き、べたりと膝を崩して坐ると、

「これでやっと一安心だすわ、何しろ、夕方、悪阻止めのお薬をと云うて来はったのだすけど、あいにく主人が留守で、あとでよう効くのをお届けしまっさ云うて、主人が帰って来て、早速、悪阻止めのお薬を持って来たら、玄関のところで貧血を起して、真っ青になって倒れてはりましてん、びっくりして、すぐお医者はんに来て貰《もろ》うたんだすけど、なんし、一人暮しで身寄りのない人でっさかい、どないしたらええのか、ほんまに一時は、うちの人まで出て来て、えらいことでしたわ」

恩着せがましい云い方をし、出目金《でめきん》のように不細工に飛び出した眼で、宇市の方を見、

「あんたはんは、今晩どないしはるおつもりだす」

「へえ、手前でっか、手前は――」

宇市は、とっさに返事に戸惑った。この出目金のお喋《しゃべ》りらしいお節介な女を前にして、今晩は自分が泊り込みで看病をするといった方がいいのか、それとも、この出目

金をおだて上げて、今夜一晩だけ、文乃の看病を頼み込んだ方がいいのか、判断に迷った。

「ともかく、こんな騒動とは知らず、全く偶然に来たものでっさかい、どないしたらええのか、さっぱりでおまして――」

出目金の指図を待つように下手《したで》に出ると、じいっと宇市の齢恰好《としかっこう》や、顔つきを見調べるように眺め、

「若い男はんと違うて、もうええお齢だすし、ご本宅の番頭はんでおましたら、泊り込みで看病してあげはったかて、おかしいことおまへんでっしゃろ、それに私かて、小さい子供がありまっさかい、泊り込みのお世話はでけまへん」

そう云い、文乃の方を向き、

「ほんなら、あとは番頭はんにお任せして、私は帰らして貰いますわ、夜のお食事はまだだすけど、どないしはります」

文乃は、眼を開けて、頭を振った。

「食事はもっとあとで――、今夜はほんとに、おおきに有難うおます」

と云い、布団《ふとん》の中から頭を下げた。

「病人さんが、そない改まりはらんかてよろしおますがな、それより、食事のことは、

この番頭はんによう云うときまっさ」

と云い、宇市に、お粥《かゆ》は台所のガス・コンロの上にしかけてあり、お菜《かず》は塩ぬきの野菜の煮物にするように云うと、あと片付けもせずに、そそくさと席を起った。

薬局の主婦が帰ってしまうと、文乃は再び気怠《けだる》そうに眼を閉じた。宇市は、茶の間を通って台所へ行くと、着物を脱いで、すててことシャツ一枚になって、流し台の前にたった。医者の手洗いに使った琺瑯《ほうろう》びきの洗面器や湯沸し用の大きな薬罐《やかん》が使い放しになり、調理台の上に出目金が調理をしかけたままの野菜が散乱していた。宇市は、台所の隅にある手拭掛《てぬぐいかけ》から日本手拭を一本ぬくと、捻《ね》じ鉢巻に頭を巻き、流しの中の片付けから始めた。君枝の家へ行く以外は、植木屋の離れで鰥夫《やもめ》暮しであったから、台所仕事には手馴れていた。

片付けものをすますと、ガス・コンロの上にしかけたお粥の鍋《なべ》に火を点け、じゃが芋と絹莢《きぬさや》、椎茸《しいたけ》を、塩気が禁じられていたから醬油《しょうゆ》を使わず、出し昆布と味の素だけの薄味で、ぐつぐつと煮上げながら、宇市は、ふと君枝の家にいるような錯覚を覚えた。昔のわいなら、こんなきっかけに手を出し、うまい工合におさまり込んだかも——と思うと、宇市の眼に脂《あぶら》ぎった腥《なまぐ》さがうかんだ。

円い塗盆にお粥を入れた茶碗《ちゃわん》と野菜の煮物を盛った小鉢を配膳《はいぜん》し、そっと奥座敷の襖を開けると、文乃が眼を覚ましていた。

「ちょうどよろしおます、早速、さめんうちにお食べやす」

食欲がないのか、文乃は懶《ものう》そうに黙って頷《うなず》いた。宇市は枕もとに食膳をおき、

「お腹《なか》に赤子《やや》がいてはる時は、病気でも無理して食べはらんとあきまへん」

そう云い、うしろに廻って文乃の体を抱えかけると、

「いえ、大丈夫だす、一人で起きられまっさかい」

宇市の手を避け、肘《ひじ》をついて一人で起き上って、食膳の箸《はし》を取った。起き上ると、妊《みご》っている時に眼につかなかった下腹のふくらみが薄い寝巻の下から露《あら》わになり、臥っている女の生ぐささと卑猥《ひわい》さが宇市の眼に映った。宇市は、細い眼に、にいっと薄い笑いをにじませると、文乃の傍《そば》へ寄り、

「どうでおます、手前のお味付け、まんざらでもおまへんでっしゃろ、あんさんと同じように一人暮しでっさかい、つい小まめになりましてなぁ、何でも遠慮無《の》うに云うておくれやす」

と云い、男衆《おとこし》のようなまめまめしさで、湯呑《ゆのみ》に熱いお茶を注《つ》いだ。

「おおきに、ほんとに宇市つぁんには、何から何までお世話になって――」

箸を止め、文乃はすまなそうに頭を下げた。

「めっそうもおまへん、あんさんのことは、亡《な》くなりはった旦《だん》那はんからお頼まれしてるのだす、それに旦那はんは、沢山《たんと》ごりっぱなど親戚筋《しんせきすじ》がおますのに、あんさんのことはもちろん、嬢さんの方の遺産相続のことまで手前にお任せしてくれはったのは、よっぽど手前を信頼してくれはってのことやと思うて、喜んどりますねん」

探りを入れるように云うと、

「旦那さんは、何時《いつ》も宇市つぁんに任しておきさえしたら、大船に乗った気でおられると口癖のように云うてはりましたわ」

「えっ、大船に乗った気に——、ほんまでおますか、この節は耄碌《もうろく》して、旦那はんのおなくなりになる前の年の決算には、仕入でえらい赤字を出したり、地方の小売店の掛売がこげついて未収金がたんと出来たりして、失敗がおましたのに、旦那はんは、ほんまにそない云うておくれやしたんでっか」

正直に失態を曝《さら》け出しているように見せかけながら、その実、宇市は掛売金を全部回収し、その半分を未収として着服していたのだった。

「へえぇ？　そんなことは何にもお聞きしませず、何時も宇市つぁんのことは、陰日《かげひな》向《た》無う、よう働くお人やと、真底、ご信用になってはったご様子でおましたけど、何かお気にかかりはることでも——」

逆に、文乃が問い返した。

「いえ、別に何もおまへんけど、ほんまにそれほど、旦那はんとあんさんからご信用戴いているのでおましたら、なんで、手前に赤子《やや》を妊っていはることを隠しはったんでおます？　それは、旦那はんのお指図でおますか」

じわりと躙《にじ》り寄るように云うと、文乃は形ばかり口をつけたお粥の茶碗を塗盆に置き、

「そのことでおましたら、私の一存で、自然に人目につくまで、どなたはんにも申し上げへんつもりをしてたのでおます」

「そんな無理も重なって、ご病気になりはったようなご様子でおますけど、赤子《やや》の方はどないしはります？」

「やっぱり、産もう思うてます」

「けど、さっき、お医者はんが云うてはったみたいにお産の時に、あんさんにもしものことがあったりしたら、どないしますねん」

「それでも、産むつもりでおます」

病人とは思えぬ頑《かたくな》さで、応《こた》えた。

「赤子《やや》とあんさんの将来について、なんぞ、旦那はんから格別のお仕置《しおき》でもおますの

でっか」

踏み込むように云うと、文乃は、身じろぐように肩を動かしたが、

「いいえ、別に何も――」

そう云い、頭を振ったかと思うと、肩をぐうっと波うたせ、顔を反らすようにして、両手で口を掩《おお》った。宇市は、すぐ枕もとの洗面器を取って、文乃の口もとにあてがった。ぷーんと饐《す》えた臭気がし、嘔吐《おうと》が文乃の口をついた。げえ、げえと絶え間なく戻し、つい今、口をつけたばかりのものが、洗面器の中へ吐き出され、額に脂汗をにじませながら、肩で激しく息をついた。宇市は台所へ塩水とタオルを取りに走り、文乃の胸元にタオルを当て、塩水を口にふくませた。塩水で口をすすがせ、タオルで粒になった脂汗を拭うと、文乃は目を閉じて横になった。

寝巻の衿《えり》もとがゆるくはだけ、脂汗でべっとりと湿った肌がぬめるように白く濡《ぬ》れ光り、生《は》え際《ぎわ》のほつれ毛が藻草《もぐさ》のような滑らかさで額に這《は》いまつわっている。宇市は思わず、その白い肌と湿ったほつれ毛の艶《なま》めかしさに眼を惹《ひ》かれ、腰を浮かしかけたが、ふとこの女に手を出すことが得か、損かの計算が先にたった。それを間違いなく計算してからでないと、うっかり手を出すものやない――、宇市はそう考えると、艶めいた寝姿から眼を離し、洗面器を持って、文乃の枕もとを起《た》った。

反吐《へど》を下水へ流し、茶の間へ戻ると、何時の間にか午前一時を廻っていた。宇市は、茶の間の押入から毛布と座布団を出し、ごろりと横になった。昼間の山行きの疲れで、すぐ寝ついてしまうはずであるのに、二時になっても、妙に眼が冴《さ》えて寝つけない。酒の気《け》がきれたせいかと思ってみたが、そうではなく、さっきの文乃の様子が気懸りになっているのだった。

妊娠腎を患《わずら》い、医者からうっかりすると、母子ともに死亡する場合もあるとまで云われながら、それでもなお子供を産もうとする文乃の頑さと、旦那はんから何か仕置をして貰うてはるのやおまへんかと確かめた時の文乃の身じろぐような動揺は、矢島嘉蔵が、宇市と三人の娘たちが知らない別の遺言状のようなものを、文乃にだけ手渡しているのであるかもしれなかった。なぜ、それを文乃が隠そうとするのか、それが宇市にとって、大きな気懸りであった。

宇市は、ふいにむっくり起き上ると、まず四畳半の茶の間を見廻した。壁にそって茶簞笥《ちゃだんす》と整理簞笥が並べられてあった。宇市は、灯《あか》りを暗くした奥の間の方を窺《うかが》った。文乃は、先程の疲労でぐっすり寝入っているらしく、寝返りを打つ気配もない。宇市は、足音を忍ばせ、整理簞笥の小引出しを開けた。米屋や水道、電気、ガスの領収証などが重ねられているだけであった。整理簞笥の横の茶簞笥の引出しを開けると、そこにも、当座の家計費らしく、三万円あまりの現金が入っているだけであった。宇市は、気ぬけしたように、そろりと奥座敷の襖《ふすま》を開けた。

文乃はその気配にも気付かず、静かな寝息をたてている。宇市は、泥棒猫のように背をかがめ、ぬき足でそっと文乃の足もとになっている押入の襖に手をかけた。中が仕込み箪笥になっていて、桐《きり》の箪笥が一棹《ひとさお》入っていた。宇市は、引手に手をあて、音をたてぬようにすうっと引き開けると、赤い縮緬《ちりめん》の匂《にお》い袋を入れた引出しの中に、今は不用になった手漉《てすき》の枕紙《まくらがみ》が、その都度のためらしく、一折《ひとおり》一折きれいに折り畳んで並べられていた。宇市は思わず、卑猥な笑いをうかべ、その一折を取って腹巻へしまい込み、また次の小引出しをそっと開けにかかった途端、

「宇市つぁん！　何をしてはりますのん」

不意に文乃の声がした。はっと振り向くと、薄暗い灯りの中で、文乃の眼が大きく見開かれていた。

「へぇ、タオルを探してますねん、さっき、吐きはった時にすっかり汚れてしまいましたさかい——」

「タオルやったら、茶の間の整理箪笥の中に入っておます」

「さよか、これはえらい見当違いで、年寄り呆《ぼ》けとは、このことだすな」

呆《とぼ》け面《づら》で、箪笥の引出しを閉めかけると、

「宇市つぁん、明日からは付添婦さんに来て貰《もろ》うておくれやす」

宇市の腹の中を見抜くような、針を含んだ鋭さで云《い》った。

宇市は、煙草屋の公衆電話の前まで来て、ふと神ノ木の停留所の近くにも、公衆電話があることを思い出した。煙草屋では、兼業している隣の薬局から、昨夜、文乃の看病に来ていた出目金が顔を出し、電話の内容を盗み聴きされるかもしれなかった。

そう思うと、宇市は、急いで煙草屋の前を通り過ぎ、まだ人気《ひとけ》のない早朝の道を、神ノ木の停留所の方へ歩いて行った。

真夜中に、こそこそと家捜《やさが》しして、見つかってしまったのは、全く弘法《こうぼう》も筆の誤りに近い失策であった。しかし、文乃は、「明日からは付添婦さんに来て貰うておくれやす」と云ったきり、咎《とが》めだてをしなかったのは、あの押入の仕込み箪笥の中に入っていた手澱の枕紙を見られたという羞恥心《しゅうちしん》か、それとも宇市の家捜しの意味が、はっきりと読み取れなかったのかもしれない。

宇市は、停留所の近くにある公衆電話のボックスの傍《そば》まで来ると、用心深くあたりを見廻してから中へ入り、懐《ふところ》から十円玉を出して、電話番号を廻した。

「もし、もし、永吉さんだすか、早朝からえらいすんまへんけど、急用がおますので、小林君枝を呼んで戴《いただ》きとうおますねん」

君枝の家から二軒先に呼出しを頼んだ。一、二分すると、慌《あわただ》しい挨拶《あいさつ》の声が聞え、電話器を取る気配がした。

「あんた、どこへ行ってはりましてん！　昨日は山行きやというてはったさかい、お風呂《ふろ》を沸かして、まだかまだかと一晩中、ぐらぐら沸かして、ガス代がえらい損だしたわ」

君枝の息を殺して詰《なじ》る声が、子供の甲高い声にまじって、宇市の耳に伝わって来た。

「ガス代――、それどころやないわ、急病や！」

「えっ！　あんたが急病、どこが悪うおますねん！」

君枝の声が、上ずった。

「阿呆《あほ》！　わいやない、神ノ木や、文乃はんが急病や」

怒鳴るように云うと、

「へぇ、文乃はんが急病――、そいで、あんた、今、神ノ木にいてはりまんのんか」

「そうや、昨夜から看病にかかりきってるのや」

「昨夜から、あんたが泊り込みで――」

俄《にわ》かに君枝の声が険しくなり、

「そいで、朝っぱらから呼出し電話をかけて、わてに何のご用でおますねん？」

いや味な云い方をした。

「すぐ、神ノ木まで来てほしいねん」

「なんで、わてが亡くなりはった旦那はんのお妾《てかけ》の家へまで、行かんなりまへんねん」

「来てくれたら解《わか》る、お前が来て、看病せんとあかんのや」

「わては付添婦やおまへん！」

宇市の眼に、鼻の穴を広げて怒っている君枝の顔がうかんだ。

「解ってる、付添でのうて、付添の振《ふり》をして、わいの代りにお目付役に来てほしいねん」

「え？　お目付役――、何のことだすねん」

「ともかく来たら解ることや、電話で長話はでけへん、会《お》うてから詳しい話をするさかい、今からすぐ付添婦みたいな働き者の恰好をして、タクシーで神ノ木の停留所まで来てんか、停留所で待ってるさかいな」

押し付けるように云うと、宇市の代りの〝お目付役〟という言葉が気に入ったのか、君枝は、

「ほんなら、すぐ用意して出かけまっさ」

と云い、気忙《きぜわ》しく電話を切った。

宇市は電話ボックスを出て、煙草《たばこ》屋の看板を目あてに歩いて行った。文乃の家を出かけて来る時、電話があるのに、わざわざ外へかけに行くことを怪しまれぬように、ちょっと煙草を買いかたがた、近所をぐるっと歩いて来まっさと、断わって来たのだった。煙草屋でいこいを買うと、宇市は、人通りの少ない通りを住吉神社の方へ向って歩いて行った。商店の表戸はまだ閉ざされたままであったが、仕舞屋《しもたや》の門口は朝の打水に濡れ、出勤の人たちの急ぎ足が、宇市とすれ違って行った。宇市は、昨日の山行きで筋肉の突っ張った重い足を、やや引きずるようにしながら、文乃の看病に君枝を付き添わせる自分の思いつきのよさに、またしても笑いがこみあげて来た。藤代たち三人の姉妹が、文乃の妊娠を知るなり、俄かに文乃に対して共同の策をめぐらせ、遺産の分配を急いだのと同じように、宇市もまた、文乃の急病をきっかけに、君枝を

文乃に近付けて、文乃の妊娠と出産から起って来る不測の出来事に対処するうまい機会を拾ったのだった。まるで向うでお膳だてをしてくれたような都合のよさで——と思うと、宇市は、ひとりでに崩れて来る笑いを抑え、住吉神社の鳥居前まで来ると、ぱんぱんと大きな拍手《かしわで》をうって、社殿を拝んだ。

神ノ木の停留所まで引っ返して来ると、君枝は、よほど急いで来たのか、もう停留所の安全地帯の真ん中に、風呂敷包みを持って起っていた。着古しの地味な縞《しま》お召《めし》を裾短《すそみじ》かに着、帯を小さく引き結んで下駄《げた》を履いた姿は、もともと仲居にしては、どこか野暮ったさのある君枝であったから、外見には、四十過ぎの働き者の堅気の女に見えた。

君枝は、宇市の姿に気付くと、色の浅黒い顔を、むうっと気色《けしき》ばませ、

「何処《どこ》を、うろついてはりましてん」

怒ったように云った。

「住吉神社《さん》まで行ってて、遅うなったんや、待たしてすまんかったな、そこのミルク・ホールへでも入ろか」

目の先のパン屋兼ミルク・ホールへ入った。

中は、早朝のせいか、ほかに人影がなく、ラジオが大きな音で鳴っていた。宇市は

君枝と向い合うと、

「朝っぱらからすまなんだけど、朝御飯は、もう食べて来たんか」

機嫌を取るように聞いた。

「へぇ、昨夜のあんたのもちになった御飯を戴いて来ましたわ」

君枝は、あてつけるように云い、

「一体、何だすのん、朝からわてに付添婦みたいなことを頼んで――」

不足たらしい云い方をしながら、君枝の眼に好奇心がうかんでいるのを、宇市は見逃さなかった。

「文乃はんのお腹の赤子《やや》が危ないねん」

「えっ、お腹の赤子《やや》が――」

君枝は、驚いたように三白眼《さんぱくがん》の白目を大きく動かした。

「そうや、妊娠腎《にんしんじん》でうっかりすると、母子ともに危ないということや」

君枝は、ちょっと黙り込んでいたが、

「そいで、あんたは、文乃はんにもしものことがあったら、何か困りはることか、損をしはることでもおますのか」

探るように宇市の顔を見た。

「いや、そんなことより、文乃はんが子供の出産に関して、何か旦那はんから格別の仕置をして貰《もろ》うていながら、それを隠しているらしい様子が、わいの気になるのや」

「へえ、ちゃんと遺言状に、文乃はんのことをよしなに頼むと書いておきはって、まだ別の書付みたいなものを貰うてはるというわけでおますか」

君枝の顔に、露骨な反感がにじみ出た。

「どうもそんな気がするのや、本宅伺いの日に、誰の子や解れへんさかい、産んでも矢島家とは一切無関係やと云われたり、堕《おろ》してしまう方があんたの身の為《ため》やと勧められても、頑として、何といわれても産ませて戴きますと云い切り、その上、悪阻《つわり》と腎臓で医者から、うっかりとすると危ないといわれても、やっぱり産むと云い張るのは、旦那はんが何か、よっぽどの仕置をしてはるはずやと、わいは睨《にら》んでるのや」

「そいで、あんさんは、文乃はんに当ってみなはったんだすか」

「手を変え、品を変え、いろいろと当ってみたけど、さっぱり尻尾《しっぽ》を摑《つか》めんのや」

まさか、昨夜、茶簞笥や整理簞笥の小引出しを開けて家捜しして、失敗したとはいえず、曖昧《あいまい》にそう云い、ぐいと体を前へ乗り出し、

「それで、お前に付添婦みたいな顔をして、文乃はんの看病をしながら、それらしいものに眼を付けてほしいというわけや」

じわりと頼み込むように云うと、

「大番頭はんのあんさんが、何の仕分けも貰うてないというのに、旦那はんのお妾は、まだ何か隠しているかも解れへんというわけだすな」

不意に、君枝の眼に毒々しい光が帯び、

「あんた、行きまひょ！」

と云うなり、風呂敷包みをひっ提げ、蹴《け》りつけるように席を起った。その機勢《はずみ》に、テーブルの上のミルクのコップが横に倒れ、宇市の膝《ひざ》にかかった。宇市は慌《あわ》てて腹巻から紙を出し、汚れた膝の上を拭《ぬぐ》った。

「あんた、それ何だす！　その紙——」

君枝の手が、宇市の膝を指し、白目を向けた。手もとを見ると、昨夜、文乃の桐の仕込み箪笥の小引出しから取っておいた極上《ごくじょう》の手漉の枕紙であった。

「あんた、まさか、昨夜、文乃はんと……」

顔色を変え、君枝の声が癇走《かんばし》った。

「阿呆！　相手は腹の大きな病人やでぇ」

そう云い、君枝の方へ顔を寄せ、文乃が反吐《へど》を吐き、その始末のタオルを捜すために引出しを開けたら、これが入ってたのやと説明し、

「あっちは、もう要らんやろけど、うちは、まだ要り用やさかいと思うて、ちょっと頂戴《ちょうだい》しといたんや、見てみい、上等やろ」

と云い、宇市は君枝の欲情を誘うように、ミルクに濡れた枕紙を見せつけると、

「いややわ、この人、朝っぱらから――」

君枝は、顔中を歯齦《はぐき》のようにして淫《みだ》らに笑い、

「あんたの話では、文乃はんは芸者上りにしては、素人《しろうと》くさいほどおとなしい控え目な人やということだすけど、こんなんで旦那はんの気をしっぽり摑まえ、ごっそり取るものを取ってはるかもしれまへんわ、わての役は、なかなか大役でおますな」

「そや、お前の眼の付け方次第で、わいも遺産相続の片端《かたはし》を齧《かじ》らして貰えるかも解れへん、そうなったら、家の一軒でも買《こ》うて――」

「えっ、家を買うて――」

眼を光らせて聞き返した。

「そうや、新築の家でも買うて、お互いに結構に行けるというわけやがな」

宇市は、君枝の欲得ずくをそそるように云い、

「わいが先にここを出るよって、お前は三十分程、ここで時間をつぶしてから、あとで何くわん顔をしてやって来てんか、わいの知合いの縁故で、旅館の女中をしてたと

いうことにしとくさかい、もっともらしい顔をしてお目見得《めみえ》に来るのやでぇ」

と云い、宇市は、君枝に文乃の家の地理を教えて、先にミルク・ホールを出た。

宇市は、時間を気にしながら、急ぎ足でもと来た道を帰り、文乃の家の近くまで来て、足を止めた。

何時《いつ》の間にか、門口《かどぐち》にきれいに水が打たれ、雨戸が繰られていた。玄関の格子戸《こうしど》を開けると、台所から流しの水音がし、味噌汁《みそしる》の匂《にお》いがした。病気の文乃が起き出して、動いているのかと思い、慌てて襖を開けると、

「あんさん、何処へ行ってはりましてん」

昨夜の出目金が、襷《たすき》がけでぬうっと顔を出した。

「ああ、薬局の奥さんでっか、お早うさんだす、早朝からえらいお世話さんでおます」

慌てて朝の挨拶をすると、出目金はにこりともせず、

「やっぱり、男の人はあきまへんな、こんなことやろと思うて、覗《のぞ》きに来たら、案の定、病人さんをほったらかして、煙草を買いかたがた、散歩と聞いて、あきれてますねん」

自分の店で煙草を買わなかったことが気に障《さわ》っているのか、ずけずけとそう云い、

「もう朝のお粥《かゆ》も、味噌汁も、お菜《かず》も、みんな出来てまっせぇ」

と並べたて、文乃の朝食を台所から奥座敷へ運んだ。

宇市は、出目金の出しゃ張りようにむうっとしたが、それに取り合うのも面倒で、黙って、文乃の臥《ふせ》っている奥座敷へ入ると、文乃は、朝の洗面をすませたらしくきれいに梳《す》きあげた髪を首のうしろで束ね、布団《ふとん》の上に起き上っていた。

「えらい遅うなりましてすんまへん、実は出たついでに、付添さんのことを思い出し、公衆電話の番号帳で派出婦会の番号を調べて、あっち、こっちへ電話をかけとりましたので、遅うなったんだす」

と断わりを云うと、

「そいで、おましたのでっしゃろか」

文乃は、食膳《しょくぜん》に手をつけず、心配そうに聞いた。

「いや、それがなかなか、おまへんねん、どこも四、五日は都合がつかんので、待ってほしいと云われましてん」

「そら、当り前だすがな、当節、今日いうて今日などに、付添婦さんはおまへんわ」

出目金が、横合いから口を挟んだ。

「けど、四、五日も付添婦さんなしでは、私はとても——」

文乃は、困惑するように云った。

「さよだす、手前も、そない思いまして、派出婦会だけに頼み込んでもあかんと思うて、手前の知合いや、お店の懇意な付合い先へも電話をかけて頼みましたら、下請け先の縁故で、旅館の女中をしてた四十過ぎの人だすけど、ちょっと体を悪うして、半年ほど前に暇をとり、元気になったからまた何処かへ勤めたいというのがいる、それでもよかったらという話でっさかい、贅沢《ぜいたく》な選《よ》り好みを云うてる時やないと思うて、すぐその人に来て貰うように段取りして来ましてん、その人やったら、市内に下宿先があるそうでっさかい、通勤にしても、泊りにしても、何かと便宜やと思いますねん」

一気に畳み込むように云うと、文乃はちょっと、思案するような表情をしたが、出目金は、

「そうだすとも、きょう日《び》、人の選り好みなんかいうてる時やおまへん、ともかく、今日からでもすぐに来てくれる人があったら、おんの字だすわ、ところで何時《なんじ》頃、来てくれはりますねん」

「それが運ようにすぐ連絡が取れて、そないお身寄りのない急病人さんやったら、お困りでっしゃろから、すぐに参じまっさということで、もう、おっつけ来てくれるか

もしれまへん」

「まあ、そんな早うに――」

文乃が、何か懸念《けねん》するような顔をすると、

「こんな結構な話がおますかいな、やっぱり、大店《おおだな》の大番頭はんは、お顔が広うおますな」

出目金は感心するように云《い》い、さっきと打って変った調子のよさで、宇市を褒め、

「ともかく、病人さんの一人暮しというのは一日でも無理だすし、赤子《やや》さんが産まれはってからも、とても人手なしではやっていけまへんさかい、その人がええ人やったら、ずっと、いて貰うように頼みはったらどうだす」

「いや、それは向うの都合を聞いてみんことには解りまへん、ともかく、ここ暫《しばら》くの急場しのぎにと頼んだだけでっさかい――」

宇市は、わざともったいをつけて、口を渋らせた。出目金はなるほどというように頷《うなず》き、

「それから、えらい失礼なことをお伺い致しまっけど、ご本宅の方は、文乃はんについて、どんな気でいてはりまんのでっか」

さしでがましい聞き方をした。宇市は、返事に迷ったが、

「本宅の方では、只今《ただいま》、遺産相続のことでえろう取り込んでおりまして、文乃はんのことも、ちゃんと旦《だん》那はんの遺言状におましたので、いずれ応分のお仕分けがおますのだすけど、何分、あっち、こっちに散らばってます土地や山林などの財産目録が出来るまでがえらいことで、その上、お三人の嬢《とう》さん方のご相続の分配が定《き》まってからでないと、こっちのことに手が廻らんようなわけでおますが、本宅の方の始末の目処《めど》がつき次第、文乃はんのお仕分けも定まって、結構にしてもらえると思いますねん」

物見高い出目金の腹の中を見すかすように云うと、

「そうでっか、それやったらよろしおますけど、こちらさんのようにひっそりとしたおとなしいお方は、誰かが厚かましい出しゃ張りになってお伺いせんことには、相手の出方次第では、旦那はんが亡《な》くなりはるなり、お気の毒なことにもなりかねへんさかいな」

自分が出しゃ張りの役を買って出たような云い方をし、本宅の仕分けで裕福になる文乃の歓心を買っておこうとする下心が見え、昨夜からのまめまめしい看病も、その辺がつけ目であるらしい。

文乃の方を見ると、文乃は宇市と出目金の話を他人《ひと》ごとのような表情で聞き、庭先の白い花をつけた植込みに眼を向けながら、静かに箸《はし》をとっている。顔に青白い窶《やつ》れが出、気怠《けだる》そうなむくみが全身に出ていたが、どこかに動かない涼しさがあった。

「ご免やす――」

玄関で女の声がした。

「付添さんでっしゃろか、えらい早うおますな」

出目金が、不細工に飛び出した眼をぎょろりと光らせると、宇市は、寝不足そうにわざと大きな欠伸《あくび》をして、

「多分、そうでおまっしゃろ」

落ち着き払って応《こた》えた。

君枝は、出目金のあとに随《つ》いて座敷へ入って来ると、宇市の方はちらっとも見ず、文乃の方へ手をつき、

「矢島屋はんからご紹介戴《いただ》きました小林君枝と申す者でおます、ご病人さんの付添は始めてで、馴《な》れん者でおますけど、精一杯やらせて戴きまっさかい、よろしゅうにお願い致します」

と挨拶《あいさつ》するなり、食事をしている文乃の傍へすり寄った。

「奥さん、今日のお気分はいかがでおます、昨日よりお楽でおますか、あ、お粥のお替えを致しまひょ」

文乃の茶碗《ちゃわん》の中を覗き込み、お盆を取って、お粥の替えを勧めかけると、

「ご承知のように私は奥さんといわれるような立場やおまへんさかい、ご病人さんとでも呼んでほしおます」

文乃は、固い語調で云った。君枝は、ちょっと、言葉に詰ったが、

「まあ、ご病気で寝てはる人に向って、ご病人さんなどと呼んでましたら、よけいに病《やまい》くそうになってしまいはりますわ、それにこないして、でんと一軒家を構え、赤子《やや》さんまでお産みになりはる人は、奥さんに違いおまへんし、第一、奥さんと呼ばして戴くのが、一番呼びやすおますさかい、これで堪忍《かんにん》しておくれやす」

おべんちゃらがましく、云いたて、出目金に向って、

「ご病人のご看病は何にも知りまへんよって、どうぞ教えておくれやす、あんさんは、昨日からご看病してはりましたそうで、この節、なかなか人の出来んご親切でおます」

ほとほと感じ入ったように大袈裟《おおげさ》な表情をすると、出目金は、

「あんた、お齢《とし》は幾つだすねん」

「へぇ、四十を出たところでおます」

君枝は、三つさばを読んだ。

「旅館の女中さんをしてはったそうだすけど、どちらでおますねん」

出目金は、詮索《せんさく》がましく、聞き出した。

「へえ、京都の嵐山《あらしやま》の料理屋旅館に勤めてたのだすけど、体がえらいのと、お客あつかいが、なんぼ一生懸命勤めても、もう一つうまいこといきまへんので――」

君枝はわざと、素人くさい野暮ったい応え方をした。

「へぇ、あんたみたいに、よう行き届いた人でも、あきまへんか」

出目金は、ちょっと腑《ふ》に落ちぬ顔をし、

「まあ、ほかならん、ご本宅の大番頭はんのご紹介で来はった人でっさかい、間違いおまへんやろ」

と、云い、宇市の方を眼で指した。

「あ、こちらが、矢島屋の大番頭はんでおますか、これはえらいご無礼を致しました、先程は、私の知合いを通してご鄭重《ていちょう》なご連絡を戴き、おおきに有難うさんでおます、行き届きまへんけど、今後、どうぞ宜《よろ》しゅうに――」

出目金に眼で指されて、始めて気付いたように、君枝は慌てて宇市に鄭重な挨拶をした。宇市は、白髪《しらが》まじりの眉《まゆ》を気難しげに寄せ、

「あんたでっか、小林君枝はんというのは――」

横柄《おうへい》にじろりと君枝の方を見、

「料理屋旅館の女中さんをしてはったのにしては、もの固そうでおますけど、何分、こちらは妊娠中のご病人さんでっさかい、人一倍、行き届いた看病をして、ちゃんと、ええ赤子《やや》を産めるようにしてあげておくれやす」

宇市は、文乃に阿《おもね》るような云い方をした。

「へぇ、それはもう、よう心得ておます、奥さんに早う病気を癒《なお》って戴いて、ええ赤子《や》さんを産んで戴かんことには、せっかく、お世話させて戴く付添甲斐《がい》がおまへん」

如才のない応え方をし、出目金の方へ向き直り、

「ほんなら、早速でおますけど、台所の方から教えておくれやす」

と云うなり、風呂敷《ふろしき》包みを開き、白い割烹着《かっぽうぎ》を出して手早く掛けた。

「あんたは、なかなか働き者でんな、あんたみたいな人には、早速、教えたげまっさ」

出目金は、不細工な眼で始めて笑い、子分を従えるように得意気に騒々しく席をたった。

宇市は、文乃と二人になると、さっきから黙って食膳の手を動かしている文乃に、

「どないでおます、あの付添婦は――」

と云うと、文乃は聞えたのか、聞えないのか、青くむくんだ顔を庭先に向けたまま、返事をせず、じっと動かない表情で手だけを動かした。その固い手がかりのない沈黙に、宇市は、言葉の持って行きどころを失い、皺《しわ》だらけの顔をわざと緩く崩し、

「まあ、何かとご不満もおまっしゃろけど、こんな急な場合だすし、派出婦会も人手不足の時でっさかい、中年の世間を呑《の》み込んだ働き者で、しかも身元が知れてるということで、まず、ええとしておくれやす、それに本宅の方も、ここのところ、嬢さん方の遺産相続が、持ち山の山見を終って、またいろいろとご協議のある際でおますさかい、こちらの十分なお世話を出来かねるかもしれまへんので、一応、これでご辛抱しておくれやす」

と云うと、文乃は、君枝の良し悪《あ》しには触れず、

「ご本宅のお取込みの時に、こんなご面倒をおかけしまして、ほんまに恐縮でおます」

と礼だけを述べ、くっきりと澄んだ目で、宇市の顔を見た。

「いや、そない改まられると、困りますがな」

宇市は、慌てて眼を逸《そら》せ、

「ほかに何かお伺いしとくようなことはおまへんやろか、手前は、もうそろそろ、店

へ出んならん時間でっさかい、これで失礼さして貰いまっけど、何か急なご用でもおましたら、あの付添はんに店の電話番号をいうてありまっさかい、すぐ連絡しておくれやす」

と云うと、宇市は、そそくさと席をたち、君枝と出目金のいる台所には声をかけずに、玄関を出た。

神ノ木の停留所から阿倍野行の電車に乗ると、宇市は始めて、ほんものの大きな欠伸をし、車内を見渡した。

十時を廻っているせいか、がらんとした車内は人影が疎《まば》らで、古ぼけた座席が何時もより目にたった。宇市は寝不足の顔を窓から吹き込む風に当てながら、君枝を文乃の付添婦にして来たことに、ほっと大きな息をついた。文乃の君枝に対する妙に素っ気ない硬い表情は気になったが、眼端《めはし》のきく君枝のことだから、近付きさえすれば、あとはぬかりなくやるに違いない。妊娠中の文乃の急病という、思いがけない出来事から、急に文乃を中心にして大きく何事かが、一転して行くような予感が、宇市の胸の中にちらついた。

阿倍野橋に着くと、宇市はすぐ地下鉄の乗車口へ出、梅田行に乗った。地下鉄の車内も、上町線《うえまちせん》と同じようにがらんと空《す》いていたが、本町《ほんまち》の近くになると、繊維問屋へ仕入に行くらしい商人の姿が俄《にわ》かに多くなった。宇市は、本町で降りると、何時ものように気忙《きぜわ》しげな歩き方で、脇目《わきめ》もふらずに、人と車の流れを縫い、矢島商店の前まで来て、真っ先に奥の結界《けっかい》（木格子で囲んだ帳場）の中を素早く一瞥《べつ》した。結界の中には、何時ものように要《かなめ》の席を中心にして、すぐ前が番頭、その前が算盤《そろばん》の達者な若い店員たちの列という風に扇型に広がって、伝票を片手にぱちぱちと算盤を弾《はじ》いている。要の席には、宇市か、養子《ようし》婿《むこ》の良吉か、どちらかが坐《すわ》ることになっていたが、今朝は、良吉がそこに坐って、勘定場の元締をしていた。

店内は地方からの朝の仕入客でごった返し、顧客と店員の間に値段の駈引《かけひき》が騒々しく遣取《やりと》りされ、活気付いていた。宇市は、客と店員たちのうしろを目だたぬように通りぬけ、そっと結界の中へ入ると、養子婿の良吉が顔を上げた。

「宇市つぁん、えらい遅うおますな、昨夜から、あんたが、店へ寄るはずやと奥の方で、みんながお待ちかねでおましたわ」

詰《なじ》るような視線を向けた。

「ところが、昨夜はちょっと別の用が出来ましてな」

良吉には、それだけ応え、

「嬢《とう》さんは、どちらでおます？」

「今、お寺はんが詣《まい》ってはりますさかい、三人とも奥座敷に揃《そろ》うてはりますわ」

「お寺はん――」

宇市が訝《いぶか》しげな顔をすると、

「今日はほら、お婆《ばあ》さんの命日やおまへんか、わては、もう先にお詣りさしてもらいましてん」

「あ、これは、えらい迂闊《うかつ》なことで――」

藤代たちの祖母の命日には、菩提寺《ぼだいじ》の住職が午前中にお経をあげに来ることになっていて、分家の矢島芳子も詣りに来ているはずであった。宇市は、君枝を文乃の付添にすることばかりに気を取られていた自分の迂闊さに軽い舌打ちをし、廊下伝いに急ぎ足で奥座敷へ歩いて行くと、読経《どきょう》が終ったらしく、住職と芳子の話し声が聞えた。

「宇市でおます、えらい遅うなりまして――」

障子の外から声をかけた。

「お入りぃ」

分家の芳子の応えがし、障子を開けると、仏壇の前に、読経を終った住職が袈裟《けさ》をはずし、芳子たちと向い合って、お茶を飲んでいた。宇市は住職の方へ手をつき、

「早々とお詣りを戴きながら、手前と致しましたことが、えらい遅参致しまして、ご無礼を申し上げました」

と謝《わ》びると、住職は血色のいい桜色の頬を綻《ほころ》ばせ、

「いや、大番頭はんは相変らず、律義《りちぎ》にお勤めのようだすな、老舗《しにせ》もあんたのような大番頭がいてはると、代替りしても心丈夫でおますな」

宇市の日頃の働きをねぎらうように云った。

「いえ、お住職《じゅう》さんのようにそない云うて戴きますと、お返しする言葉もおまへんけど、まあ、達者でいる限りお店《たな》大事に勤めさせて戴きたいと思うとります」

と云い、宇市は律義そうに膝《ひざ》を固くした。

「そのお心がけなら、嬢さん方の亡くなりはったお父さんもお母さんも、安心して成《じょう》仏《ぶつ》しはりまっしゃろ」

そう云い、住職は藤代たちの方を見ると、揃って黒っぽい無地の着物を着た三人は、曖昧《あいまい》な表情でかすかに頭を下げた。

「これからがまた、いろいろと大へんでっしゃろけど、これだけのお店で、しっかり

した叔母御《おばご》さんのご分家も随いてはることでっさかい、末永うに栄えはるように、お念じしとります」

と云うと、住職は飲み終えたお茶を茶托《ちゃたく》の上におき、番僧を伴って席をたった。宇市は、番僧のあとに随いて、玄関まで住職を送り出し、すぐ奥座敷へ引っ返した。

座敷へ戻ると、住職がいた時のやわらいだ雰囲気とは、打って変ったとげとげしさがあった。

「昨日は、あれから一体、どないしてはりましてん」

藤代の険しい声がした。

「実は、えらいことが起りましてん」

「えっ！　えらいこと――、山林《やま》が何か――」

藤代の声が急《せ》き込み、千寿も雛子も、はっと眼を見張った。

「いや、山林のことやおまへん、文乃はんの方のことだす」

と云うと、藤代たちは、ほっとした表情で、

「神ノ木が、どないしたというのだす」

「実は嬢さん方とお別れしてから、山守《やまもり》と一杯飲んで近鉄で阿倍野まで帰って来ましたら、もう十時で、それからでは嬢さん方はお疲れやと存じ、ちょうど阿倍野から文

乃はんの家まで十五分もあったら行けまっさかい、こんな際にちょっと様子を見にと足を延ばしましたら、なんと、文乃はんが急病で、お医者はんが来てはりましてん」

宇市が、昨夜の出来事を重大そうに伝えると、

「へえぇ、神ノ木が病気になったことぐらいが、何がそないえらいことだす」

叔母の芳子が、あしらうように口を挟んだ。

「ところが、普通の病気と違うて、妊娠腎《にんしんじん》というやつで――」

「えっ！　妊娠腎、ほんで、お医者はんはどういうてはりますねん」

芳子の声が上ずった。

「うっかりすると、分娩《ぶんべん》の時に子癇《しかん》を引き起して、母子ともに死亡する場合があるから、経過によっては妊娠中絶も考えんならんけど、今のところは安静にして、食べものは水分と塩分を出来るだけ控え、早期に癒《なお》すことやそうだす」

と説明すると、

「それで、本人は、赤子《やや》を堕《おろ》すというてますのんか」

「それが、どないしても産むと云うてはりますねん」

「へえ、それでもまだ産むと云うてる――一体、なんでそないに産みたがるのやろ――」

ふと芳子の声が跡切《とぎ》れ、何かを探り当てるような疑い深い表情になった。

「神ノ木へ、行きまひょう」

不意に、藤代がそう云った。

「えっ、神ノ木へ、私らが――」

千寿が、驚くように云うと、

「そうだす、ともかく、神ノ木へ見舞に行って、私らの眼でほんとうの病状を見るのが、一番確かでおます、神ノ木が子供を産むつもりか、どうかなどということより、お医者はんの云いはる通りに、分娩時に母子ともに死ぬ危険性が十分あるのか、それほどでもないのか、それを確かめておくことが、まず肝腎でおまっしゃろ」

さり気ない云い方であったが、出産によって母子に危険が伴うようなら、ここで、こと改めて文乃の妊娠中絶を云々《うんぬん》しなくても、自然に自分たちの思う方向に行ってしまうやおまへんかという、冷酷な響きが藤代の言葉の中にあった。

「私も行くわ、姉さんのいいはるように、神ノ木がどんな工合か見に行くのは、面白《おもろ》いわ」

雛子が突然、気負いたつように宇市に云った。

「え、こいさんまで行きはる――、めっそうもおまへん、ご本宅の御寮《ごりょう》さんならともかく、嬢さん方が、妾宅《しょうたく》へ出かけはるなど、そんなこと聞き始めのことでおます、まして、お嫁入り前のこいさんが、妾宅へなどお足を運ばれるものやおまへん」

人一倍、気位の高い三人の娘たちのことであるから、まさか妾《めかけ》の家へなど足を運ぶなどとは思ってもみず、それどころか、本宅と妾宅の間にたって、うまく計らおうと思っていた矢先であるだけに、宇市は真っ向から反対した。

藤代の眼の端に、皮肉な笑いがうかんだ。

「宇市つぁん、あんたは、えらいむきになって引き止めはるけど、何か、私らが行ったら、あんたに都合の悪いようなことでもおますのか」

「とんでもおまへん、手前はただ、老舗の嬢さん方が妾宅へ足を運びはったということになっては、世間の通りが悪うおますし、それに昨日、山見に行きました山林の方のご協議もあることだすし、文乃はんの方は、今日、明日にどうというようなことやおまへんさかい、もうちょっと、向うの経過を見てからお出かけになりはったら、どうだすかと、こう申し上げている次第で――」

宇市は畳み込むように云《い》い、さらに言葉を継ぎかけると、藤代はあとを云わさず、

「それやったら、山林のことも大事でおますけど、今はまず、病気の神ノ木のことの方が先だす、第一、山林の方のことは、ここ半月や一カ月遅れても何の変りもおまへ

んけど、神ノ木のことは、早い目、早い目に片付けておかんと、また思わんことでも起ったら困りまっさかい、早速、明日にでも行くことにしますわ」

「えっ、明日に――」

宇市が、あっ気に取られるように聞き返すと、

「そうだす、そんなことは、ちょっとでも早い方がよろしおまっさかいな」

藤代は涼しげな表情で云い、

「叔母さんも、ご一緒しはりますか」

芳子の方に向って聞くと、

「もちろんだすがな、あんたらが行ったかて、悪阻《つわり》やとか、妊娠腎やとか云われても、解《わか》れしまへんやろ、わては、産後一カ月で子供を死なしてるけど、ともかく、子供を産んだ経験がおますさかい、わてが行って見て来んことには、ほんとのところは解りまへん、母さんの命日にお詣りに来て、この話を聞くのも、仏さんの何かのめぐり合わせでっしゃろ、まあわてに任しておきなはれ」

叔母らしく、引っかまえた。

「けど、そない多勢で行きはったら、病人さんがショックを起して、もし、急に悪なりはるようなことでもあったら――」

宇市が気遣うように云うと、藤代の眼に冷やかな光が帯びた。

「一体、何のショックが起きるといいはるのだす？」

「へえ、つまり、ご本宅から嬢さん方に加えて、ご分家の御寮さんまでお出ましになると、文乃はんは、そのお顔ぶれを見ただけで、怯《おび》えてしもうて、動悸《どうき》が来るのやないかと思いますねん」

「へえ、そうすると、私らはまるで最初から神ノ木を苛《いじ》めにかかりに行くような云われ方だすけど、私らは、病人のお見舞に行くつもりでおますねん」

ぴしゃりとそう云い、

「そうそう、病人を一人でほっとくわけにもいかへんさかい、早速、付添婦を付けんといきまへんな」

と云い、台所の方へ呼びリンを押しかけると、宇市は慌《あわ》てて、手を振り、

「いや、付添婦のことでおましたら、もうちゃんと今朝、段取りをつけて来ましてん」

「えっ、もうちゃんと付添の段取りを――」

藤代の眼が、きらりと鋭く光った。

「へえ、早朝から、派出婦会へ片っぱしに電話をかけましたら、当節の人手不足で、

どこもかも四、五日は待ってくれというので急場の間に合わず、それでまた、手前の知合いのあっち、こっちへも電話して、やっと手のあいてる中年のおばはんがおましたので、そのおばはんに頼み込んでおきましてん、それに、出目金みたいな顔をした近所の出しゃ張り婆《ばば》あが一人いて、いちいちお節介に口を挟みまっさかい、付添もちょっとやりにくいわけだすわ」

煙《けむ》に巻くように一気にまくしたてると、

「そうでっか、それはまた宇市つぁんらしい手廻しの早さでおますこと――」

藤代は、何を思ったのか、嫌味な云い方をした。

＊

内玄関にずらりと四足の履物が並ぶと、

「どうぞ、行っておいでやす」

女中たちは、同じ高さに頭を下げて送り出しながら、眼の端では何処《どこ》へ出かけるとも云わず、豪奢《ごうしゃ》な着物を着揃《きぞろ》えて出かけて行く藤代たちに好奇な眼を向けていた。

叔母の芳子は、結城《ゆうき》の着物に、黒地紗《しゃ》の無双《むそう》羽織を重ねた老舗の御寮《ごりょう》人らしい渋い奥行のある衣裳《いしよう》、藤代は薄紫の疋田《ひつた》絞《しぼ》りの着物に、臙脂《えんじ》唐草《からくさ》の本綴《ほんつづれ》を締めた豪華な衣裳、千寿は黒地に朱色の菱《ひし》を縫取りした若御寮人《わかごりようん》さんらしいしとやかな品を持った着物に七子《ななこ》織《おり》の錆朱《さびしゆ》の袋帯を締め、一番下の雛子は鴇色本草染《ときいろほんくさぞめ》の着物に、白地錦織《にしきおり》の帯を締めたお嬢さんらしい愛らしさをそえた衣裳と、それぞれの年齢と立場で趣向を凝らした華やかな装《よそお》いであった。

叔母を先頭に、藤代、千寿、雛子、そのうしろに果物籠《くだものかご》を抱えた宇市という順に通《とお》り庭《にわ》を通って表口へ出、千寿だけは勘定場に坐っている夫の良吉の方へ、ちらっと会釈《えしやく》をしてから、車に乗った。

助手台に雛子と宇市が乗り、うしろの座席に叔母の芳子と藤代と千寿が並んで坐り、車が動き出すと、宇市は、うしろの座席に籠《こ》められている異様に色めきたった気配を感じ取りながら、今から出かけて行く文乃の家での首尾を考えた。

文乃の家へは、事前に電話をかけて、藤代たちが出かけて行くことを知らせ、君枝にも万事万端を云い含め、今日は出しゃ張りの出目金《でめきん》にも事情を話して顔を出さぬように頼み込み、万全を尽していたが、まるで物見遊山《ゆさん》にでも出かけるように着飾り、賑《にぎ》やかな笑い声さえたてている藤代たちの余裕をもった様子を見ると、俄かにこれからのことが気になった。

「宇市つぁん、神ノ木までどのくらいかかるのだす?」

行き急ぎするような藤代の声がした。

「そうだすな、本町《ほんまち》から阿倍野橋まで約三十分、阿倍野橋から神ノ木まで十五分ぐらいおまっしゃろ」

「ふうん、割とかかりますねんなぁ」

時間を気にするように云うと、

「姉さんいうたら、好きなお芝居にでも出かけはるような気の入れ方やこと——」

雛子が、可笑《おか》しそうにくっくっと笑うと、叔母の芳子も、

「ほんまに、こないして四人揃うてちゃんとしたお衣裳で出かけるのは、嘉蔵はんが亡くなりはってから始めてのことで、まるで京都の顔見世でも観《み》に行くようでおますな」

賑やかに相槌《あいづち》を打ち、

「今日の舞台は、なかなか見ごたえがおますやろ」

と云い、藤代の方を向き、北叟笑《ほくそえ》むように笑った。

「けど、お互いに狐《きつね》と狸《たぬき》の化し合いみたいなものでっしゃろから、見ごたえのほどは終ってからでないと解りまへんわ」

藤代は、素っ気なく応《こた》えながら、内心では、生温かな心の昂《たかぶ》りを覚えていた。阿倍野橋の車と人の雑踏を通り抜け、北畠《きたばたけ》まで来ると、急に車の流れが少なくなり、ひっそりとした住宅街に入った。車が神ノ木に近付くにつれ、宇市の胸に、文乃のこともさりながら、付添婦に化け込ましている君枝のことが気懸りになった。人一倍、眼端《めはし》がきき、転んでもただで起きることのない君枝のことだからと安心するあとから、藤代たちの眼はともかく、分家の御寮人である芳子の眼の鋭さを思うと、次第に不安が募って来た。

「あ、もう神ノ木の停留所だすか、どっちへ折れますねん？」

うしろで芳子の声がした。宇市は、慌てて運転手に道順を告げた。薬局の近くまで来ると、出目金が近所に布《ふ》れ廻ったらしく、薬局の前に近所のおかみさん連中が集まって、待ち構えていた。その前を走り抜けるにも、薬局の前から小道になって、そこを左に入ったところが文乃の家であったから、車は薬局の前まで来ると、徐行しなければならなかった。

車の両側からもの見高い視線が、藤代たちに集まった。妾《めかけ》を見舞に来た本宅の女たちというもの珍しさと、眼を見張るような豪奢な衣裳に対する羨望《せんぼう》や姦《かしま》しさが、車の窓から藤代たちを取り囲み、

「老舗の御寮《ごりょう》さんや嬢《とう》さんというのは、ちょっと出かける時でも、あないまでええ衣裳を着んならんものやろか」

「値段の高そうな着物ばっかりで、見てるだけでも、しんどうになりまんな」

無遠慮な言葉が飛び込んだ。千寿は眼を伏せ、雛子もはにかむように顔を紅《あか》らめていたが、叔母の芳子と藤代は、自分の着ている豪奢な着物を気にもかけぬような何気ない姿勢をし、そのくせ顔だけはつんと前に向け、もの見高さを無視するように悠然としていた。

車が停ると、宇市は運転手より先に降りて門のベルを押した。打ち水をして掃き浄《きよ》めた玄関から、付添の君枝が待ち構えていたように飛び出して来た。

「お越しやす、先程から、ご病人さんとお待ち申し上げておりました」

何時《いつ》ものように文乃を奥さんとは云わず、病人さんと云い、髪もひっつめ髪にして不恰好《ぶかっこう》な大きな前掛をかけ、付添婦らしい地味づくりにして挨拶《あいさつ》をしたが、藤代たちは返事もせず、門口にたって、家の表構えを眺めた。

生垣で囲った七十坪程の敷地に、表格子《おもてごうし》の入った数寄屋《すきや》風の二十坪そこそこの平家《ひらや》であった。年期が来ているらしく、生垣の下の積石も家の廻りの造作も古びていた。

老舗の主《あるじ》の妾宅にしては貧相《ひんそ》すぎるほどのものであったが、そこに養子旦那《だんな》である矢島嘉蔵の遠慮が見えていた。

玄関に入ると、君枝はすぐ藤代たちの足もとに屈《かが》み込み、四人の脱いだ履物を手早く沓脱石《くつぬぎいし》の上に揃え、宇市の履物だけ沓脱石の下に控えて置き、

「さあ、どうぞ、奥へお入りやしておくれやす」

と云い、先にたって案内し、奥座敷の襖《ふすま》の外から、

「ご本宅さまがお見えでおます」

と声をかけ、襖を両開きにした。

文乃は、白地に蚊絣《かがすり》の仕立おろしの浴衣《ゆかた》に寝巻を改め、きれいに梳《す》き上げた髪にほつれ毛も見せずに布団《ふとん》の上に起き上っていた。

「本日は、お揃いで、お見舞を頂戴《ちようだい》致しまして、恐縮でおます――」

青くむくんだ顔を俯《うつむ》けて、座敷に入って来た藤代たちを迎え、顔を上げた途端、はっと眼を瞬《しばた》かせた。

叔母の芳子をはじめ、三人の姉妹がずらりと顔見世の正面桟敷《さじき》に出揃うような豪奢な衣裳で、敷居際《しきいぎわ》にたち並び、病人を見舞う温かい思いやりは気振《けぶり》にもなく、故意に見せつけるような燦《きら》びやかさと底意地の冷たさが四人の肩に貼《は》りついていた。

文乃は思わず、胸を衝《つ》かれ、動悸が高まって来るのを覚えたが、腋下《わきした》にじっとり、

脂汗《あぶらあせ》をにじませながら、胸苦しさを耐えた。

「どうぞ、御寮さんから、こちらのお座《ざ》布《ぶ》団へ――」

付添婦の君枝が座布団を勧めると、叔母の芳子を上座《かみざ》に、藤代たち三人が文乃を取り囲むように坐り、宇市は雛子のうしろに坐《すわ》った。芳子は肥《ふと》った体を厚い座布団の上に沈ませると、

「こぢんまりとしたええお家でおますこと、どれぐらいの間数でおます？」

と云いながら、座敷の作りや床の間の木口を見調べるように丹念に見廻した。

「お玄関の三畳に四畳半二間と、八畳、六畳、それにお台所、お風呂《ふろ》、お憚《はばか》りでおます」

「前栽《せんざい》の手入もよう行き届いてはりますな」

四十坪程の庭であったが、植込みの一つ一つが刈り込まれ、庭石の形が小さいながら選ばれていた。

「へぇ、おかげさまで植木の楽しみもさせて戴《いただ》いております」

「そうでっか、ちょっと手狭なようだすけど、女の一人住いで、月に何回かだけ男はんが見えはるのでおましたら、考えようによってはお広いというわけにもなりますな」

そう云い、振り向いて床の間を見た。掛軸ははずされ、黒檀《こくたん》の卓《じょく》に故矢島嘉蔵の写真が祀《まつ》られ、白い仏花が供えられていた。

「まあ、嘉蔵はんは、ここでも祀ってもろうていはるのでおますか、男は、女と違うて死んだら、二処《ふたところ》で祀ってもらうということがおますのだすな」

叔母の芳子は、皮肉な笑いを見せたが、藤代たちはにこりともせず、妾の家に祀られている和服姿の寛《くつろ》いだ父の写真を、他人を見るような容赦のない視線で見詰めていた。

「ところで、病状の方は、宇市つぁんから聞きましたけど、その後の工合はどないでおます？」

芳子は、はじめて、今日の見舞の言葉を切り出した。

「急に倒れました時は、どうなることかと思うたのでおますけど、大番頭はんのご親切なお計らいで、付添さんも早速に見つかり、おかげで悪うにもならず、落ちついているようでおます」

文乃は、面窶《おもやつ》れした顔に強《し》いて笑いをうかべ、病状を押し隠すように云った。

「けど、ほかの病気と違うて妊娠腎《にんしんじん》というのは、お産の時に妊婦の命取りになる病気でっさかい、お腹《なか》の赤子《やや》はどうしはるおつもりでおます？」

本宅伺いの時とは、うって変ったもの柔らかさで云った。

「赤子《やや》は、やっぱり最初に定《き》めました通り産むつもりを致しております」

「へえぇ、命取りになるかも解らへんお産をしはりますのだすか、そんな無理をして、赤子《やや》は無事に産まれても、あんたに万一のことでもあったら、どうしはるつもりだす」

文乃は、一瞬、返事に詰ったが、くっきりとした瞼《まぶた》を上げ、

「それでもやっぱり産もうと思うてます、ご臨終の時にも旦那さんに、子供の顔を見られずに死ぬのが、一番心残りやと、そうお云い戴きましたので、子供だけは……」

と云いかけると、

「へえぇ、私らの顔を見んでも、あんたのお腹の子供の顔を見ずに死ぬのが心残りやと云いはったのでおますか」

険しい藤代の声がし、西田絞りの着物を着た豊かな胸が、荒々しく息づいた。

「いいえ、めっそうもない、嬢さん方と比べてどうというような意味で無《の》う、ただ、私のお腹の中の子供のことを……」

「止《や》めておくれやす、父が亡くなってから一七日《ひとなのか》や二七日《ふたなのか》ならともかく、二カ月も経《た》ってますのに、まだ床の間に父の写真を麗々しゅうに飾って花を供え、その上、二言

目には旦那さんがとか、お腹の赤子《やや》がとかいうのは、いい加減にしておくれやす、あんたは何時までも同じ繰り言をいうてはるのが、心の慰みかしれまへんけど、それを聞く本宅の私たちは、鳥肌だつほどいやらしい思いがするのだす」

と云うなり、藤代は付添婦の方を向き、

「そのお床の上の写真を取っておくれやす」

「え？　この旦那さんのお写真でおますか」

君枝は、うろたえるように文乃の顔をみた。面窶れした文乃の顔が忽《たちま》ち蒼白《そうはく》になった。

「お写真をどうしはるおつもりでおますか」

「家へ持って帰って、四代目、矢島商店の店主にふさわしい座敷に飾らしてもらうわけでおます」

藤代はつと起《た》ち上って、床框《とこがまち》の前へ寄ったかと思うと、父の写真に手をかけた。

「嬢さん、それは——」

文乃の叫ぶような声がし、身重な体を捻《ね》じ向けて、藤代の手を遮った。

「お仏壇も、お位牌《いはい》も持たして戴けまへん私が、せめて、旦那さんのお写真だけを祀らせて戴くことも、お許し戴けまへんのでおますか」

声の中に訴えるような哀切さが鳴っていたが、藤代は文乃の顔を見据えたまま表情を動かさず、

「あんた独りの心の拠《よ》りどころとしてお祀りしはるのならともかく、さっきからのあんたの言葉では、どうしてもお腹の赤子《やや》を産みはるそうでっさかい、もしあんたの子供が産まれた時に、この写真がお父さんだすとでも云われるのは、矢島家にとって迷惑なことで、この写真一枚が煩《わずら》わしいことの因《もと》にもなりかねまへんさかい、写真はちゃんと本宅へ持ち帰りたいというわけでおます」

と云い、床の間の写真を取り、裏へ返して額縁をはずし、中の写真を抜き取りかけると、文乃の体がのめるように前へ出た。

「そんなに私の赤子《やや》が産まれることが、ご本宅にとって、ご迷惑なことでおますか」

きっと改まるように云《い》うと、

「産まれ方によりましてな」

横合いから、叔母の芳子が応えた。

「と申しますと、どんな意味合いでおますか、世間には私のような立場の者でも子供を産んではる人は、他《ほか》にもたんといはりますのに、なんで私にだけ、こんなむごいことをお云いやすのでおます」

文乃の声に怒りと、悲しみが籠められていたが、芳子は平然と落ち着き払い、

「はっきり云いましたら、あんたが自分の命まで賭《か》けて子供を産もうとしはるのには、何かそれ相当のことがあるはずやと、本宅の私らは、こう睨《にら》んでいるのだす」

ぐいとねじ伏せるように云うと、不意に文乃の顔が能面のような動きのなさで遠い一点を見詰めた。

「急に黙り込みはったところをみますと、やっぱり、何かがあるのでおますな」

そう芳子が畳み込みかけると、文乃はかすかに頭を振った。

「そうすると、何もないとはっきり、云いきりはるのでおますな」

念押しするようにおっかぶせると、文乃は再び、黙って頭を振った。

「そんなら、あんたは、一体どうやと云いはるのだす――」

いきりたつように藤代が云い、文乃の方へ近付きかけると、突然、玄関のベルが鳴った。

「誰でおまっしゃろ、今頃――」

部屋の隅に坐っていた君枝は、険しい座敷の気配から救われたように、急いで玄関へたって行ったかと思うと、すぐ座敷へ引っ返してきた。

「坂上先生とかいうお医者はんが、診察にお見えになってはりますねんけど……」

「坂上先生て？」

文乃が訝《いぶか》しげに聞き返しかけると、

「私が、お呼びした先生でおます」

千寿が、青白んだ顔で云った。

「えっ、なかぁんさんが――」

一瞬、藤代たちは、気を呑《の》まれたように千寿の顔を見た。

「私が何時も診て戴いている産婦人科の坂上先生に、こちらの診察も特にお願いしたのだす」

みるみる文乃の顔から血の気が引き、唇がわななくように震えた。

「お医者さんでおましたら、私の方でちゃんとかかっておりまっさかい、せっかくのお計らいでおますけど、どうぞお断わりしておくれやす」

と拒みかけると、千寿は切れ長の眼で文乃を見詰め、

「そらあんたのことでっさかい、ちゃんとしたお医者さんにかかってはるのは、よう解《わか》ってますけど、うっかりしたら命にかかわるような病気のことでおますし、お医者さんのみたてというのは、いろいろでおますから、産婦人科で有名な坂上先生にわざわざ往診を願うたんだす、その方が、それこそ、あんたの欲しがってはる赤子《やや》を、間

違いなく産めることにもなりまっしゃろ」

言葉優しく云いながらも、結婚して六年にもなりながら、子供に恵まれぬ千寿の眼に憎しみとも、嫉《ねた》みともつかぬ陰湿な光が揺れ、藤代は、ここにも、もう一人、自分と同じように文乃の死を考えている者がいたことに気付いた。

「けど、そんな顔見知りのない産婦人科の先生に、しかも、こうして嬢さん方がおいやす中で、とてもよう診て戴きまへん、お断わりしておくれやす」

さらに頑《かたくな》に拒みかけると、叔母の芳子はつぃと文乃の傍に擦《す》り寄り、

「文乃はん、まあ、そんな若い生娘みたいな駄々をこねはらんと、せっかく、本宅の嬢さんが、あんたのためにわざわざ、ええ先生を呼んで来てくれはったのでおまっさかい、云う通りに診ておもらいやす」

と云うなり、君枝の方を向き、

「付添はん、何をぐずぐずしてますねん、あんたはすぐお玄関へ行って、先生を鄭重《ていちょう》にこちらへご案内しますのや、それから雛子ちゃんと宇市つぁんは、向うの座敷へ行ってなはれ」

というなり、芳子は文乃のうしろに廻って、羽交《はがい》じめにするように背中を抱きかかえかけると、千寿と藤代も、両側から叔母の手を助《す》け、文乃の体を無理矢理に仰向け

に寝かしつけた。

「何をおしやすのでおます！　無理にそんな、診察など――」

文乃は恐怖をにじませた表情で、ひしと胸もとをかき合わせ、抗《あらが》うように体をもんで拒んだが、看護婦を伴った医者が座敷へ入って来ると、もう抗うことを、諦《あきら》めたように青くむくんだ顔を枕《まくら》の上に仰向かせた。

医者を呼んだ千寿は敷居際までたって行き、

「まあ、先生、ようお運びになってくれはりました、昨日は、ああおっしゃってはりましたけど、ほんとにご往診戴けるか、どうか、案じておりましたところでおます」

と挨拶して、医者を迎えた。

「いや、ちょうど今日は、外来の診察の方が早くぬけられまして――、ところで病人さんの工合はいかがです」

文乃は、眼鏡を冷やかに光らせている中年の医者の顔を、固い表情で見詰めた。

「じゃあ、早速、診せて戴きましょう」

医者は、患者の緊張を解きほぐすようなもの柔らかさで云い、看護婦に持たせて来た往診鞄《おうしんかばん》を開けた。芳子は、文乃の傍へ付き添いかける君枝の手を払い、身内のような甲斐甲斐《かいがい》しさで文乃の胸をはだけ、腰に巻いている帯を引きほどくように解いた。

浴衣の打合わせから文乃の肌が露《あら》わになり、医者は聴診器を取って胸に当て、最初は内科の診察からはじめ、胸から次第に膨れ上った腹の上に聴診器を当てて行った。文乃は、今は羞恥《しゅうち》もなく、露わになった胸を大きく息づかせ、晒帯《さらし》を取った腹部を醜く曝《さら》していた。叔母の芳子は臆面《おくめん》もなく文乃の体を仔細《しさい》に見廻し、藤代と千寿は、これが父の馴染《なじ》んだ女の体、そしてこの女の体の中にある生きた塊が、一つ間違えば自分たちの遺産分配を左右するかもしれないと思うと、悍《おぞま》しさを籠《こ》め、生体解剖に立会うような視線で文乃の体を見詰めた。

「じゃあ、次に内診の方を――」

と云い、医者が消毒薬で手を拭《ふ》き、看護婦から婦人科の内診器具を受けると、文乃は、はっと体を身じろがせ、

「何をしはるのでおます！」

叫ぶように云い、恐怖をにじませた表情で、自分の前を覆《おお》うように両手で押えた。

「妊娠腎から、胎盤早期剝離《はくり》の原因になるようなことが起っていないか、子宮鏡を入れて、内診するだけのことです」

と云い、器具を取ってその方へ近付けると、

「止《や》めて、器具を使うのは止めておくれやす！」

と云うなり、文乃は顔を蒼白にして、両手で前を押えたまま、上半身を起し、

「そんなことをして、もし、お腹の赤子《やや》が流れるようなことがあったら、いいえ、わざと流しはるようなことを——」

と云い、唇を戦慄《わなな》かせると、

「止めといてあげておくれやす」

君枝が、文乃の体を庇《かば》うように手を伸ばして、文乃の裾《すそ》へ掛布団を押しかぶせた。

「付添婦の出る場やおまへん！　お退《さが》りぃ」

千寿の白い手が、君枝の両手を払い退《の》け、文乃の顔を見据え、

「取り乱すのもいい加減におしやす！　私らは矢島家の女たちだす、診察と見せかけて、お腹の子を堕《おろ》してしまうような、そんな騙《だま》し討ちみたいなことは致しまへん、先生にちゃんとご診察願った上で、中絶をした方がいいか、どうかを定めたいと思うてるだけでっさかい、おとなしゅうに診察をお受けやす」

と云い、千寿の手が文乃の肩にかかると、

「嘘《うそ》、嘘でおます、あんさん方は、何を考えていはるか、解らんお人ばかり、口と心は全く裏腹の怖《おそろ》しいお人——」

文乃は千寿の手を払い、抗いかけると、医者は文乃の手を取り、

「興奮するのが、一番、胎児に悪い影響を及ぼしますから、まあ、私にお任せなさい」

と云うなり、看護婦に一番下のものを脱がさせ、両膝《りょうひざ》をたてて、股《また》を広げさせた。

文乃は拒むようにきゅっと足をつぼめたが、医者は右手で子宮鏡を持ち、左手で外陰部の陰唇《いんしん》を開いてペリカンの口のような子宮鏡を膣《ちつ》に差し込んだ。文乃は膝をたて、股を広げたまま、海老《えび》のように体をそらせ、恐怖と羞恥に顔を引き吊《つ》らせた。

「さあ、ちょっと動かないで、静かにしていないと、危ないですよ」

と云い、看護婦に文乃の体を押えつけさせると、医者は手馴《てな》れた様子で、膣に挿入した子宮鏡を窺《のぞ》き込み、膣内の色、爛《ただ》れ、出血の有無を確かめて行った。

叔母の芳子の眼に産婆《さんば》のような露骨さがうかび、藤代と千寿の眼に、産婦人科医以外の者が見ることのできない女の体を見る残忍な欲望と陰湿な昂《たかぶ》りが、揺れ動いた。

「どうです、ここを押えると痛いですか」

医者は子宮鏡を抜くと、左手の指を膣内に差し込み、右手で下腹部を押えた。文乃は脂汗をにじませた顔を硬《こわ》ばらせ、固く眼を閉じたまま、頭を振った。

「じゃあ、このあたりの工合はどうです、押えると、妙な圧迫感を感じますか」

子宮と下腹部を交互に押し、子宮の大きさ、柔らかさ、異常さを診ると、文乃は、また額に汗をにじませたまま、黙って頭を振った。その度に、藤代たちの顔に血の色が奔《はし》り、眼に秘《ひそ》かな悦楽を娯《たの》しむような、なまなましい光が帯びた。

医者は、臍《へそ》の位置から二横指下《におうし》まで診察すると、すぐ看護婦に患者の裾へ掛布団《かけぶとん》をかけさせ、君枝が用意した洗面器にクレゾール液を落して手を洗った。千寿は横からタオルを差し出し、

「いかがでおましたかしら、先生のお診たては？　やっぱり、妊娠腎でお産をするのは危険でおますか」

待ち受けるように聞いた。医者は暫《しばら》く慎重に考え込み、

「そうですね、私の診たところでは、たしかに妊娠腎の症状がはっきり出ていますから、妊娠中絶をするに越したことはありませんが、絶対そうしなければならないという程ではありません、正直なところ、胎児を産むことの危険率は五分五分です」

藤代たちの顔に、失望の色がうかんだ。

「でも、五分と五分でしたら、中絶して安全な道を選ぶのが、常識ではございませんでっしゃろか」

千寿の静かな声の中に、相手の応《こた》えを要求するような強い響きがあった。医者は、当惑するような表情をし、

「それは胎児の母になる人の考え次第で決めることで、さっきの診察は、本人の健康に関することですから、お頼まれした通り、無理にでも診察できますが、診断は公正なものでなければなりません、妊娠中絶をするか、しないかは、医者の公正な診断に基づいて本人が決めることで、医者はそこまで強要できません」

と云うと、千寿は文乃の方を向き、

「あなたのつもりは、どちらなんです！」

「私は産むつもりに決めております」

枕の上から首を擡《もた》げるようにし、はっきり応えると、

「またのことにしはったら、どうでおます！」

ぴしりと搏《う》つような藤代の声がした。

「またのことと申しますと――」

文乃は、きっと、眼を見張って問い返した。

「あんたは身寄りのない人でっさかい、親身になって世話をしてくれる人もないのに、何を好んで五分の危険率のあるお産をしはるのだす、この付添さんも、派出婦会からの人と違うて宇市つぁんのつてで来た素人《しろうと》の人でっさかい、万一のことでも起ったらどうしはるつもりだす、それより、まだ私と同じ若さで、よう赤子《やや》の出来そうなええ

体をしてまっさかい、またということがおますやないか、その方が産まれて来る子供にも幸福でおまっしゃろ」

あしらうような云い方をすると、

「ほかの倖《しあわ》せと違うて、子供を持つ倖せは、荷物を置き替えるように、またのことにできるようなものではございまへん」

文乃は、藤代たちから顔をそむけるように瞼を閉じた。医者は、複雑な事情を感じ取ったのか、

「どんなご事情かしりませんが、それはあとで皆さんでご相談戴《いただ》くことにして、本人が中絶するとおっしゃるのなら、もう搔爬《そうは》は出来ませんから、一週間ほど入院して、ブージで出すことです、またお産みになるのなら、安静にして、腎臓《じんぞう》のむくみを一日も早くとり去ることです」

葡萄糖《ぶどうとう》にネオヒリンを入れた静脈注射を打ち、付添婦の君枝に病人食の注意をすると、時間を気にするように慌《あわただ》しく席をたった。

医者が座敷を出ると、するりと襖《ふすま》が開き、宇市が顔を出した。

「もう、およろしおまっしゃろ」

と云い、うしろを向いて、雛子を招いた。茶の間にいた宇市は、座敷の中の異様な

気配に気付いていたが、

「どんな工合でおましたのです？」

素知らぬ体《てい》で聞くと、藤代たちは一言も応えず、文乃も顔を仰向けたまま、ちらりとも宇市の方を振り向かず、白けかえった部屋の中に、女の憎しみと執念が白い煙のようにたち籠めていた。宇市は、とっさに言葉の継ぎ穂を失い、自分の居場所に戸惑ったが、医者を送り出して、戻って来た君枝は、眼敏《めざと》く座敷の気配を見て取り、

「お茶《ぶう》をどないでおます、おいでやすなり、赤子《やや》のお話や、お医者はんのお見えで、まだお茶をさし上げておりまへんけど、鶴屋《つるや》八幡《はちまん》のお饅《まん》頭をご用意しておます」

と云い、文乃の方には、

「きつうお疲れでおましたやろ、おもてなしの方は、わてがさして戴きまっさかい、どうぞお楽にお憩《やす》みやす」

乱れた掛布団の位置をもと通りに整えかけると、叔母の芳子の膝がつと前に出た。

「付添婦さんにしては、えらいたち入ったものの云い方をしたり、さっきも私らを止めだてしたり、出しゃ張り過ぎるやおまへんか、あんたは、宇市つぁんのどんなつてでおます？」

きめつけるように云った。君枝は、三白眼《さんぱくがん》の白目をぎくっと動かしたが、

「お店の下請けをさせて戴いておます晒《さらし》工場の、職人の遠縁に当る者でおます」

落ち着いて、応えた。

「それで、今までは何処《どこ》で働いてはりましてん」

「へぇ、京都の嵐山《あらしやま》の旅館の女中を致しとりましたんでおます」

「ああ、それで、わてらが玄関へ入って来た時の迎え方といい、沓脱石《くつぬぎいし》の上へ並べた履物の揃《そろ》え方といい、行き届いているのでおますな」

頭をひっつめ髪にし、わざと不恰好《ぶかっこう》な前掛をかけた君枝の身なりをじろりと眺め、

「そこへ、宇市つぁんが、ちょこちょこと、出かけて行きはったというわけでおますか」

君枝は、思わず言葉に詰り、顔色を変えそうになるのを抑え、

「まあ、急に妙なご冗談を……」

やっとそう応えると、宇市が口をはさんだ。

「御寮さん、何をけったいなてんごう（冗談）をお云いやすのでおます、手前はもう、その方は店じまいの齢《とし》でおます、もしそんな元気が残っておましたら、それこそ、ちょこちょこと、こちらへ参上して――」

と云うなり、宇市は横になっている文乃の方へ、露骨な眼を向けた。

「えっ、こっちへ――」

芳子は、あっ気に取られたように宇市の皺《しわ》だらけの顔を見詰めたが、

「ふぅ、ふぅ、ふぅ、旦那《だん》はんのお下《さが》りというわけだすか、そうなると、好都合でおますな、こっちは、身寄りのない人でっさかい、どうせまた、次に世話をする男はんが要りまっしゃろ」

文乃に妊娠中絶を納得させることが出来なかった意趣ばらしのような、どぎつさで云うと、

「さあ、わてらは、これで帰りまひょ」

席をたちかけると、藤代も叔母に続いて、

「ほんなら、どうぞ、ご自由にお産みやす、但《ただ》し、矢島家とは何の関係もなく、浜田文乃の私生児としてでおます」

投げつけるように云うなり、ついと起《た》ち上った。匹田《ひった》絞《しぼ》りの豪奢《ごうしゃ》な衣裳《いしょう》が、ぱあっと部屋中を埋めるように重く揺れ広がり、華やかな匂《にお》いを撒《ま》き散らした。

藤代たちの足音が玄関の外へ消え去ると、能面のような無表情さで、藤代たちを送

り出していた文乃の表情が崩れ、うっと呻《うめ》くような声が咽喉《のど》の奥から洩《も》れた。今あった汚辱にまみれ、残酷にあしらわれた自分の姿が、まざまざと文乃の胸に思い返され、身を揉《も》むような嗚咽《おえつ》が、文乃の体を襲った。

蟇《ひきがえる》のように寄ってたかって取り押えられ、藤代たち三人の眼の前に醜い半裸体を曝《さら》し、その上、女の恥ずかしい部分まで露《あら》わに見られた汚辱は、胎児の安全を願えばこその隠忍であったが、それにしても、あまりにも惨《みじ》めな自分の姿が口惜しかった。妾《めかけ》というものは、それほど卑《いや》しく、苛《か》酷《こく》に扱われなければならないものかと思うと、文乃は、思わず、床の間を見上げた。そこには今朝まであった故矢島嘉蔵の温顔はなく、藤代に奪い去られた写真の額縁だけが、取り残されていた。

文乃の眼から涙が噴《ふ》きあげ、咽喉に嗚咽が溜《たま》った。仏壇も、位牌《いはい》もなく、たった一枚の写真まで取り去られては、何を標《しるし》にして、仏を祀《まつ》り、お腹《なか》の子供を育てて行けばよいのか、その頼りなさが、文乃の心を空《うつ》ろにした。

文乃は、暫く呆《ほう》けたように天井を見詰めていたが、のろのろと上半身を起し、ゆっくり膝行《いざ》るように押入の中の仕込み箪笥《だんす》の前に寄ると、音をたてぬように襖を開き、一番下の引出しを開けた。ナフタリンの強い臭《にお》いが鼻をつき、吐きそうになったが、寝巻の袖《そで》で鼻を押え、引出しの前へ屈《かが》み込むと、矢島嘉蔵が着ていた浴衣《ゆかた》、丹前、長《なが》襦袢《じゅばん》などの衣類が、生前の思い出をもって文乃の眼に映った。

文乃は、そっと、衣類の間に手を入れ、その感触をなつかしむように眼を伏せていたが、一番底に畳み込んでいる大島の丹前の袖をまさぐるようにして、一通の白い封書を取り出した。和紙の分厚な封書の裏に緘封《かんぷう》が記され、表に返すと、浜田文乃殿と、書き馴れた矢島嘉蔵の達筆でしたためられていた。

不意に人の気配がし、襖が開いた。はっとして、封書を衣類の間へ押し隠すと、

「まあ、どないしはったのでおます、ご病人さんがそんなところに坐《すわ》ってはりまして――」

君枝は、不自然な恰好をしている文乃の手もとへ素早く、眼を走らせた。

「おや、何かお探しものでおますか」

三白眼の白目を動かし、

「いいえ、あまり汗に濡《ぬ》れましたさかい、着替えをしようと思うて――」

そう云い、引出しの中から女物の浴衣を出すと、

「そらそうでおまっしゃろ、あんな酷《むご》い仕打を受けたら、汗どころか血が流れようというものでおます、よう、ご辛抱おしやすな」

君枝は、すぐ汗ばんだ文乃の浴衣を脱がせ、甲斐甲斐《かいがい》しく背中の汗を拭《ふ》き取って、

糊《のり》のきいた浴衣に着替えさせ、

「お髪《ぐし》も、もう一度、梳《と》きあげまひょか、えろう乱れてまっさかい」

と云い、縁側の鏡台から合鏡《あわせ》と黄楊《つげ》の櫛《くし》を取って、文乃のうしろに廻って、くせのない長い髪に櫛目を入れた。文乃は、君枝のなすままに任せながら、この行き届いて心得過ぎる付添婦の身元に、何となく頷《うなず》けぬ疑いを持っていた。

「これで、ちょっと気がお憩まりになりまっしゃろ」

髪を梳《くしけず》りながら、付添婦の猫《ねこ》を撫《な》でるような声がし、

「あんな酷い目に遭《お》うてまで、なんで、赤子《やや》を産みはるのでおます？　わてなら、とっくに堕《おろ》してしもうてますわ」

さり気ない聞き方をしていながら、今日の争いの核心に触れていた。文乃は、暫く、応えずにいたが、

「それこそ、あんな酷い目に遭わされんために産むのだす」

謎《なぞ》のような一言を云うと、文乃は自分の手に持った合鏡で、自分の言葉の意味を必要以上に詮索《せんさく》している付添婦の顔を、じっと鏡の中に映し取った。


（下巻につづく）

女《にょ》系《けい》家《か》族《ぞく》(上)

新潮文庫　や－5－31

平成十四年四月二十日　発行
令和　三　年十一月三十日　二十六刷

著者　山《やま》崎《さき》豊《とよ》子《こ》

発行者　佐藤隆信

発行所　株式会社 新潮社

郵便番号　一六二—八七一一
東京都新宿区矢来町七一
電話　編集部(〇三)三二六六—五四四〇
　　　読者係(〇三)三二六六—五一一一
http://www.shinchosha.co.jp

価格はカバーに表示してあります。

乱丁・落丁本は、ご面倒ですが小社読者係宛ご送付ください。送料小社負担にてお取替えいたします。

印刷・大日本印刷株式会社　製本・加藤製本株式会社

ISBN978-4-10-110431-7　C0193